病院のための
経営分析入門

石井 孝宜　西田 大介
公認会計士　公認会計士

第3版

じほう

本書について

成り立ちについて

この本の始まりは，今から20年前の平成15（2003）年にシリーズ本の1冊目として刊行した「医療・介護施設のための経営分析入門（病院編）」でありました。その後，図らずも好評をいただき平成20（2008）年からは単行本『病院のための経営分析入門』として現在に至っています。

平成28（2016）年には，病院経営・財務・会計に精通された新進気鋭の公認会計士・税理士西田大介氏に共著をお願いしています。

西田会計士は，経営指導，財務会計，税務，そして平成30（2018）年から法定化された医療法人監査に至るまで医療・病院領域に広く深く関わりを持たれ，この分野の実務家として余人を持って代え難き逸材です。

今回の本書の改訂においても，そのほとんどを担当いただきました。

来年，古希を迎える身としては本書の執筆後継者が確定したものと大変うれしく思っています。

執筆への思いについて

平成15年の最初の「まえがき」に5つの項目を立てて執筆の思いを申し上げました。①いよいよ競争と淘汰の始まり，②見たいところだけ見るも良し，③電卓とメモ用紙はより効果的，④数字を読んでください，⑤常に経営全体を見るです。時代が少し変わり，道具は電卓とメモではなくPCとDXになったかもしれしませんが本質のところは陳腐化していないと確信しています。

当時は，少し先走っていた表現，病院における競争と淘汰は今現実のものとなっており，これから本格化します。そのような状況下において経営を数字で認識・分析・評価することは極めて重要で，その際の心得は木も見て森も見る，すなわち，常に部分だけでなく全体も必ず見る意識を持つ，そして，そのための眼を持つには，意識と知識と経験が不可欠です。

本書は，知識を学んでいただくための病院における財務・会計領域の入門書ですが，知識を得るための学習によって一番大切な意識も育んでいただけるように構成したつもりです。

少子・人口急減・超高齢化に突入して，わが国の医療政策は入院・外来という整理から入院医療，外来医療，在宅医療へ確実に変化することになります。何が変わっても不思議ではない時代に突入します。

おわりに，株式会社じほう出版局安達さやか氏には20年に及びお付き合いいただき心より感謝いたします。ありがとうございました。

令和5年6月

公認会計士　**石井　孝宜**

まえがき

第2版の発行された平成28（2016）年2月は，平成26（2014）年の第6次医療法改正により導入された「地域医療構想」の実現のための「病床機能報告制度」や「地域医療構想調整会議」などの在り方に関する具体的な議論が行われていた時期でした。「地域医療構想」策定当初は134.7万床の病床を2025年に115～119万床程度と20万床程度減らすことを目指すべきとした推計がなされる一方で，令和2（2020）年1月からの新型コロナウイルス感染症への対応においては，必ずしもすべての感染患者を受け入れることができないといった状況が生まれるなど，現在わが国において整備すべき病床については数と機能の両面から改めて考えさせられる状況になっています。

また，平成27（2015）年度末に1,033兆円（GDP比191％）であった国および地方の長期債務残高は令和4（2022）年度末には1,257兆円（GDP比224％）が見込まれるなか，国際情勢や急激な出生数の減少への対応として防衛費予算や少子化対策予算の増額が避けられない状況です。

したがって，今後の病院運営においては必ずしも財政的な支援が十分に受けられない中でさまざまな変化が求められる可能性が高いと言わざるを得ません。

このような認識のもと，第3版では基本的なフレームワークに変更はありませんが，病院を取り巻く環境については直近の状況を反映させるための追記や書き直しを行うとともに，この時期に改めて現在の医療制度改革の基となる，平成20（2008）年の「社会保障国民会議」の議論や平成24（2012）年から25（2013）年にかけての「社会保障制度改革国民会議」の議論を振り返ることも有用であると考え，それぞれの報告書について触れています。

そして，組織を変化させる際に自らが持つ経営資源（人・物・金）を十分に理解せずにやみくもに変化させてしまうと，対応可能なレベルを大きく超えてしまい，逆に病院の存続そのものを脅かすことにもなることから，経営分析の基礎知識としての財務諸表に関して，「金」の面での対応可能なレベルを把握するために有用である「フリー・キャッシュ・フロー」の説明を追加しています。

病院の経営分析に関しては，厚生労働省によって毎年公表されている「病院経営管理指標」に基づき，取り上げる指標自体に変わりはありませんが，重要な指標については平成17（2005）年度以降5年ごとの推移を，一般病院について開設主体別に掲載するとともに医療法人が開設主体となっている病院については，さらに病院種類別に掲載し説明を加えています。普段の実務では，前年との比較や長くても3年から5年程度の推移を見ることが多いと思いますが，今後2040年を視野に入れる，つまり約20年先を想定する機会が増えると考え，逆に過去20年を振り返ることに意味があると思い，この機会に平成17年度からの推移を追ってみました。また，巻末資料として令和元年度および令和2年度の病院経営管理指標に関する調査研究結果を掲載していますので，そちらも参考にしてください。

医療制度改革は今後も継続し，地域の医療機関の外来機能の明確化・連携に向けた「外来機能報告制度」が令和4年度から開始され，さらに，この5月に成立した「全世代対応型の持続可能な社会保障制度を構築するための健康保険法等の一部を改正する法律」（いわゆる「全世代社会保障法」）により，今後，「かかりつけ医機能」についても報告制度が運用されることから，病院経営におけるデータ活用の重要性は増しています。また，平成30（2018）年4月期から医療法人に導入された法定監査や「全世代社会保障法」により導入される医療法人等の経営情報のデータベース制度など，医療法人には財務情報の透明性確保がより一層求められています。つまり，病院経営者にも適切な財務諸表の作成と開示に関する知識が求められる時代になってきているのです。

このような状況において本書が病院などの医療施設の経営に直接かかわり日々苦労している経営者，管理者の方々に多少なりともお役に立てば幸いです。

最後になりますが，第3版の出版にあたり，適切なご指導をいただきました会計士の石井孝宜先生と忍耐強くお待ちいただくとともに適切なご助言をいただきました株式会社じほう出版局の安達さやか氏に，厚く御礼を申し上げます。

令和5年6月

公認会計士　**西田　大介**

目次

I 病院経営分析の入り口

II 病院における経営分析のための基礎知識

Ⅲ 病院の経営分析

【コラム】

【資料】

I

病院経営分析の入り口

経営と経営分析

国は，平成26年の第6次医療法改正により，団塊の世代が75歳を超える令和7年（2025年）を目指して，地域医療構想の実現等に取り組んでおり，さらに，その後の団塊ジュニアが65歳を超えることで高齢者人口のピークを迎え，同時に現役世代が急減する2040年問題も視野に入れて医療提供体制の改革を進めています。その中で，諸外国に比べて多いといわれている人口当たりの病床数については集約化による機能の強化・効率化を目指していたところ，令和2年1月からの新型コロナウイルス感染症への対応においては，必ずしもすべての感染患者を受け入れることができないといった状況が生まれ，機能と数の両面から，わが国において整備すべき病床について改めて考えさ

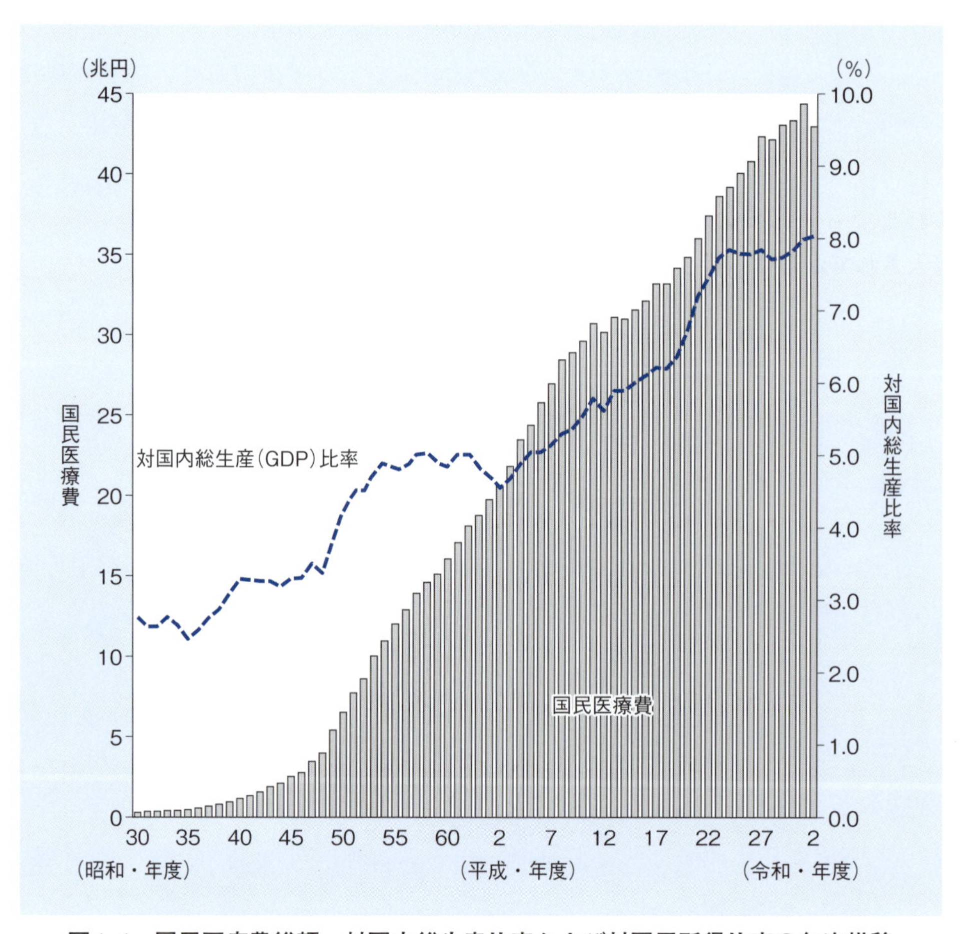

図1-1　国民医療費総額，対国内総生産比率および対国民所得比率の年次推移

せられることとなりました。

この間，わが国の国民医療費は平成26年度の40.8兆円から毎年約7,000億円のペースで増加し，令和元年度には44.4兆円に達しています（**図1-1**）。そして，令和2年度は，新型コロナウイルス感染症の流行による，いわゆる受診控えから43.0兆円へと1.4兆円減少しているものの，国民医療費とは別に新型コロナウイルス感染症緊急包括支援交付金として医療分野に2.5兆円の予算が組まれており，単純に医療費が減少しているとはいえない状況です。今後も高齢者の増加および医療の高度化といった傾向に変わりはなく，国民医療費の増加は継続するものと考えられ，いわゆる団塊の世代が75歳を超える令和7年（2025年）には54兆円，2040年には76兆円から78兆円に達するとの推計もされています。国民医療費の約4割は公費負担となっている中で，国と地方の長期債務残高は，令和2年度末時点において1,165兆円とGDPの218％と主要先進国の中で最悪の水準となり，わが国において財政健全化は喫緊の課題となっています。そして病院はその影響を避けることはできません。

このような状況に対して各医療機関では，それぞれの地域の医療提供体制における医療機能の分化・連携を推進するために，平常時における機能・役割の明確化のほか，今回の新型コロナウイルス感染症の感染拡大時のような非常時における機能・役割の明確化も求められることになると思います。それは，各医療機関が目指すべき医療機関像を自ら定め，そこに向かって組織を導いていく，または変革していくことを意味するとともに，平常時と非常時に対応するため柔軟に組織運営を行うことを意味します。

これまでも，特に診療報酬制度においてDPC（Diagnosis Procedure Combination）が導入されてからは，社会保障の一環として国民皆保険の考え方によって運営されてきた医療においても，「良質な医療を提供する」から「良質かつ適切な医療を効率的に提供する」に変化してきており，病院経営も有効に機能する経営管理（マネジメント）の確立が必要になってきましたが，ややもすると，これまでの「病院経営」は「効率的な運営」に重点が置かれていたように思われます。

これからの「病院経営」では，「効率的な運営」はもちろんですが，さらに各病院の役割を適切に果たし地域に貢献すること，そのために自らの組織の目標を明確にし，構成員が目標に対して効果的に成果をあげられるようにすることが重要になり，不確実性が高まっている現在においては，そのための意思決定の適切性はもちろんのこと，そのスピードを高めることが重要となります。

「経営」には一般に経営戦略，経営組織，経営管理などの分野があり，経営管理手法の1つとして「経営分析」といわれる領域があります。経営分析とは「組織体の経営活動の状況やその成果を分析したり，あるいは組織体の将来の活動を計画する目的で種々の経営情報を集め，これを整理・比較・分析して組織体の経営内容に関する業績評価やそれに基づく助言や批判を行い，さらに経営計画立案に役立てるための技法である」といわれています。

組織図通りにいかない病院という組織

病院の経営を数値的に分析して理解するためには，病院の組織がどのようになっているのかを知っておくことが必要です。

医療法では，病院を「医師又は歯科医師が，公衆又は特定多数人のため医業又は歯科医業を行う場所であつて，20人以上の患者を入院させるための施設を有するもの」とし，「傷病者が，科学的でかつ適正な診療を受けることができる便宜を与えることを主たる目的として組織され，かつ，運営されるものでなければならない」としています。そのために病院は4つの機能を持つことから，一般的に機能ごとに「診療部門」,「看護部門」,「中央診療部門」,「補助・管理部門」の4つの部門に大別されています。診療部門は内科，外科，整形外科といった各診療科からなり直接的に患者の診療機能を担っています。そして，看護部門は看護機能を，中央診療部門は，放射線検査，臨床検査，薬剤管理，理学療法，給食などの診療補助機能を，補助・管理部門は，医療事務，経営管理，人事・労務，施設管理機能等をそれぞれ担っています。

診療部門の構成員は基本的に医師，看護部門の構成員は看護師と看護補助者など，中央診療部門はさらに複数の部門に分かれており，放射線部門は診療放射線技師，臨床検査部門は臨床検査技師，薬剤管理部門は薬剤師，理学療法部門は理学療法士，給食部門は栄養士などが中心となって構成されています。このため補助・管理部門以外は，その多くが国家試験レベルの高度の専門的技術を修得した医療技術者から成り立っています。

そして，傷病者に対して科学的でかつ適正な医療サービスを提供するという病院の特殊性から，その組織も一般の企業や事業体の組織とは異なる特徴を持っています。その特徴とは，第1に，組織における指揮命令に対して専門職としての規範を通した判断を個々の医療従事者が行うという点です。このため，まれに組織の指揮命令系統に対して忠実でない事態が生じることになります。第2に，医療行為の最終責任は医師が負うことになるため看護部門や中央診療部門は，部門内部の指揮命令系統とは別に医師からの指示を受けることが日常的であり，一元化された指揮命令系統が成立しづらいという側面を持っているということです。

経営管理を行うという側面から考えた場合，病院という組織は一般の企業よりも画一的な管理のしづらい組織であるがゆえに，経営実態を明確に把握・分析・評価・伝達することが組織を健全に維持するためにより重要であるといえます。

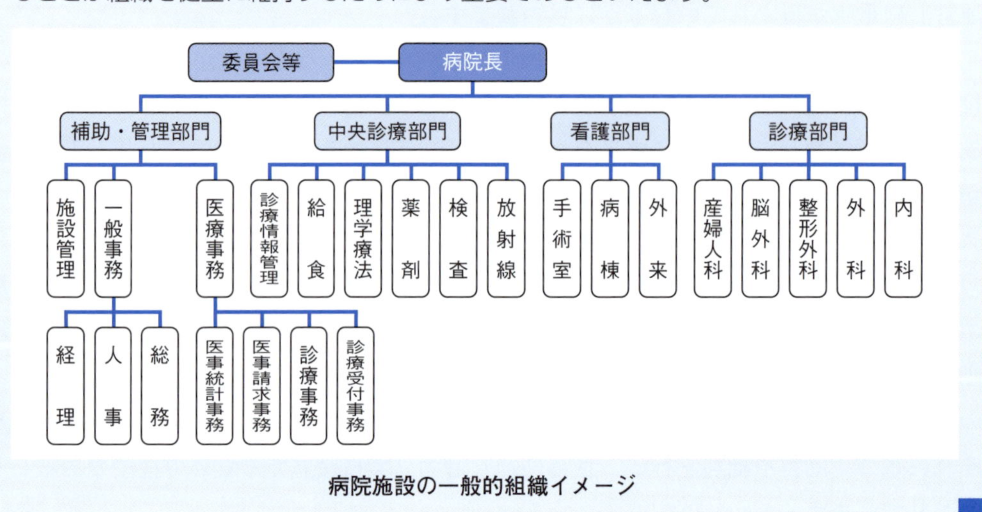

病院施設の一般的組織イメージ

変化の速い今の時代において適時に適切な意思決定を行うためにも「経営分析」の基本的な考え方を理解し，単なる管理のための経営分析にとどまらず，分析結果を活用して適切な病院の目標を設定し達成するための手段として広く活用できる「経営分析」を身につけてください。

2 病院における経営分析

1 経営分析の概要

経営分析とは，「組織体の経営活動の状況やその成果を分析したり，あるいは組織体の将来の活動を計画する目的で種々の経営情報を集め，これを整理・比較・分析して組織体の経営内容に関する業績評価やそれに基づく助言や批判を行い，さらに経営計画立案に役立てるための技法である」と述べましたが，ここでいう経営情報の中心は，財務諸表などから得られる財務会計情報であり，必要に応じてその他の非財務情報（営利企業の場合では，従業員，工場面積，生産機械台数，営業所数など）や社会情報（物価統計，国民生産統計，人口統計，消費者性向，社会構造・社会制度の変化など）を使用します。

経営分析の手法は営利企業において発達してきましたので，病院経営における経営分析も，病院経営の実態に合うように調整して行いますが，形式的には主として経済的側面からの財務情報を中心とする営利企業の経営分析を利用しており，その意味では大きな違いはありません。

しかしながら，病院や医療機関の経営の主たる目的が「良質かつ適切な医療を効率的に提供する」ことであるのに対し，営利企業は株主への利益分配機能を有することから「法律を遵守しながら利潤を最大化すること」が重要な目的の1つとなっていることから，経営分析の結果の活用・評価はおのずと異なってきます。つまり，営利企業では利益や採算性といった財務内容を重視して経営分析結果を活用・評価しますが，病院や医療機関の経営分析の活用・評価において，財務内容も重要ではありますが，同時に「良質かつ適切な医療」が提供されているかという視点も含めて活用・評価することが必要となります。

例えば，経営分析の結果，財務内容がすばらしい営利企業の場合，株主または投資家からは，それだけでも評価されるでしょう。また，財務内容がすばらしい場合，一般に，利益獲得能力が高い，つまり，当該企業が提供する財・サービスがその利用者である顧客に支持されているということであり，財務内容の良否は提供する財・サービスの良否と関連性が高いといえ，財務内容を重視した経営分析は合理的でもあります。

一方，それが病院であった場合，提供する医療サービスが情報の非対称性や不確実性，さらには外部性などの影響が一般の財・サービスと比較して相対的に高い特徴を持つことから，提供するサービスの良否と利益獲得能力に必ずしも相関関係があるわけではなく，いかに利益を獲得していようとも，必ずしも提供している医療サービスが良質かつ適切であるとは限りません。そして，提供している医療サービスが良質かつ適切でないのであれば，財務内容の良否にかかわらず当然病院としては評価されません。

だからといって，逆に，良質かつ適切な医療サービスをいかに提供できたとしても，経済的側面からの問題が大きすぎる場合には，病院という組織体としての継続性に疑義が生じ，そもそも将来的に医療機能を担うこと自体ができなくなるようであれば，組織運営に問題があることは明らかです。したがって，病院は，財務内容の評価とともに，提供している医療サービスそのものについても同時に評価することが求められます。そして，医療サービスを評価するにあたり，医療の質は一般的に構造（Structure），過程（Process），成果（Outcome）の3つの側面から評価され，QI（Quality Indicator）などの指標が活用されますが，その適切性の評価は，その時代やそれぞれの病院がそれぞれの地域において期待される役割や機能によって異なります。

このようなことから，目標の達成度合いを経済性・効率性追求による利潤最大化によって単純に測ることができる営利企業と比べて，そもそも目的が「良質かつ適切な医療を効率的に提供する」ことである病院経営は，目的の達成度合いの評価において複雑にならざるを得ず，ある意味で営利企業の経営よりも難しいといえます。

2　病院経営分析の必要性

1960年代に整った現行の社会保障制度の枠組みは平均寿命が世界最長を記録するなど世界に誇りうる国民の共有財産として「支え合う社会」の基盤となっている一方，わが国の債務残高はGDP比において主要先進国で最悪の水準となっており，65歳以上の高齢者数は今後2040年頃まで増加し，「人口の35％以上が高齢者」という世界が待ち受けています。これは高齢者数の増加とともに働く世代の減少も意味しており，高齢者人口1に対して生産年齢人口が1.5，つまり，1.5人の現役世代で1人の高齢者を支える状況が見込まれています。したがって，わが国が世界に誇る国民皆保険（医療，介護）・皆年金制度を堅持するためには，現在の社会保障制度を見直し，給付・負担両面で，人口構成の変化に対応した世代間・世代内の公平が確保された制度への改革が必要であり，平成26年から現在まで，医療法が4回も改正されるという医療界の目まぐるしい変化は，この改革の一環となります。そして，この改革は当然，医療提供体制の効率化を要請するものとなり，それは単に一医療機関の効率性にとどまらず，地域における役割分担・連携の推進，在宅医療の充実等を内容とする医療サービス提供体制の制度改革で

病院の収益を左右する診療報酬と薬価基準の仕組み

医療機関が患者に対して提供した医療サービスの対価は診療報酬といわれます。わが国の医療保険制度の1つの特徴は，「国民皆保険体制」であるといわれ，全国民が加入する公的医療保険によって医療保険制度が維持されていることから，ほとんどの医療機関で提供される医療サービスは公的医療保険を利用した「保険診療」として行われ，その対価（診療報酬）は公的医療国民保険制度で定められた額が支払われます。

このため，わが国において，診療報酬の額を医療機関と患者の間で任意に決めることができる「自費（自由）診療」は限られており，保険診療と自費診療の併用である，いわゆる「混合診療」は原則として禁止されています。

保険診療に関して健康保険法ならびに保険医療機関及び保険医療養担当規則（厚生労働省令）では，医師が保険診療を行うためには，「保険医」として登録することと保険診療を提供する場としての「保険医療機関」の指定を受けることが必要である旨規定しています。つまり，保険医が保険医療機関において患者に対して保険診療を提供した場合に，公的な保険診療に対する診療報酬が支払われることとなります。

保険診療は，原則として「診療報酬点数表」によって個々の診療行為ごとに決められており，これを積算する方式により総点数が算出され，1点に対して10円の換算により診療報酬を計算する仕組みとなっています。また，保険診療に使用される薬品に関しては診療報酬点数表とは別に「薬価基準」が定められており，これに基づいて報酬が計算されます。薬価基準は，健康保険法に基づいて厚生労働大臣が定めるものであり，①薬剤の費用の額を算定するための価格表としての機能，②保険診療において使用できる医薬品の品目表としての機能――の両面を備えていますので，保険診療において使用される薬剤は薬価基準に収載される必要があります。

診療報酬の額や薬価基準等は，厚生労働省が所管する「中央社会保険医療協議会（中医協）」で審議されることになっています。中医協は，保険者（支払い側）・医師会等（診療側）・学識経験者である公益委員によって構成され審議の結果を受けて大臣告示として改定されます。改定時期は，従来は2年に1度でしたが，令和3年度からは，市場実勢価格を適時に反映するために，薬価は毎年改定されることとなりました。

保険診療による医療費の支払いは，患者一部負担として窓口において支払われる部分と公的医療保険によって給付される部分に分かれます。例えば，被用者保険（社会保険）本人の外来における窓口負担割合は3割で，保険から給付される部分は7割です。保険給付される7割は，保険者から直接医療機関へ支払われるのではなく，そのほとんどは審査・支払機関としての「社会保険診療報酬支払基金」を経由して処理されます。審査・支払機関とは，保険者から診療報酬の審査・支払業務を委託された機関であり，社会保険が社会保険診療報酬支払基金，国民健康保険が「国民健康保険団体連合会」となっています。

2つの審査・支払機関は医療機関から提出されたレセプト（診療報酬明細書）について保険医療機関及び保険医療養担当規則，診療報酬点数表，各種通知等に基づき保険請求の内容を審査し，審査機関として妥当性を認められなかった項目に関して「査定・減点」処理のうえ，支払対象から外すことになります。医療機関は，査定内容に対して異議のある場合「再審査請求」を行うことができます。また，病名，保険証記号・番号の不備や請求内容に不明瞭な箇所があった場合には，審査・支払機関はレセプトを医療機関に返却し内容照会をすることになります。これを「返戻」といい，返戻されたレセプトは再提出となるため診療報酬の回収は遅れることとなります。

あり，改革の方向性は効率化を通じた病床数の適正化に向かうものと考えられます（表1-1）。

このような状況において経営状態を的確に把握し，医療制度の改正に適時・適切に対応することはすべての病院・医療機関に求められていることです。つまり，各病院が変化する社会の要請に応じて，自ら積極的により適切な役割を担えるように変化することが必要となっています。しかし，自らの病院の経営実態を理解せずに変化していくことは，場合によっては，現在の病院において負担し切れないほどのリスクを負ってしまい，役割自体を担うことができなくなることも考えられ，さらには組織の継続性に危険が及ぶ可能性もあります。

したがって，組織の経営状態を捉えることの必要性は増し，そのための有効な手法の1つとして財務情報を中心に実施される経営分析は，病院にとって非常に重要なものとなってきています。

そして，経営分析の結果は，それ自体が病院の経営の良否を当然に決めるものでもなく，その病院の将来あるべき姿を示すものでもありません。経営分析の結果が数値的に同じであったとしても，各病院によってその評価が異なることも十分に考えられるのです。このことから，経営分析についてはより本質的な理解が重要となります。

組織は常に自らの経営を評価し，より効果的・効率的な組織に向けて経営改善策の立案・策定・実施が求められますが，その第1歩は，現在の経営状態に関する的確な認識から始まります。そして現在の状態と将来の目標とのギャップを認識することで初めて合理的で現実的な改善策の立案が可能となり，その中で，「どこへ行くべきか」だけでなく，「どこへ行けるか」を客観的に評価することも可能となります。

この考え方は，これからの病院経営の中で非常に重要なものであり，より適切な組織目標を策定することを可能とする，つまり，単に現状認識にとどまらず，将来の適切な組織目標の策定のためにも役立たせることが，経営分析のもう1つの重要な役割であるといえます。

3　医療制度改革の概要

①診療報酬改定と病院経営

医療費が国民所得の伸びや経済成長率を大きく上回って急速に増加していた状況の中，平成14年4月の診療報酬のマイナス改定を契機としてわが国の医療保険制度は明らかに大転換期に突入しました。一言でいえば，医療経済のデフレ化です。このため，国民医療費の5割以上を費消する病院は厳しい経営環境へ入ることとなりました。

表1-2に示す通り，診療報酬改定（薬価改定を含む）はそれまでのプラス改定の傾向から一転，平成14年～平成20年まで4回連続マイナス改定となり，4回の改定率の合計値はマイナス7.68％となりました。このマイナス幅は，平成になってからのプラスの改

表1-1 開設者別病院数・病床数データ（目で見る30年の変化）

病院の開設主体	平成2年 10月1日現在		令和3年 10月1日現在		増減数	
	病院数	病床数	病院数	病床数	病院数	病床数
国 （厚生労働省，独立行政法人など）*1	462	177,377	320	124,411	△142	△52,966
公的医療機関 （地方自治体，日赤，済生会など）	1,371	348,226	1,194	307,849	△177	△40,377
社会保険関係団体 （共済組合，健康保険組合など）*2	73	20,449	47	14,846	△26	△5,603
医療法人	4,245	656,348	5,681	837,103	1,436	180,755
個人	3,081	263,304	137	12,336	△2,944	△250,968
その他	864	211,099	826	203,512	△38	△7,587
合計	10,096	1,676,803	8,205	1,500,057	△1,891	△176,746

＊1 平成2年は厚生省，文部省などが開設病院の開設
＊2 平成2年の全国社会保険協会連合会，厚生年金事業振興団，船員保険会は平成26年4月より独立行政法人地域医療機能推進機構となっているため国に含めて集計

（厚生労働省の統計資料より作成）

定幅を超える規模となっています。そして，改定はすべての医療機関に対して一律的に影響を及ぼすわけではなく政策的なさまざまな配慮が働くため，7.68％以上のマイナスの影響を受けた病院も多く存在しました。

そのような状況の中，「医療崩壊」という言葉が頻繁に使われるようになっていた平成22年度の診療報酬改定（薬価改定を含む）ではそれまでの方針が転換されて10年ぶりのプラス改定となりました。続く平成24年度の診療報酬改定（薬価改定を含む）もプラス改定を継続した結果，改定率は大きくないものの診療報酬の重点化の影響も含めて急性期病院を中心に多くの病院の経営環境は改善しました。

しかし続く平成26年度診療報酬改定（薬価改定を含む）は表面的には0.1％のプラス改定となりましたが，その中身は消費税増税への対応分のプラス1.36％が含まれており，それを除けば過去2回合計のプラスの改定率を大幅に上回る実質1.26％のマイナス改定といえます。このマイナス改定により平成22年度，平成24年度の連続したプラス改定から病院経営，特にコスト管理に多少の緩みがあったこともあり，中小病院のみならず300床を超える病院も含め多くの病院で経営が悪化したのではないでしょうか。

その後の平成28年度以降，令和4年度までの計4回の診療報酬改定（薬価改定を含む）も引き続きマイナス改定の流れは変わっていません。その中で平成28年度診療報酬改定では薬価等の改定率として公表されたマイナス1.33％に含まれていない市場拡大再算定による薬価の見直し（△0.19％）や市場拡大再算定の特例の実施（△0.28％），さら

表1-2　最近の診療報酬改定率および薬価改定率の推移

年度	診療報酬改定率（平均）(%)①	薬価改定率（医療費ベース）(%)②	①+②	備考
平成元年	0.11%	0.65%	0.76%	消費税導入に伴う改定
平成２年	3.70%	△2.70%	1.00%	
平成４年	5.00%	△2.50%	2.50%	
平成６年	4.80%	△2.10%	2.70%	内1.5%は10月改定
平成８年	3.40%	△2.60%	0.80%	
平成９年	0.93%	△1.32%	△0.39%	通常改定
	0.32%	0.45%	0.77%	消費税上げ分
平成10年	1.50%	△2.80%	△1.30%	
平成12年	1.90%	△1.70%	0.20%	
平成14年	△1.30%	△1.40%	△2.70%	
平成16年	0.00%	△1.00%	△1.00%	
平成18年	△1.36%	△1.80%	△3.16%	
平成20年	0.38%	△1.20%	△0.82%	
平成22年	1.55%	△1.36%	0.19%	
平成24年	1.38%	△1.38%	0.004%	
平成26年	0.10%	△1.36%	△1.26%	通常改定（別途後発医薬品の価格改定の見直し等を実施）
	0.63%	0.73%	1.36%	消費税補填分
平成28年	0.49%	△1.33%	△0.84%	別途市場拡大再算定による薬価見直し△0.19%，市場拡大再算定の実施△0.28%および新規収載後発医薬品価格の引き下げ等を実施（実質△1.31%を上回るマイナス改定）
平成30年	0.55%	△1.74%	△1.19%	別途大型門前薬局に対する評価の適正化を実施
令和元年（10月実施）	—	△0.95%	△0.95%	実勢価格の反映
	0.41%	0.48%	0.89%	消費税補填分
令和２年	0.55%	△1.01%	△0.46%	救急病院の勤務医への対応＋0.08%含む
令和３年	—	△4,300億円	—	薬価改定（△1.00%）
令和４年	0.43%	△1.37%	△0.94%	看護の処遇改善への対応＋0.20%，不妊治療の保険適用への対応＋0.20%を含む（これらを除いた改定率△1.34%）

には入院医療において提供される経腸栄養用製品に係る入院時食事療養費等の適正化などの措置が講じられました。その結果，実質の改定率のマイナス幅は少なくとも1.31%を上回っており，表面上は平成26年度の消費税増税対応分を除いた改定率であるマイナス1.26%を下回った平成28年度のマイナス改定も，実際はそれを上回るマイナスの改定となっていたと考えられます。そして令和4年度の診療報酬改定（薬価改定を含む）では，診療報酬のプラス0.43%には，基本的に同額の支出を伴う看護の処遇改善のための対応（＋0.20%）や特定の診療科に特化した不妊治療の保険適用のための対応（＋0.20%）が含まれており，多くの病院においてプラス改定を実感できるような診療報酬

改定ではなかったのではないでしょうか。さらに令和3年度からは診療報酬改定年度に限らず毎年薬価改定を行うこととなりましたが，これにより，薬価のマイナス改定分を診療報酬の財源に充てて，両者の合計で診療報酬改定（薬価改定を含む）の水準を判断するという考え方が通用しなくなっている可能性があります。例えば令和3年度の薬価改定による削減額は4,300億円と見込まれていましたが，これは令和2年度の国民医療費43兆円の1％に当たります。仮に令和3年度に薬価改定を行わなかったとすると，このマイナス1％は，令和4年度の診療報酬改定にそのまま影響すると考えられ，その場合，令和4年度の診療報酬改定（薬価改定を含む）の改定率はマイナス0.94％からマイナス1.94％になり，平成22年度以降最大のマイナス改定になっていた可能性もあります。

このように最近の診療報酬改定（薬価改定を含む）は表面に現れる数値以上に量的にも質的にも厳しい改定になっており，年々政策的で個別的な性格が強まっているように感じます。そのような中，国の内外を問わずさまざまな環境の変化によるインフレ圧力や金利上昇圧力が強まってきており，その結果，病院によっては収益（診療報酬）がデフレ，費用がインフレという状況に陥り，診療報酬の改定率以上に厳しい状況になっているのではないでしょうか。

②医療制度改革の流れ

今から約40年前の昭和60年の第1次医療法改正時にすでに医療施設の連携の推進を目指すとともに，必要病床数という考え方を取り入れて病床数の管理制度も導入しました（表1-3）。そして，その後，医療施設の連携と病床数の適正化は常にわが国の医療制度の課題に取り上げられ，診療報酬による誘導や医療計画などにより，それらの政策を推進してきましたが，連携のための病床機能の分化や病床数の適正化は必ずしも目指すべき水準を達成できておりませんでした。そこで，平成20年1月に内閣総理大臣の下に設置された「社会保障国民会議」ならびにその後設置された「社会保障制度改革国民会議」での2025年を見据えた議論を起点とした一連の議論や法改正を経て平成26年のいわゆる「医療介護総合確保推進法」（正式には「地域における医療及び介護の総合的な確保を推進するための関係法律の整備等に関する法律」）の成立により，現在の医療制度改革の基本的な体制が整備され医療制度改革は新たな時代に入りました。具体的には医療制度改革の方向性や考え方自体に変化はないものの，それまでは，基本的に政策を推進する国などが診療報酬などにより個別に医療機関に働きかけて医療制度の課題の解決やあるべき医療提供体制の実現を目指していたものを，それら医療制度の課題の解決やあるべき医療提供体制の実現をそれぞれの地域の医療関係者の自主的な取り組みによる合意形成によって推進する形に大きく転換しました。具体的には，それまでに推進していたレセプトの電子化や10年以上が経過したDPC制度によって診療行為などのデータベースが飛躍的に充実したために「データ」に基づく制御による医療制度改革に舵が

表1-3　医療法改正の主な経緯

改正年	改正の趣旨等	主な改正内容等
昭和23年 医療法制定	終戦後，医療機関の量的整備が急務とされる中で，医療水準の確保を図るため，病院の施設基準等を整備	○病院の施設基準を創設
昭和60年 第1次改正	地域の体系立った医療供給体制の整備の促進	○医療計画制度の導入 ・医療圏の設定と必要病床数の設定 ・病院の機能を考慮した整備の目標 ・施設相互の機能および業務の連携
平成4年 第2次改正	人口の高齢化等に対応し，患者の症状に応じた適切な医療を効率的に提供するための医療施設機能に応じた体系化	○特定機能病院の制度化 ○療養型病床群の制度化
平成9年 第3次改正	要介護者の増大等に対する介護体制の整備，日常生活圏における医療需要に対する医療提供，患者の立場に立った情報提供体制，医療機関の役割分担の明確化および連携の促進等	○診療所への療養型病床群の設置 ○地域医療支援病院の制度化 ○医療計画制度の充実 ・2次医療圏ごとの医療関係施設間の機能分担業務連携
平成12年 第4次改正	高齢化の進展等に伴う疾病構造の変化等を踏まえた良質な医療の効率的提供のための入院医療提供体制の整備等	○療養病床，一般病床の創設 ○医療計画制度の見直し ・基準病床数へ名称を変更
平成18年 第5次改正	医療機関に関する情報提供の推進，医療安全確保体制の整備，医療計画制度の拡充・強化等	○医療機能情報提供制度の導入 ○医療安全支援センターの設置 ○医療計画制度の見直し ・4疾病5事業の具体的な医療連携体制を位置づけ ○一定の休止病床の削減措置
平成26年 第6次改正	地域包括ケアシステムの構築による地域における医療および介護の総合的な確保の推進	○医療計画制度の充実 ・地域医療構想を医療計画において策定 ○医療事故に係る調査の仕組みを位置づけ
平成27年	医療機関相互間の機能の分担および業務の連携の推進	○地域医療連携推進法人制度の創設 ○医療法人の分割制度の規定整備
平成29年	安全で適正な医療提供の確保の推進	○特定機能病院の管理・運営体制の強化
令和3年	外来医療機能の明確化，医療の労働時間の短縮等	○外来機能報告制度の創設等 ○医療機関勤務環境評価センターの指定

切られたのです。令和3年の医療法改正により新たに目指すこととなった地域における外来機能の明確化・連携についても，「データ」に基づく地域の医療関係者の自主的な取り組みにより推進することとなり，さらに今後の「かかりつけ医機能が発揮される」制度整備においても，報告制度と地域の協議の場を両輪として推進されていきます。

このように，現在の医療制度改革はそれぞれの地域における医療関係者の協議を通じて推進され，その方向性は地域における医療機関の機能分化と連携であり，そのために「データ」が活用されることになります。このことは，今後の病院経営において入院機能のみならず外来機能も含めて自らが地域において果たすべき機能・役割を定めたうえで協議の場において「データ」に基づいて医療関係者の合意・コンセンサスを得ることが必要になったということを意味します。

例えば，同一の地域に同一の機能・役割を担う病院が複数あった場合，その中で自らの病院が他の病院に比べて相対的に優れていることを「データ」に基づいて説明し理解を得られなければ，その機能・役割を担う病院とは認めてもらえず，地域の連携体制から取り残される可能性もあります。実際，令和元年に厚生労働省が実施した公立・公的医療機関等の診療実績データの分析は，それぞれの医療機関でければ担えないものに重点化されているかという観点で行われ，その結果，重点化すべき「診療実績が特に少ない」または「構想区域内に，一定数以上の診療実績を有する医療機関が2つ以上あり，かつ，お互いの所在地が近接している」と判断された公立・公的医療機関等は全国400を超え，これらの医療機関の対応方針が，真に地域医療構想の実現に沿ったものとなっているか再検討することが都道府県知事に要請されています。

このことから，まずは自らの病院の「データ」を地域の他の医療機関の「データ」と比較し，自らの病院の地域における相対的な位置づけを客観的に把握することが重要となります。その結果，将来目指していく医療について十分な診療実績があると判断できるのであればそれを地域の医療関係者に丁寧に説明することになる一方，逆に診療実績が不十分であるのであれば「データ」を意識しながら改善していく，もしくは将来目指していく医療について改めて検討することが必要になります。つまり，今まで以上に「データ」を意識した病院経営が求められていることを自覚する必要があります。

③目指すべき医療提供体制

今後の医療提供体制の改革は「データ」に基づき医療関係者等の合意に基づいて推進されていくということを述べましたが，具体的にはどのような方針や考え方でこの改革は推進されていく，もしくは推進されるべきなのでしょうか。現在の医療制度改革は，平成20年の「社会保障国民会議」の議論および平成24年から25年にかけての「社会保障制度改革国民会議」の議論をもとに進められていますので，それぞれの報告書の一部を抜粋します。

【社会保障国民会議最終報告，平成20年11月4日（第2分科会中間とりまとめを含む）】

○国際標準から見て過剰な病院病床数について，疾患構造や医療・介護ニーズの変化に対応した病院・病床の機能分化の徹底と地域住民の利便性に配慮しつつ集約化を進め，思い切った適正化を図る。このことにより，医療（治療）から介護（生活支援），施設・病院中心から在宅・地域中心という超高齢社会の医療・介護ニーズに対応したサービス提供体制整備を大きく促進する。

○背景にある哲学は，医療の機能分化を進めるとともに急性期医療を中心に人的・物的資源を集中投入し，できるだけ入院期間を減らして早期の家庭復帰・社会復帰を実現し，同時に在宅医療・在宅介護を大幅に拡充させ，地域での包括的なケアシステムを構築することにより，利用者・患者のQOL（生活の質）の向上を目指す，というものである。

○高額医療機器の導入についても「地域単位での医療機器整備・共同利用」の定着により効率的な整備が進むことが期待される。

【社会保障制度改革国民会議報告書，平成25年8月6日】

○救急医，専門医，かかりつけ医（診療所の医師）等々それぞれの努力にもかかわらず，結果として提供されている医療の総体が不十分・非効率なものになっているという典型的な合成の誤謬ともいうべき問題が指摘されていたのであり，問題の根は個々のサービス提供者にあるのではない以上，ミクロの議論を積み上げるのでは対応できず，システムの変革そのもの，具体的には「選択と集中」による提供体制の「構造的な改革」が必要となる。

○フリーアクセスを守るためには，緩やかなゲートキーパー機能を備えた「かかりつけ医」の普及は必須であり，そのためには，まず医療を利用するすべての国民の協力と，「望ましい医療」に対する国民の意識の変化が必要となる。

○コンパクトシティ化を図るなど住まいや移動等のハード面の整備や，サービスの有機的な連携といったソフト面の整備を含めた，人口減少社会における新しいまちづくりの問題として，医療・介護のサービス提供体制を考えていくことが不可欠である。

○ICTの活用や医療データの整備など社会保障の重点化・効率化につながるハード面の整備とそれを活用できる人材の育成などソフト面の整備が重要である。

報告書の内容は個々の医療機関に対するものや医療提供体制に対するものが含まれていますが，それぞれの項目に対して報告書から10年程度が経過した今も十分対応できていないのが現実ではないでしょうか。特に連携を前提とした医療機関の機能分化については，現実問題として，1つの組織内において効率的・効果的に連携して業務を行うことも簡単ではないところ，物理的・制度的に離れている外部の組織と効率的・効果的な連携を図るということは，自然にできるようになるものではなく，組織全体として意識を高めないとその先の適切な機能分化を推進することは難しいでしょう。さらにお金の問題が絡んでくるとその難しさは一層高まりますが，それでも地域の医療を守るためには避けることはできず，常に地域を意識すること，地域の視点を持つことが病院経営には求められています。

現在取り組んでいる地域医療構想は2025年に向けて作成されていますので，これから2025年以降の地域医療構想の策定のための課題整理・検討が始まっていきます。新たな地域医療構想においては外来機能の明確化・連携のほか，新型コロナウイルス感染症の流行で顕在化した課題や高齢者人口がピークを迎えるとともに生産年齢人口の減少が加速していく2040年を視野に入れたものになると思われますので，その対応は今以上に複雑なものになることが予想されます。そのような中でも自らの病院の発展と地域医療の充実の両立を図ることが今後の病院経営の大きなテーマになるのではないでしょうか。

そして令和4年12月16日に公表された「全世代型社会保障構築会議」の報告書の「医療・介護制度改革」では，感染症対策のための協定締結医療機関の枠組みや医師の働き方改革，医療専門職におけるタスク・シフト／シェアなど医療機関が直接対応すべき具体的な課題のほか，今後の高齢者人口のさらなる増加と人口減少への対応として，「かかりつけ医機能が発揮される制度の整備」が重要なテーマとなっています。まずは「かかりつけ医機能」の定義を検討することから始まりますが，「かかりつけ医機能が発揮される制度」の形によっては，診療報酬の体系に大きな影響を与える可能性もあり，また，病院と患者の関係が大きく変わることにより機能が明らかに異なる病院群に再編される可能性もあることから，病院経営にとっても重要なテーマになってくるのではないでしょうか。また，これらの制度改革がDXの推進とともに進められることも理解しなくてはなりません。

④療養病床の到達点

従来から療養病床で課題となっていた極めて長い在院日数の入院，いわゆる社会的入院の適正化のため，医療制度改革法（平成18年6月成立）において平成24年3月31日に介護療養型医療施設を制度廃止するとともに療養病床に関する抜本的な再編成について明記されました。しかし，平成23年の介護保険法改正において，介護療養病床の老健施設等への転換が進んでいない現状を踏まえ，廃止・転換期限を平成29年度末まで延長することとなりました。それでも療養病床数は平成18年3月の38.4万床から平成24年3月の34.5万床まで6年間で約4万床減少したものの，その後平成27年3月までの3年間は0.5万床の減少にとどまっており，老健施設等への転換が思うように進んでいるとはいえない状況でした。

この間，「地域介護総合確保促進法」が平成26年6月に公布されたことで，それぞれの地域ごとに地域医療構想の策定，地域支援事業の実施をはじめとする2025年に向けた医療・介護提供体制の一体的整備が進められることとなりました。そして，地域医療構想において療養病床は慢性期機能の病床に位置づけられるとともに，慢性期の医療・介護ニーズに対応するサービスの提供体制を整備するため，介護療養病床を含む療養病床の在り方をはじめ，具体的な改革の選択肢の整理等について検討が重ねられ，平成29年の「地域包括ケアシステムの強化のための介護保険法等の一部を改正する法律」によって新たな介護保険施設として「介護医療院」が創設されるとともに，介護療養病床の廃止・転換期限をさらに6年間延長し令和5年度末までとしました。この6年間で介護療養病床の多くが「介護医療院」に転換することが想定されており，実際，平成29年度末に4.8万床あった介護療養病床は令和3年12月末には約4分の1の1.1万床まで減少する一方，介護医療院は662施設，4.0万床まで増加しています。ここへ来て介護療養病床に対する国の対応としてはいったん区切りがつくこととなりますが，現時点で介護療養病床を運営している医療機関にとっては，いよいよ病院経営から介護施設や賃貸住宅への転換を迫られる最終局面に入ったといえます。

⑤病院経営に関する情報の利活用

今後の医療経営において「データ」の重要性について触れてきましたが，現在公表されている医療機関に関する「データ（情報）」について紹介したいと思います。

平成19年4月に住民・患者による病院等の適切な選択を支援することを目的として病院，診療所および助産所が自ら有する医療機能に関する情報を都道府県知事に報告・公表する制度（医療機能情報提供制度）が整備されています（表1-4）。この「医療機能情報提供制度」は，住民・患者による病院等の選択を支援することが目的であることから，開示項目には診療科目別の診療日や診察時間，病院等へのアクセスなど一般的な事項が含まれるほか病床種類ごとの病床数や患者数，平均在院日数など医療に関する情報が含まれています。また，集中治療室や手術室の設置状況，CT診断装置の台数など病院の治療に関する施設設備のほか，職員に関する情報として医師・看護師などの医療従事者の数や保有する資格も開示されています。さらに「かかりつけ医機能」に関する情報や診療科ごとに対応可能な措置・疾患とその件数など，実際に提供している医療サービスの内容も開示されており，病院の機能を理解するための情報も確認することができます。

そして平成26年からは，地域の医療関係者の共通認識を形成し各医療機関の自主的な取り組みおよび医療機関相互の協議を促進するため病床機能報告制度が整備されています。病床機能報告制度の目的から，そこで開示される情報は病床の数と機能はもちろんですが，それ以外にも職員の職種別・病棟別の人数やCT，MRIなど医療機器の台数，入院患者の入院前の場所や退院先の場所の状況など幅広い内容になっています。さらに，がん・脳卒中・心筋梗塞等の治療や重症患者への対応，全身麻酔手術などについては，それぞれの治療法や診療報酬上の加算，手術コード別に1年間のレセプト件数・算定日数・算定回数が集計され，極めて詳細なデータとなっています。また，これらのデータは電子レセプトから自動集計されるため，労働者災害補償保険等での診療行為分を追加するなど病院において調整は必要ですが，すでに病床機能報告データと病院の診療実績データである電子レセプトデータの連動が図られています（表1-5）。

さらに，令和4年度からは地域医療の機能分化と連携を一層推進するために「外来機能報告制度」が開始し，今後，地域の外来診療に関するデータも公表されることになります（表1-6）。外来機能報告制度において，任意ではありますが無床診療所も報告することが可能となり，主たる報告内容である「医療資源を重点的に活用する外来の実績」のほかにも，紹介率や逆紹介率，在宅医療等の実施状況も報告対象となっていることから，病床機能報告によるデータと統合することで地域における医療連携の状況がより具体的に把握できることになります。

これからの地域医療構想の策定・実現のための一連の流れの中，病院は自らの医療機能の相対的な位置づけを客観的に評価し，地域での役割を明確にすることが求められます。そして，相対的な位置づけを知り適切な役割を選択するためには，病床機能報告制

表1-4　医療機能情報提供制度における病院の主な報告内容

第1　管理，運営およびサービス等に関する事項		
	1　基本情報	・病院の名称・開設者・管理者・所在地等 ・診療科目，診療科目別の診療日時 ・病床種別および届出または許可病床数
	2　病院へのアクセス	・利用交通手段 ・駐車場の有無・台数・料金 ・案内用HPアドレス・メールアドレス ・診療科目別の外来受付時間 ・予約診療の有無 ・時間外における対応 ・面会の日および時間帯
	3　院内サービス等	・院内処方の有無 ・外国人患者の受け入れ体制 ・障害者・車椅子等利用者に対するサービス内容 ・受動喫煙を防止するための措置 ・医療に関する相談窓口の設置の有無・相談員の人数 ・入院食の提供方法 ・病院内の売店または食堂の有無
	4　費用負担等	・保険医療機関，公費負担医療機関およびその他の病院の種類 ・選定療養に関する料金の徴収の有無・金額 ・治験の実施の有無および契約件数 ・電子決済による料金支払いの可否 ・先進医療の実施の有無および内容
第2　提供サービスや医療連携体制に関する事項		
	・医師，歯科医師，薬剤師，看護師その他の医療従事者の専門性に関する事項 ・保有する施設設備 ・併設する介護施設 ・対応することができる疾患または治療の内容・短期滞在手術・予防接種・在宅医療に関する対応・介護サービス ・専門外来の有無および内容 ・医師・患者間において，情報通信機器を通して，患者の診察および診断を行い診断結果の伝達や処方等の診療行為を，即時に行う診療の実施の有無およびその内容 ・健康診査および健康相談の実施の有無および内容 ・主治医以外の医師による助言(セカンドオピニオン)に関する状況 ・地域医療連携体制に関する窓口の設置の有無など ・地域の保健医療サービスまたは福祉サービスを提供する者との連携に対する窓口設置の有無	
第3　医療の実績，結果等に関する事項		
	・病院の人員配置や看護師の配置状況 ・法令上の義務以外の医療安全対策および院内感染対策 ・入院診療計画策定時における院内の連携体制の有無 ・診療情報管理体制 ・情報開示に関する体制 ・症例検討体制 ・治療結果情報(死亡率，再入院率，疾患別・治療行為別の平均在院日数その他治療結果に関する分析の有無と提供の有無) ・患者数(病床種別ごと，外来患者，在宅患者) ・平均在院日数 ・患者満足度調査の実施の有無と提供の有無 ・日本医療機能評価機構などによる認定の有無	

度や医療機能情報提供制度で公表されている他の医療機関の情報を整理・分析し，さらには将来人口の推計値なども考慮し，自らが属する2次医療圏または構想区域の将来像を意識することは必要不可欠です。

表1-5 病床機能報告制度における主な報告項目

様式	区分	項目	内容
報告様式1	基本票		
		基本情報	病院名・住所等
	施設票		
		設置主体	医療法人・厚生労働省等の設置主体
		職員数	施設全体・病棟部門・手術室・外来部門・その他の部門の医師・看護師等の常勤・非常勤別人数
		DPC群の種類	大学病院本院群・DPC特定病院群・DPC標準病院群・DPC病院以外の別
		承認の有無	特定機能病院・地域医療支援病院の承認の有無
		診療報酬の届出の有無	総合入院体制加算・急性期充実体制加算・精神科充実体制加算・在宅療養支援病院・在宅療養後方支援病院の届出の有無
		看取りを行った患者数	在宅療養支援病院の届出病院のみ
		認定・告示の有無	3次救急医療施設の認定・2次救急医療施設の認定・救急告示病院の告示の有無
		救急医療の実施状況	休日受診患者延数・夜間時間外受診患者延数・救急車の受入件数
		施設全体の使用病床数	施設全体の最大・最小使用病床数
		医療機器の台数	CT(列の数別)・MRI(磁気の強さ別)・その他の医療機器(血管連続撮影装置・SPECT・ダヴィンチ他)の台数
		退院調整部門	退院調整部門の有無および医師・看護職員等の専従・専任別人数
	病棟票		
		医療機能等	当該病棟の現時点および2025年時点の病床機能・コロナ対応の状況
		許可病床数	当該病棟の一般病床・療養病床等の許可病床数・最大使用病床数・最小使用病床数・2025年時点の予定病床数
		算定入院基本料等	当該病棟において届出を行っている入院基本料・特定入院料と届出病床数
		職員数	当該病棟部門の看護師等の常勤・非常勤別人数
		診療科	当該病棟の主とする診療科
		入院患者の状況	当該病棟の1年間の月ごとの新規入棟・退棟患者数および在棟患者延数
		入院前後の状況	当該病棟の1年間の月ごとの入棟前の場所・退棟先の場所(家庭・介護施設・院内他病棟・他の病院等)別患者数
		退院後の患者の状況	当該病棟の1年間の月ごとの退院後に在宅医療を必要とする患者数
		分娩件数	当該病棟の1年間の月ごとの分娩件数
		重症度,医療・看護必要度	当該病棟の1年間の月ごとの一般病棟用の重症度,医療・看護必要度の評価方法(IとIIの別)と対象患者割合
		リハビリテーションの状況	当該病棟の届出の有無と1年間の月ごとのリハビリテーションの提供状況および実績指数の状況
報告様式2	基本票		
		基本情報	病院名・住所等
	病棟票		
		算定入院基本料等	当該病棟の1年間の月ごとの入院基本料・特定入院料それぞれのレセプト件数および算定回数
		手術の実施状況	当該病棟の1年間の月ごとの手術総数・全身麻酔の手術・人工心肺を用いた手術・胸腔鏡下手術・腹腔鏡下手術それぞれのレセプト件数・算定日数・算定回数
		がん等の治療状況	がん・脳卒中・心筋梗塞等に対しての当該病棟1年間の月ごとの治療方法(悪性腫瘍手術・放射線治療・化学療法・t-PA投与・脳血管内手術・経皮的冠動脈形成術・入院精神療法等)それぞれのレセプト件数・算定日数・算定回数
		重症患者への対応状況	当該病棟の1年間の月ごとのハイリスク分娩加算・救急搬送診療料・観血的肺動脈圧測定・持続緩徐式血液濾過等それぞれのレセプト件数・算定回数
		救急医療の実施状況	当該病棟の1年間の月ごとの院内トリアージ実施料・夜間休日救急搬送医学管理料・救命のための気管内挿管等それぞれのレセプト件数・算定日数・算定回数

報告様式2	在宅復帰支援の状況	当該病棟の1年間の月ごとの入退院支援加算・急性期患者支援(療養)病床初期加算・地域連携診療計画加算・退院前訪問指導料等それぞれのレセプト件数・算定回数
	全身管理の状況	当該病棟の1年間の月ごとの中心静脈注射・呼吸心拍監視・人工呼吸・人工腎臓，腹膜灌流等それぞれのレセプト件数・算定日数・算定回数
	リハビリテーションの状況	当該病棟の1年間の月ごとの疾患別リハビリテーション料・早期リハビリテーション加算・摂食機能療法・休日リハビリテーション提供体制加算等それぞれのレセプト件数・算定日数・算定回数
	長期療養患者受入状況	当該病棟の1年間の月ごとの褥瘡対策加算・重度褥瘡処置・重症皮膚潰瘍管理加算それぞれのレセプト件数・算定回数
	重度障害児等受入状況	当該病棟の1年間の月ごとの難病等特別入院診療加算・強度行動障害入院医療管理加算等それぞれのレセプト件数・算定回数
	医科歯科連携状況	当該病棟の1年間の月ごとの歯科医師連携加算・周術期等口腔機能管理料等それぞれのレセプト件数・算定日数・算定回数
	手術(個別)票および全身麻酔手術(個別)票	
	全身麻酔手術実施状況	当該病棟の1年間の月ごとの全身麻酔手術のコード別のレセプト件数・算定日数・算定回数

表1-6　外来機能報告制度における主な報告項目

報告様式1		
	基本情報	病院名・住所・病床機能報告の有無等
	設置主体	医療法人・厚生労働省等の設置主体
	種別	病院・有床診療所・無床診療所の別
	診療科	外来を行っている診療科
	意向	「医療資源を重点的に活用する外来を地域で基幹的に担う医療機関」となる意向の有無
	外来機能のその他の事項	初診患者数・紹介患者数・逆紹介患者数
		外来における医師・看護師(専門看護師・認定看護師・特定行為研修修了看護師)等の常勤・非常勤別人数
		高額等の医療機器・設備の保有状況
	救急医療の状況	1年間の月ごとの休日受診患者延数・夜間時間外受診患者延数・救急車の受入件数
報告様式2		
	基本情報	病院名・住所・病床機能報告の有無等
	外来の実施状況	1年間の初診・再診別の外来患者延数
		1年間の医療資源を重点的に活用する入院の前後の初診・再診別外来患者延数
		1年間の高額等の医療機器・設備を必要とする初診・再診別外来患者延数
		1年間の特定の領域に特化した機能を有する初診・再診別外来患者延数
		1年間の月ごとの外来化学療法加算・CT撮影・PET検査・悪性腫瘍手術等を算定した初診・再診別外来患者延数
	地域の外来機能の明確化等	その他在宅医療・地域連携の実施状況(1年間の月ごとの生活習慣病管理料・小児かかりつけ診療料・オンライン診療料・在宅患者訪問診療料・診療情報提供料・地域連携診療計画加算等を算定した件数)

病院経営に限らず組織運営にとって情報の利活用は，組織の運営を有利に進めるために非常に重要な要素です。医療制度において公表される情報は，今後も増えることはあっても決して減ることはありません。このことは，公表情報に限らず自らの病院のさまざまな情報も含めて病院経営における情報の利活用の重要性が高まることを意味しま

す。情報を積極的に活用せず，将来像も意識しないまま病院の機能を明確にするための対応を怠ったならば，選択の幅は限られたものになりかねません。自らが属する2次医療圏または構想区域の中で自らが望む役割を担い続けるためには，適切な医療の提供とともに情報に対して受け身になるのではなく積極的に利活用したうえで素早い対応が重要となるのではないでしょうか。

4 経営分析の概要

①経営分析の心得

経営分析は，技術的には「組織体に関する経営情報を集め，これの整理・比較等を実施すること」となりますが，その目的は，分析結果に対する組織体の経営活動の状況やその成果を評価することを通じて，改善策の立案もしくはその実施状況の確認，さらには経営計画立案や個々人の評価に役立てることにあります。したがって，金額データで表示される財務情報のみを分析対象として経営実態や経営結果を検討・評価するのではなく，物量データ等の非財務情報や社会的情報，経営者の資質・能力や従業員のモラルといった，いわゆる組織風土など数値化できない定性的要因も加味して行っていくことを理解してください。

つまり，経営分析の目的は，組織体がどのような状態にあるか，どのような状態に変化したのか，その変化は望ましい変化なのか，今後どの方向に変化していく可能性があるかといったことを分析・評価し，組織をより望ましい状態に変革していくことですので，常に数値の背景にある経営の実態を見極める視線が必要であることを自覚してください。

数値を絶対視するのではなく，数値によって考え，状況を把握する「癖」をつけることが経営分析を行っていくうえでの一番大切な視点です。また，組織の構成員が同じような「癖」をつけている場合，組織の構成員の認識を共通化することにも役立ち，組織の方向性・目標を共有することにも役立ちます。

②一般企業の経営分析の視点

経営分析は企業の経営活動の状況や結果を分析することから始まります。そのためには，収益性，安全性，生産性，成長性の4つの指標についてアプローチするのが一般的です（図1-2）。

以下，それぞれについて簡単に説明を加えます。

a）収益性

企業の収益状態もしくは利益獲得状況の指標で経営を維持していくうえで最も重要なものです。一般的な組織は，収益性がなければ長期的には存続できません。

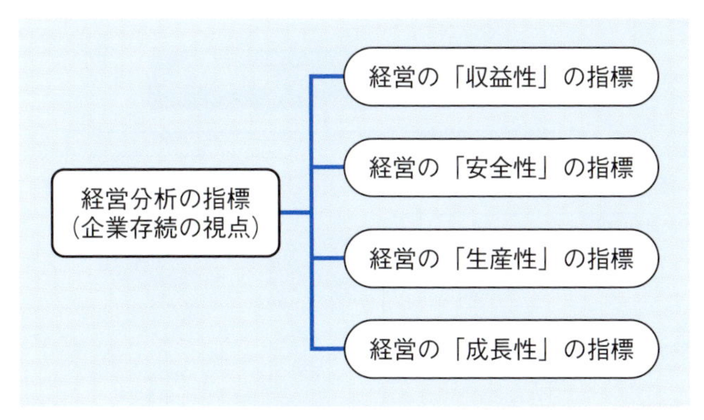

図1-2　企業経営分析の4つの視点

b）安全性

経営の安全性つまり一時的に収益性が悪化した場合における組織の存続可能性に関する指標で，主に「財務の安全性」を指し，短期だけでなく長期の財務安全性も含んでいます。

c）生産性

投入に対する算出の関係を表すものです。経営資源を有効に活用して事業活動を行っているかどうかを見る指標で，特に“人”という経営資源に着目して行う分析を労働生産性分析といいます。

d）成長性

将来に向けての事業活動の成長の度合いを見る指標です。営利企業の場合，耐えず成長を目指して利益を最大化し，公開企業の場合には株価を最大化することを目的としていることもあり，成長性は大変重要なものとなり，常に成長性変化への備えを行うことになります。

以上のように経営評価の4つの指標は，「営利企業が存続していくための4つの視点」といい換えることもできます。

③具体的な経営分析の方法

経営分析の具体的な方法はどのようなものでしょうか。通常，財務情報の集約された財務諸表が経営分析の入り口だといわれます。参考として図1-3に企業における基本的な財務諸表である貸借対照表と損益計算書の基本様式をあげます。

財務情報を用いた分析方法としては，財務諸表の金額データを直接利用する実数分析法と，比率を用いた比率分析法と，実数と比率を併用する実数・比率併用分析法の3つに区分されます（図1-4）。

実数分析法は，財務諸表の金額データの増減を調べたり，別様式の計算資料に実数値

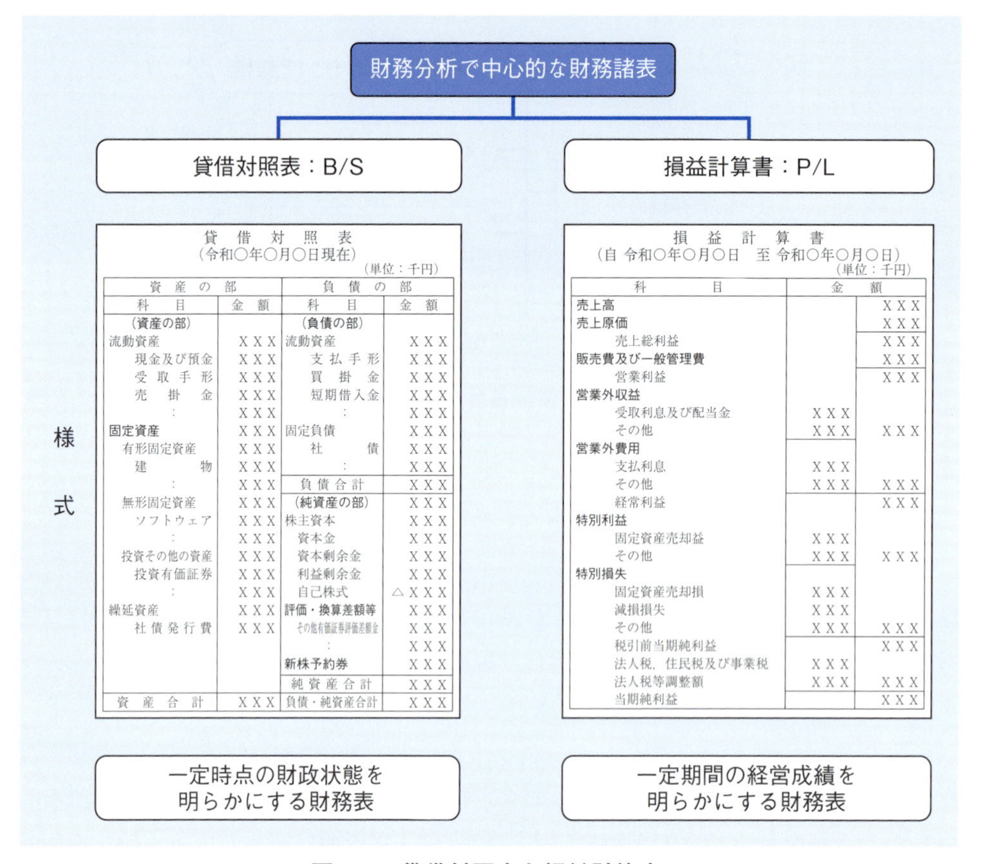

貸　借　対　照　表
（令和○年○月○日現在）
（単位：千円）

資産の部		負債の部	
科目	金額	科目	金額
（資産の部）		（負債の部）	
流動資産	XXX	流動資産	XXX
現金及び預金	XXX	支払手形	XXX
受取手形	XXX	買掛金	XXX
売掛金	XXX	短期借入金	XXX
：	XXX	：	XXX
固定資産	XXX	固定負債	XXX
有形固定資産	XXX	社債	XXX
建物	XXX	：	XXX
：	XXX	負債合計	XXX
無形固定資産	XXX	（純資産の部）	XXX
ソフトウェア	XXX	株主資本	XXX
：	XXX	資本金	XXX
投資その他の資産	XXX	資本剰余金	XXX
投資有価証券	XXX	利益剰余金	XXX
：	XXX	自己株式	△XXX
繰延資産	XXX	評価・換算差額等	XXX
社債発行費	XXX	その他有価証券評価差額金	XXX
		：	XXX
		新株予約券	XXX
		純資産合計	XXX
資産合計	XXX	負債・純資産合計	XXX

損　益　計　算　書
（自 令和○年○月○日　至 令和○年○月○日）
（単位：千円）

科目	金額	
売上高		XXX
売上原価		XXX
売上総利益		XXX
販売費及び一般管理費		XXX
営業利益		XXX
営業外収益		
受取利息及び配当金	XXX	
その他	XXX	XXX
営業外費用		
支払利息	XXX	
その他	XXX	XXX
経常利益		XXX
特別利益		
固定資産売却益	XXX	
その他	XXX	XXX
特別損失		
固定資産売却損	XXX	
減損損失	XXX	
その他	XXX	XXX
税引前当期純利益		XXX
法人税，住民税及び事業税	XXX	
法人税等調整額	XXX	XXX
当期純利益		XXX

図1-3　貸借対照表と損益計算書

を組み替えることにより分析を行う手法です。具体的には，比較損益計算書分析，利益増減分析，比較貸借対照表分析，各種資金表分析などがあります。

比較損益計算書分析や比較貸借対照表分析の代表的なものには，自らの組織の損益計算書や貸借対照表を時系列に並べて分析を行う手法があり，例えば前年同月との損益比較は一般的な組織で広く行われているのではないでしょうか。また，目標値との比較を行うことで財務的な目標達成のためのいわゆる予実（予算実績）分析も実数分析に基づいた比較分析といえるでしょう。

利益増減分析の代表的なものは，上場会社等が前年度の利益と比較して当期の利益の増減額を売上の増減や経費の増減等の要因別に分解して分析する手法であり，資金運用表は，損益計算書と貸借対照表の比較から2つの財務表では明確に表れない資金の増減要因を分析する手法です。

実数分析法は，実数を直接使用するので個別組織の時系列の比較もしくは目標値との比較による分析等には極めて有効である一方，異なる組織の比較については規模の違いを考慮しなくては的確な判断が難しいという短所があります。例えば，規模の異なる別

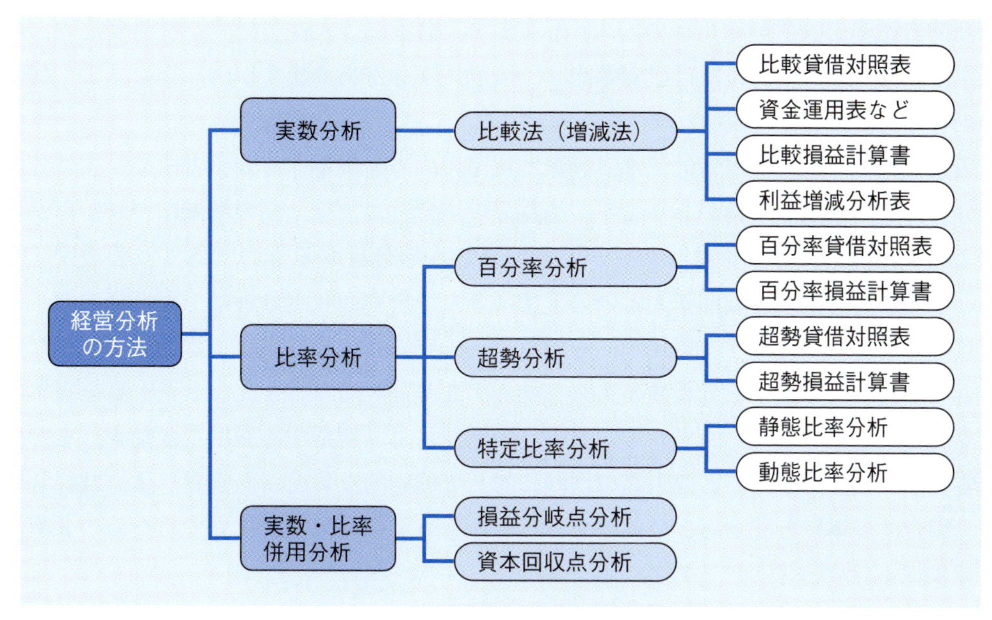

図1-4 経営分析の具体的方法

の組織体の損益計算書や貸借対照表を並べて比較しても，それだけでは組織の財務的数値の大小は把握できますが，そこから得られる情報量は限られたものにならざるを得ません。そこで，規模の異なる組織の比較・評価に有効なのが比率分析法です。

比率分析法には，百分率分析法，趨勢分析法，特定比率分析法といった方法があります。百分率分析法は，貸借対照表や損益計算書の構成比率を分析する方法です。百分率貸借対照表や百分率損益計算書がこれに当たります。百分率貸借対照表とは，資産合計＝負債・純資産合計を100％として各科目をパーセンテージで表す貸借対照表であり，百分率損益計算書は，一般に売上高を100％として各科目をパーセンテージで表す損益計算書です。一般的にパーセンテージのみで表す貸借対照表や損益計算書を目にする機会は少ないかもしれませんが，各科目の実数とともにパーセンテージが記載されている貸借対照表や損益計算書を目にすることはあるのではないでしょうか。

趨勢分析法は，特定の基準年度の財務データを100％としてそれ以降の年度の数値を基準年度の数値に対する比率（％）で表示することにより数値変化の趨勢を見る分析法です。趨勢分析法によって趨勢貸借対照表や趨勢損益計算書が作成され，趨勢損益計算書では，基準年度に対する収益の増減率と人件費やその他の費用の増減率を比較することで，費用の管理に役立つ分析が可能となります。

特定比率分析法は，財務諸表に表示される2つ以上の特定の項目を取り上げて，各項目間の相互関係を比率で分析する方法です。特定比率には，損益計算書項目相互間あるいは損益計算書項目と貸借対照表項目相互間の比率を表す動態比率と，貸借対照表項目相互間の比率を表す静態比率の2つがあります。前者には人件費比率，材料費比率，総資本回転率等が，後者には自己資本比率，流動比率等がありますが，詳細は「Ⅲ　病院の経営分析」において説明します。

最後の実数・比率併用分析法は，実数と比率の両方を併用する分析方法で，損益分岐点分析と資本回収点分析があります。損益分岐点分析は，売上高の増減につれ費用がどのように増減し，その結果，利益がどうなるのかを分析するものであり，利益が「0」となる売上高を損益分岐点売上といいます。また，資本回収点分析は，売上高の増減につれ経営資本がどのように変化し，その結果，一定の売上高を実現するためにどれだけの資金が必要となるかを分析するものであり，総資本回転率が1となる売上高を資本回収点売上高といいます。いずれも，売上高の増減により変動する費用（変動費）または経営資本（変動的資本）と売上高の増減に対して固定的な費用（固定費）または経営資本（固定的資本）と売上高との関係を分析し，将来計画の策定に役立てるための分析手法です。

④病院特有の経営分析手法

病院の経営分析を行う場合には，今まで説明してきた財務情報を活用して算出した数値以外に非財務情報や財務情報と非財務情報を加工した数値も活用することにより，病院経営の実態を浮き彫りにして病院の経営管理や経営評価に役立てます（図1-5）。

病院経営分析において主に利用される病院の非財務情報としては，医療設備の装備状況や高額医療機器の稼働状況，医療従事職員数の状況や看護基準，患者数や外来紹介率，病床利用率や平均在院日数，手術件数や救急車搬入台数などがあります。これらは

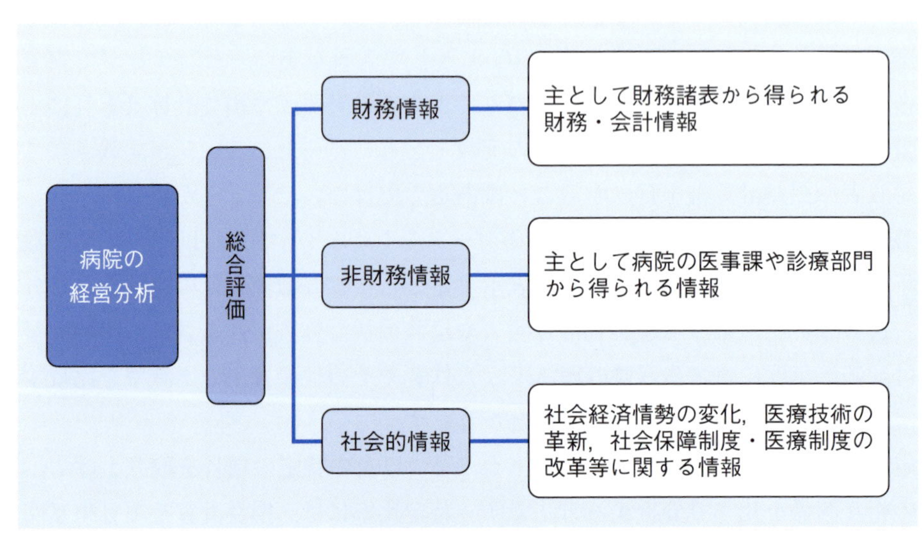

図1-5　病院経営分析の対象とされる情報

主に収入を分析する際に，収入に影響を与える非財務情報として財務数値と関連づけて分析を行うことで，単なる数値の増減だけでなくその背景にある病院の経営実態を見極めるのに非常に役に立ちます。

また，財務情報と非財務情報を加工した数値としては患者1人1日当たり入院収益や患者1人1日当たり外来収益があります。患者1人1日当たり収益は，財務情報（入院収益や外来収益）と非財務情報（入院患者延数や外来患者延数）を用いて算出される数値で，結果的に収益（入院収益や外来収益）を数量要素と価格要素に分解することになるため，大変重要な数値です。

病院の経営分析は，このような財務情報・非財務情報・財務情報と非財務情報を加工した数値情報を活用して行い，これらの数値全体を「経営指標」と呼びます。

そして，わが国の医療制度は公的医療保険による国民皆保険によって維持されているため病院の経営を分析・評価したり，将来の経営計画を立案したりする場合に必ず制度変化の方向性や医療を取り巻くさまざまな環境変化の可能性を加味する必要があります。このような情報を病院経営分析における社会的情報といいます（図1-5）。

例えばある医療機関の医業収益が前年と変化がなかった場合を考えてみてください。診療報酬の改定がない年であれば単に前年並みとの評価になりますが，診療報酬がプラス改定の年であれば，医業収益が変化しなかったことのみをもってその医療機関の経営実態に変化がなかったといいきれるでしょうか。診療報酬だけでなく社会経済の情勢変化，医療技術の革新，社会保障制度・医療制度の改革等も病院経営に少なからず影響を与えますので，これら社会的情報を加味して経営分析を実施することが医業経営の実態を見極めるうえで重要です。

つまり病院経営分析は，財務情報・非財務情報・社会的情報を総合的に分析・評価することにより医業経営の実情に適応した適切な分析となるのです。

3 分析のための比較資料

1 病院経営分析に利用できる外部統計資料

病院の経営活動の状況や経営実態を明らかにするために種々の経営情報を収集・整理しても，比較対象となる外部データがないのでは自病院の経営状態を客観的に比較・分析することはできません。もちろん，自病院の時系列的な経営数値の推移を比較するだけでもそれなりの効果があり重要なことですが，公的な医療制度，統一的な診療報酬体系によって画一的に管理される傾向を持つ病院経営では，他病院の経営データや適正な統計資料との比較は自らの“位置”を知るうえで大変重要なことです。公的制度という座標軸の上でどの位置にいるのか，時系列的にどのように座標移動をしているのかを認識することは病院経営分析にとって必要不可欠な作業といえます。

そして比較するための外部統計資料として，財務情報を中心とした病院経営分析に利用可能な公的統計資料はいくつか公表されていますが，病院を監督する行政機関（厚生労働省医政局）により公表されていること，分析対象施設数の多いこと，分析内容，そして入手の容易さから「病院経営管理指標」は適した資料であるといえます。

また，比較対象とする外部統計資料を決めることは自病院において算出すべき基本的な「経営指標」を確定することにもつながりますが，「病院経営管理指標」では平成23年度以降の調査において「紹介率」，「逆紹介率」が，平成25年度から平成28年度の調査において「看護必要度の高い患者割合」が追加されるなど，診療報酬の算定要件に直接影響する指標も適時反映されているため，自病院の管理指標としても有用性が高い指標であるといえるのではないでしょうか。

2 公・私病院の指標が一元化された「病院経営管理指標」

従来，厚生労働省の統計資料は，「病院経営指標（医療法人病院の決算分析）」，「病院経営収支調査年報」，「主要公的医療機関の状況」の3つに分かれて公表されていました。

「病院経営指標（医療法人病院の決算分析）」は医療法人が開設する病院のデータ，「病院経営収支調査年報」は都道府県・市町村等の自治体病院，日本赤十字社や済生会等のその他公的病院，社会保険関係団体病院のデータ（国立病院・療養所や国立大学病院等は含まれていません）となっていました。そして「主要公的医療機関の状況」は，対象医療機関は「病院経営収支調査年報」とほとんど同じであるものの，異なる基礎資料や視点から作成した統計資料であるため経営分析を行っていくうえでの参考として考えることができました。ちなみに，「主要公的医療機関の状況」の自治体病院のデータは総務省が公表している「地方公営企業年鑑」により作成されていたため，現在も自治体病院に限っては「地方公営企業年鑑」で異なる視点による統計データを確認することが可能です。

「病院経営収支調査年報」は古く，昭和40年から公的医療機関の開設する病院の経営動向を把握するために実施されています。一方，「病院経営指標（医療法人病院の決算分析）」は，民間病院の経営悪化が指摘され始めた時期である平成5年1月の衆議院予算委員会において質問を受けた厚生大臣が，「民間病院の経営状況の調査を緊急に実施する」と答弁したことが発端となり，平成3年および平成4年を対象とした「病院経営緊急状況調査」が実施され，平成6年度数値から「病院経営指標（医療法人病院の決算分析）」として公表されることとなりました。

このように調査開始の経緯が異なることから別々に公表されていた統計資料は，平成

医療法における病院の種類について

病院や診療所，一般病院や療養型病院，公的病院，民間病院および大学病院など医療施設を巡る用語の種類はさまざまありますが，ここで医療法が定義している病院などについて整理をしてみましょう。

1．病院と診療所

①病院（医療法第１条の５①）

医師または歯科医師が，公衆または特定多数人のため医業または歯科医業を行う場所であって，20人以上の患者を入院させるための施設を有するもの。

②診療所（医療法第１条の５②）

医師または歯科医師が，公衆または特定多数人のため医業または歯科医業を行う場所であって，患者を入院させるための施設を有しないものまたは19人以下の患者を入院させるための施設を有するもの。

2．地域医療支援病院，特定機能病院，臨床研究中核病院

①地域医療支援病院（医療法第４条）

国，都道府県，市町村および社会医療法人等が開設する病院で紹介患者中心の医療を提供し，施設を地域の医師等が利用できる体制を確保し，救急医療を担い，地域医療従事者に対し研修を行い，一定規模以上の病床を有するなどの要件に該当するものが都道府県知事の承認を得て称することができる施設。

②特定機能病院（医療法第４条の２）

高度医療の提供，開発および評価ならびに研修を実施する能力を有するとともに一定規模以上の病床数や診療科を有し，医師等の手厚い配置などの要件に該当する病院が厚生労働大臣の承認を得て称することができる施設。大学病院の本院とナショナルセンターとしての国立がん研究センター中央病院および東病院・国立国際医療研究センター病院・国立循環器病研究センターのほか，公益財団法人がん研究会有明病院や静岡県立静岡がんセンター，聖路加国際病院など令和４年12月１日現在88病院が承認されている。

③臨床研究中核病院（医療法第４条の３）

一定の基準に従った臨床研究に関する計画を立案・実施する能力や他の医療機関が行う臨床研究の援助や臨床研究に関する研修を行う能力を有しうるとともに一定規模以上の病床数や診療科を有し，臨床研修に関わる一定数以上の医師等の配置などの要件に該当するものが厚生労働大臣の承認を得て称することができる施設。令和５年４月10日現在，国立がん研究センター中央病院・東病院のほか12の大学病院の本院が承認されている。

3．公的医療機関（医療法第31条）

都道府県，市町村その他厚生労働大臣の定める者の開設する病院または診療所を指し，医療計画達成などへの協力義務や開設許可の制限等に関連して医療法に位置づけられた医療機関。「その他厚生労働大臣の定める者」には日本赤十字社や済生会などが挙げられているが，国などが開設する医療機関は対象となっていない。

医療法以外でも，消防法に基づいて都道府県知事が認定した救急病院，医師法に基づいた臨床研修指定病院，その他都道府県知事などの指定による災害拠点病院やへき地医療拠点病院などがあります。最初に記載した一般病院や療養型病院は病院が有する病床種類によって区分した通称であり，公的病院，民間病院および大学病院は，その開設主体によって区分した呼び名です。

16年8月に21年ぶりに改正された新「病院会計準則」をきっかけとして，一元化する方向で調査研究〔厚生労働省医政局・医療施設経営安定化推進事業「病院経営管理指標に関する調査研究」（委託先：明治安田生活福祉研究所，委員長：石井孝宜）〕に入り，平成19年8月15日，平成16，17年度の「病院経営管理指標」が公表されました。

一元化された「病院経営管理指標」は従来から公表されてきた3つの指標との連続性はなくなりますが，新「病院会計準則」に準拠し，新しい有用な指標や分析の視点を織り込んだ統一的で開設主体横断的な指標となっています。

巻末の資料として「令和元年度及び令和2年度病院経営管理指標」の抜粋を掲載しましたので，本書の本文と対比しながら活用してください（184頁）。

3 比較分析するための準備

日常的に経営管理を徹底している病院の場合，「病院経営管理指標」等の統計資料と自病院の経営資料を比較することはたやすく，経営者層においては自病院の経営資料を外部の統計資料と比較することで自病院の経営状況を理解されているはずです。しかし，長期間にわたり病院経営を見続けてきた筆者としては現実の世界は全然違うといわざるを得ません。

民間病院にせよ公的病院にせよ，経営者層が当然に外部の統計資料と比較可能な自病院の経営資料を把握している病院はまだそれほど多くないように感じています。例えば，病院の経営分析で「1床当たり1日平均入院患者数」という指標があります。病院は毎月必ず病院報告（患者票）という書類を保健所に提出しており，そこに記載されている「在院患者延数」を利用すれば年間を通した「1床当たり1日平均入院患者数」は簡単に計算できます。しかし，病院の月次報告などにより「月単位」の「病院全体」での「1日平均入院患者数」は経営者層に報告される一方，「年間」の「1床当たり」での「1日平均入院患者数」を改めて計算し，経営者層に適切に報告している病院は少ないのではないでしょうか。

外部統計資料は年間が基本であり，規模の異なる病院の比較のため，「1床当たり」の「1日平均入院患者数」を表示しているので，適切に比較するには月次報告などで利用している病院全体での「1日平均入院患者数」ではなく，年間を通じた「1床当たり1日平均入院患者数」を改めて計算する必要があるのです。

なかには，月平均の「1日平均入院患者数」を使って分析すればよいという人がいますが，病院によっては月や季節によって大きく入院患者数が変動することもあるので適切な判断とはいえません。特に，急性期病院の場合にはなおさらです。また，月単位でのみ「1日平均入院患者数」を認識していたのでは過去数年間の自病院の病床稼働状況を時系列趨勢で適切に見ることもできません。

病院の経営分析は，非財務情報としての医事統計資料等と財務情報としての財務諸表を融合させて行います。いろいろな病院を訪れて本当によく目にするのは，報告されるすべての医事統計資料が月単位でのみ作成されているケースです。

これでは，せっかく外部に有用な経営分析資料ができているのに自病院の経営データが対応できないということになり，話になりません。

さらに，経営分析の最も基本となる財務諸表に関しても，必ずしも適切に作成できていない病院も少なからずあるようです。というのも，病院経営管理指標では指標のほかに貸借対照表や損益計算書の実数の平均値等を集計していますが，従来から有効回答数に対して貸借対照表や損益計算書の実数の集計対象施設数が少ない状況が続いており，これは，有効回答とされているにもかかわらず貸借対照表や損益計算書の項目が未記入であるなど，適切な財務諸表を回答できていない施設があるということです。

有効回答数と実数の集計対象施設数の差が把握できる直近のデータを見ると，「平成29年度病院経営管理指標」では医療法人の有効回答数は419施設，自治体の有効回答数は246施設となっていますが，貸借対照表と損益計算書の実数の集計対象施設は医療法人においてそれぞれ127施設と142施設（有効回答数の30％と33％），自治体において87施設と94施設（有効回答数の35％と38％）にとどまっています。つまり適切な財務諸表を回答できていない施設が6割以上存在しているのです。

また，病院における月次報告などにおいても，例えば医事部門のデータに基づく1カ月の診療科別収益と一緒に月次の損益計算書が報告される場面で，診療科別収益では前年同月比や予算比でプラスであるにもかかわらず，月次の損益計算書の医業収益は必ずしも同様の動きをせずにマイナスになっていたりするなど，両者の整合性が図られていない資料を目にすることが少なからずあります。

このように見ると，残念ながら事務（管理）部門が単なる事務処理部門としてのみ機能していることがまだまだ多いと感じられます。病院経営に役立つ経営分析を行うための第1歩は，自病院の種々の経営情報を適切に収集・整理することです。情報を収集・整理するためには，どのような情報がどのような手法によって効率的かつ正確に認識されているかを常に意識する必要があります。きちんと収集・整理された経営情報が比較・分析・評価される価値のあるものだということに気づくことが大切です。病院経営を丼勘定と評することがありますが，変化の速い現代において医療経営を続けるためにはそのような時代を終わらせなければなりません。

理念がなければ技術力は役立ちませんが，理念があっても技術力がなければ経営は機能しません。経営分析や経営管理を有効に実施するためには病院を経済的に評価する必要性に対する理念と，これを行うための技術力の両方がなければなりません。病院の事務（管理）部門自身が経営改善に対する意識変革を起こし，外部との比較可能性を持った情報を蓄積していくことが経営を比較・分析するための準備作業といえます。

「病院経営管理指標」の有効回答数は表1-7の通り年々減少傾向にありますが，各病院においては外部調査に協力することで，最低限，外部資料と同じレベルの情報を適切

表1-7　「病院経営管理指標」の調査票の回収結果

		平成16年度	平成20年度	平成25年度	平成29年度	令和2年度
配布数		7,170	7,138	7,066	7,019	6,983
有効回答	数	2,070	1,633	1,349	738	438
	率	28.9%	22.9%	19.1%	10.5%	6.3%

に収集・整理し自病院の分析に役立てることが可能となり，事務（管理）部門が単なる事務処理部門ではなく病院経営にとって重要な情報の発信部門になっていくのではないでしょうか。

病床と病床機能の種類の確認

平成26年の医療法改正により地域における病床の分化および連携の推進のため，いわゆる病床機能報告制度が導入され病床を巡る用語の種類が増加しています。そこで，医療法における病床を巡る用語について整理をしてみましょう。

1．病床の種別（医療法第7条②）

①精神病床

病院の病床のうち，精神疾患を有する患者を入院させるためのもの。

②感染症病床

病院の病床のうち，感染症の予防および感染症の患者に対する医療に関する法律に規定する一定の患者等を入院させるためのもの。

③結核病床

病院の病床のうち，結核の患者を入院させるためのもの。

④療養病床

病院または診療所の病床のうち，上記①～③に掲げる病床以外の病床であって，主として長期にわたり療養を必要とする患者を入院させるためのもの。

⑤一般病床

病院または診療所の病床のうち，上記①～④に掲げる病床以外のもの。

令和4年11月に感染症の予防および感染症の患者に対する医療に関する法律等の一部が改正され，今後，公的医療機関などの一部の医療機関は，新興感染症が流行した場合において当該感染症患者を入院させ必要な医療を提供することが義務づけられることから，感染症病床の扱いもしくは考え方については変化があるかもしれません。

2．病床の機能（医療法第30条の13，医療法施行規則第30条の33の2）

平成26年より，地域における病床の機能の分化および連携の推進のため，一般病床または療養病床を有する病院または診療所は自らの医療機関の有する病床の機能を以下の区分に従って都道府県知事に報告しなければならなくなり，その機能の区分は医療法施行規則で以下のように定められています。

①高度急性期機能

急性期の患者に対し，当該患者の状態の早期安定化に向けて，診療密度の特に高い医療を提供するもの。

②急性期機能

急性期の患者に対し，当該患者の状態の早期安定化に向けて，医療を提供するもので上記①を除くもの。

③回復期機能

急性期を経過した患者に対し，在宅復帰に向けた医療またはリハビリテーションの提供を行うもの。

④慢性期機能

長期にわたり療養が必要な患者を入院させるもの。

上記の病床機能ごとの将来の必要病床数を推定する際の算式において，例えば高度急性期機能においては1日当たりの診療報酬の出来高点数が3,000点以上，急性期機能においては同じく600点以上3,000点未満である医療を受ける入院患者の入院受療率を使用することとなっており，また，病床機能報告における病床の医療機能の内容について，例えば高度急性期機能の説明においては急性期一般入院料1～3といった入院基本料や救命救急入院料といった特定入院料が算定される病床などが例示されていますが，病床機能報告は，医療機能のそれぞれの病棟が担っている医療機能を把握し，地域における医療機能の分化・連携を進めることを目的として行われるものであることから，必ずしも診療情報制度と整合性が確保されているものではありません。

II

病院における経営分析のための基礎知識

病院経営分析の基本

1 非財務情報や社会的情報が経営分析のカギ

①非財務情報の意味を理解する

病院経営分析を始める際に最初に理解しておきたいことは，財務データの分析結果だけでは何も見えないということです。

一般の企業経営を分析する場合にも必要に応じて非財務情報や社会的情報を取り入れていきますが，病院の経営分析においては非財務情報や社会的情報をより積極的に加味しなければ何も見えず，経営評価そのものを誤ってしまいます（図2-1）。誤った分析結果は，全く説得力のない経営情報ということになってしまい，分析そのものの価値をないものとしてしまいます。

病院経営分析の結果を用いて経営の問題点を改善しようとする場合，分析結果や問題点は診療部門や病棟，検査部門などの現場で働いている医師や看護師，その他の医療スタッフなどに問題点や改善方法などを説明し，理解を得ることになります。したがって，極力，医療現場の現実に適合し，現場のスタッフが理解できる分析データを作成することが肝心です。

経営体としての病院の最終目的は，病気に苦しんでいる患者さんに対して良質な医療サービスを提供することです。設備の装備率も決して低くはありませんが，医療サービス提供の中心は“人”であり，極めて労働集約的で高度なサービスを提供していることを前提としなければなりません。そういう意味では，病院の経営分析は形式として行うことはできても，実質的にその目的を達成することはなかなか困難かもしれません。

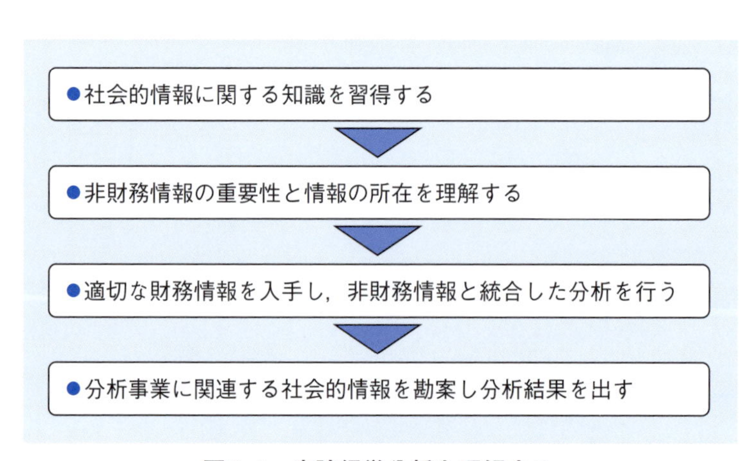

図2-1　病院経営分析を理解する

「病院経営管理指標」では，病院経営の「収益性」，「安全性」，「機能性」に関する指標が提示されており，そのうち「機能性」に関する指標とは，病院が持っている診療上の機能特性を評価し，併せてその機能がどの程度有効に活用されているかを見るものです。「機能性」に関する指標はその時々の病院に対する期待により追加や削除が行われており，例えば，医療機関における機能分化と連携が重視されてきたことにより平成23年度の調査から「紹介率」や「逆紹介率」が追加されています。平成16年の「病院経営管理指標」の調査開始から「収益性」と「安全性」に関する指標の項目にほとんど変化はありませんが，「機能性」に関する指標について追加や削除が行われているのは，病院に対する期待の変化への対応とともに病院を評価するうえで優先度の高い指標だからです。

②社会的情報の重要性を理解する

病院経営分析を行う場合，社会的情報を十分に理解することも大変重要です（図2-2）。病院経営における社会的情報とは社会経済情勢，医療や社会保障に関する制度改革，患者ニーズの変化や技術革新といったことです。

例えば，病床利用率が低い病院がある場合，収益性の側面からはいかに病床利用率を高くするかが問題となります。病床利用率を上げる一番簡単な方法は，患者さんの退院を1日でも遅らせることで空き病床を減らすことです。これは，患者さんの平均的な在院期間を延ばすことになりますが，自動的に病床利用率が上がり収益性が改善することになります。しかし，これでは本質的な問題解決になりません。なぜなら，わが国の入院医療における平均在院日数は，一般病院の場合，欧米に比べ2～4倍の長さとなって

経済情勢の変化－経済財政の破綻

社会情勢の変化－少子高齢化

医療制度・変化の方向
- 医療提供体制の改革
- 医療保険制度の改革
- 医師の働き方改革
- 診療報酬，薬価基準等の見直し
- 高齢者医療制度の改革

患者ニーズの変化
- 患者の権利意識の高まり
- 医療の安全性への関心
- 医療情報提供の必要性（カルテ開示等）
- 経営情報の開示
- インフォームド・コンセント
- セカンド・オピニオン
- 遠隔診療による受診

その他の環境変化
- AI 技術の発展
- 医療技術革命（遺伝子，再生医療等）
- 医療の国際展開（医療ツーリズム等）
- 公的医療機関の再編成
- 営利法人の参入問題
- 新興感染症によるパンデミック

図2-2　病院経営をめぐる社会的情報

おり，それ自体がわが国の医療制度の重要な課題の1つで，平均在院日数の短縮が医療制度改革の中心的なテーマとなっているからです。また，患者さんの立場から考えた場合，入院期間が延びると経済的負担が増えますが，最近の円安の影響などによる生活物価の上昇により，その負担感は一層高まっているものと考えられます。したがって，できる限り短期間に入院治療を完了したいと多くの患者さんは考えており，入院期間の長期化は患者さんの満足度を低下させることになります。このように病床利用率を上げるために平均在院日数を延ばすことは，制度の側面からも患者さんからも受け入れられない策となります。病院経営では，制度の変化や患者ニーズ等の社会的情報を理解しなければ経営改善の対応策そのものを立案できないケースがたくさんあるのです。

2 どうしても必要な会計知識

病院経営分析では，社会的情報の重要性を認識することと非財務情報の活用方法を理解することがとても大切であると説明しました。とはいえ，病院経営分析において計算される経営指標の多くは主として財務諸表から得られる財務情報を加工して算出されることに間違いありません。したがって，企業の経営分析同様，病院の経営分析でも「会計の知識」がある程度なければいけません。

財務諸表を作成するために経理部門では日々「複式簿記」の法則に従って伝票や帳簿，試算表などを作成しています。「会計」に関する知識をきちんと得ようとすると何カ月かかけて複式簿記や会計学の勉強をすることになります。けれども，今ここで習得したいのは経営分析を行ううえで必要な会計の知識ですから，帳簿や試算表をどのように作るかといったことではなく財務諸表をどのように読んでいくかに関する知識です。財務諸表とは一般的には決算書ですが，会計学の立場からは財務諸表と呼び，組織の経済的な経営成績や財政状態，すなわち財務の状況を表す複数の表（諸表）ということになります。

組織における経済的な経営成績などの最終評価は，厳密にはすべての事業が終了したときに可能となりますが，企業でも病院でも数十年，場合によっては100年を超えて継続して事業を営みますから，事業の終了を待って評価するのでは組織を適切に経営することはできません。そこで，事業期間を人為的に一定期間ごとに区切って経済的な経営成績や財政状態を確認するために会計という手法・考え方があり，この手法・考え方に基づいて財務諸表が作成されています。そして，この一定期間を会計期間といい，通常は1年間とされます。財務諸表は，会計期間ごとに通常は1年単位で作成されるということを最初に覚えてください。

病院の会計の基本と財務諸表の構造

1 病院会計準則による病院の財務諸表

一般に会計のルールである「会計基準」は，法人格の種類ごとに設定されています。したがって，それぞれの病院は，例えば，医療法人が開設主体であれば「医療法人会計基準」に従い，独立行政法人が開設主体であれば「独立行政法人会計基準」に従うといったように，それぞれの開設主体の法人格のために設定された会計基準によって財務諸表を作成します。しかし，これでは病院間の比較が困難であることから，厚生労働省医政局長通知による「病院会計準則」という，「病院」という施設のための会計ルールが整備されています（詳細はコラム「施設会計の基準としての病院会計準則」参照）。「Ⅱ 病院における経営分析のための基礎知識」では「病院会計準則」に基づいて財務諸表の説明をします。

「病院会計準則」で定められている財務諸表を整理すると図2-3になり，貸借対照表と損益計算書がいわゆる「複式簿記」によって作成される財務諸表となります。キャッシュ・フロー計算書は，旧「病院会計準則」では財務諸表の範囲に含まれていませんでしたが，その有用性から新「病院会計準則」においては含まれることになりました。また，附属明細表は，貸借対照表や損益計算書の各項目に対する説明資料です。貸借対照表，損益計算書およびキャッシュ・フロー計算書についてもう少しくわしく説明すると，貸借対照表は一定時点の財政状態を明らかにする財務表であり，会計期間終了時点の病院の財政状態を表示する財務表です。したがって，1年という会計期間で考えると，

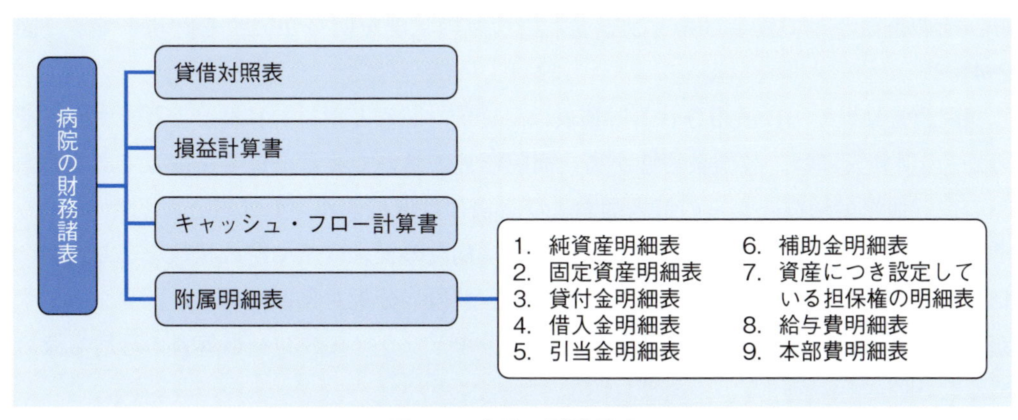

図2-3　病院の財務諸表

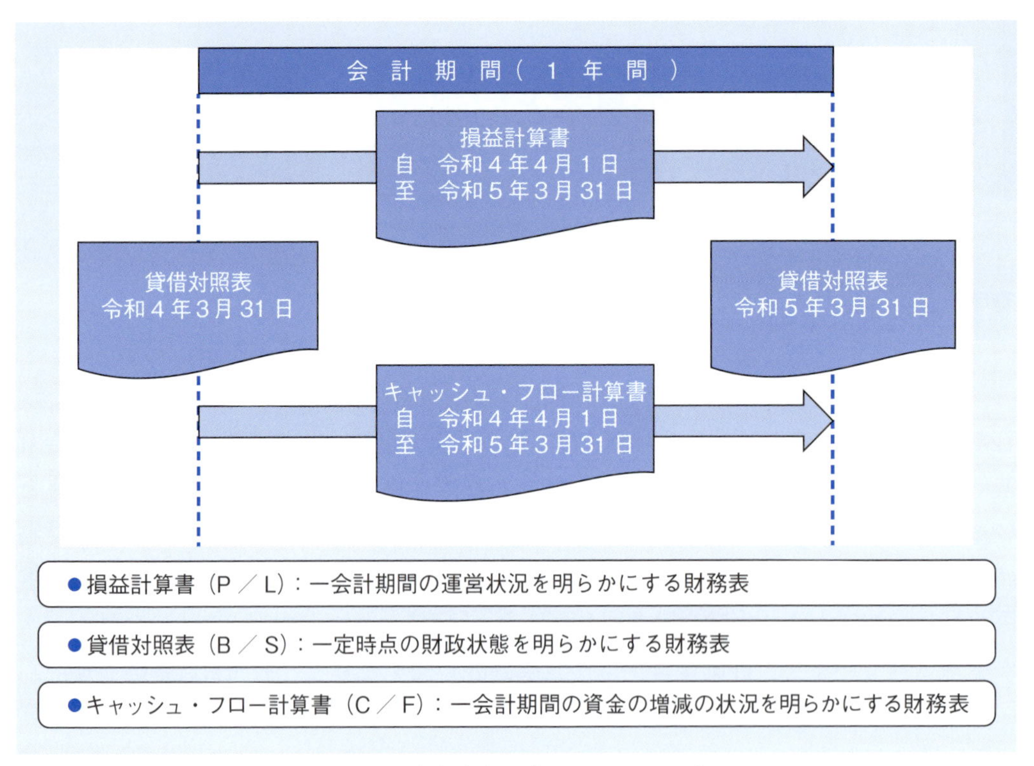

図2-4　財務諸表に書かれていること

前会計期間（昨年1年間）の貸借対照表が当会計期間（今年1年間）の開始時点の財政状態を表し，会計期間の終了時点の財政状態を当会計期間の貸借対照表が表すことになります。これに対して損益計算書は，時点の数値ではなく，会計期間（1年間）に獲得した収益の額と費やした費用の額を表示し，その差額として利益の額を計算し経営成績を明らかにする財務表です。また，キャッシュ・フロー計算書も，損益計算書と同様に時点の数値ではなく，会計期間（1年間）の数値を表示しますが，表示するのは収益の額や費用の額ではなく，資金（キャッシュ）の受取（収入）額と支払（支出）額であり，その差額として資金（キャッシュ）の増減の状況を明らかにする財務表です（図2-4）。

病院経営分析で主に活用される財務表は，貸借対照表と損益計算書となりますが，その2つの財務表には，設備集約性が高い病院経営において非常に重要な情報である設備への投資額や金融機関からの借入額および返済額は直接表示されません。したがって，それらを直接表すキャッシュ・フロー計算書は病院の経営成績や財政状態をより適切に把握するうえで欠かすことができませんので，普段，分析対象になることは少ないですが，貸借対照表や損益計算書とともに，ぜひ，キャッシュ・フロー計算書の理解も深めてください。

2 貸借対照表の構造と理解のポイント

①貸借対照表の構造

貸借対照表は一定時点の財政状態を明らかにする財務表ですから，会計期間の末日（一般には「決算日」，会計用語では「貸借対照表日」という）の資産，負債および純資産の残高（金額）を表示します。図2-5の左が貸借対照表の様式となり，その構造を簡略化して示したものが図2-5の右の図になります。貸借対照表は，左側が資産の部で右側が負債と純資産の部から成り立っています。複式簿記では左側を借方，右側を貸方と呼び，資産の合計額と負債および純資産の合計額が一致することになっています（「純資産」は「資産」から「負債」を差し引いた金額なので，結果として一致するということ）。貸借対照表のことをバランスシート（Balance Sheet：B/S）といいますが，これは貸借対照表が一定時点の資産と負債・純資産のバランスを示しているからです。

i　資産の内訳

貸借対照表の借方（左側）に表示されている資産は，「流動資産」と「固定資産」の2つに区分します（図2-6）。流動資産と固定資産の区別は，1年基準（ワン・イヤー・ルール）または正常営業循環基準という基準を使って判断します。会計の世界では短期

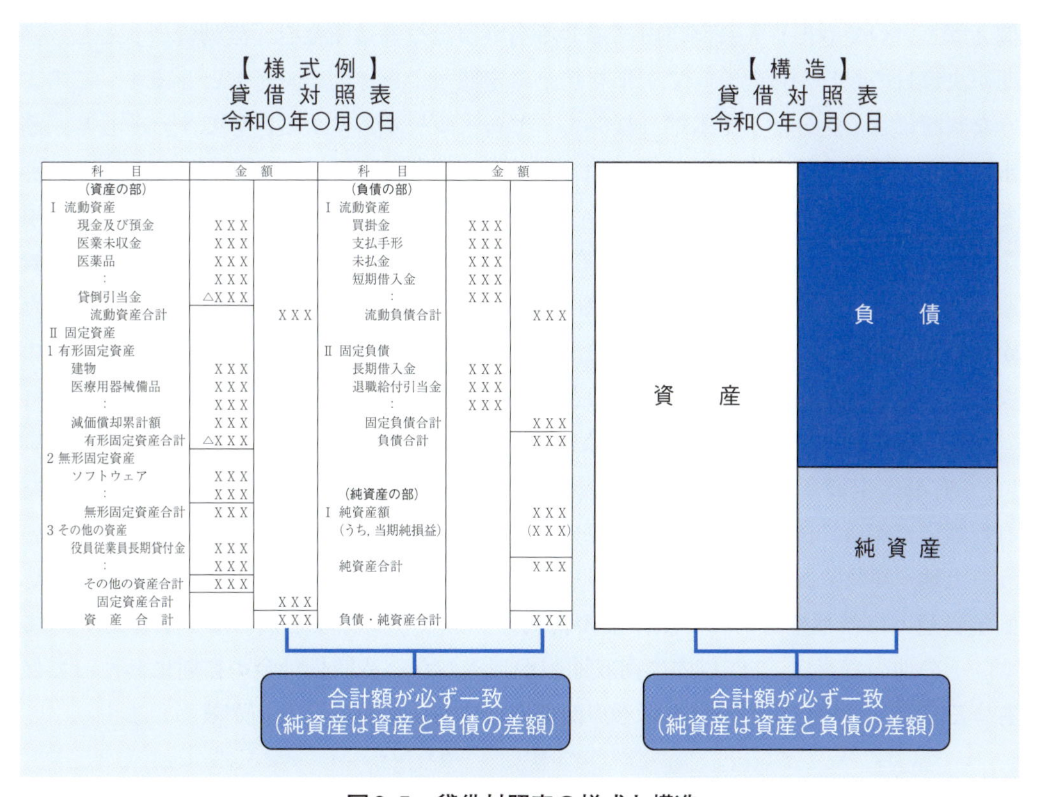

【様式例】
貸借対照表
令和○年○月○日

科目	金額		科目	金額	
（資産の部）			（負債の部）		
I 流動資産			I 流動資産		
現金及び預金	XXX		買掛金	XXX	
医業未収金	XXX		支払手形	XXX	
医薬品	XXX		未払金	XXX	
：	XXX		短期借入金	XXX	
貸倒引当金	△XXX		：	XXX	
流動資産合計		XXX	流動負債合計		XXX
II 固定資産					
1 有形固定資産			II 固定負債		
建物	XXX		長期借入金	XXX	
医療用器械備品	XXX		退職給付引当金	XXX	
：	XXX		：	XXX	
減価償却累計額	XXX		固定負債合計		XXX
有形固定資産合計	△XXX		負債合計		XXX
2 無形固定資産					
ソフトウェア	XXX				
：	XXX		（純資産の部）		
無形固定資産合計	XXX		I 純資産額		XXX
3 その他の資産			（うち，当期純損益）		(XXX)
役員従業員長期貸付金	XXX				
：	XXX		純資産合計		XXX
その他の資産合計	XXX				
固定資産合計		XXX			
資　産　合　計		XXX	負債・純資産合計		XXX

図2-5　貸借対照表の様式と構造

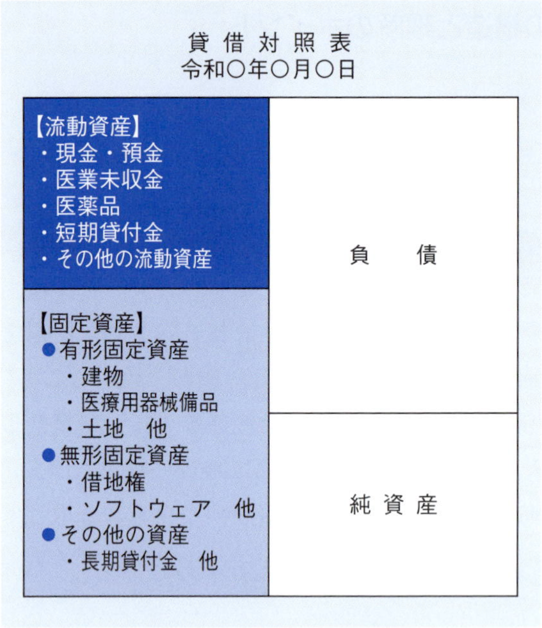

図2-6　資産の部の内訳

（流動資産）と長期（固定資産）の区分は1年以内か1年を超えるかで判断しますので，例えば，いつでも出し入れが自由にできる当座預金や普通預金を「流動資産」とし，満期が決算日の翌日から起算して１年を超える定期預金を「固定資産」とします。このような判断による区分が１年基準（ワン・イヤー・ルール）による区分です。そして，請求してから通常２カ月程度で入金される社会保険診療の未収金（これを「医業未収金」という）や未使用の医薬品・診療材料（これらを「たな卸資産」という）は，正常な事業活動の結果発生した債権または事業活動のために保有している資産なので「流動資産」とします。このような判断による区分が正常営業循環基準による区分です。したがって，患者さんに対する窓口の医業未収金で長期間にわたって回収できていないものなどは正常な営業循環から外れたものと考え固定資産とします。

次に，固定資産ですが，固定資産は1年を超えて所有したり使用したりする資産をいい，「有形固定資産」，「無形固定資産」および「その他の資産」の3つに区分します。有形固定資産は，医業活動のために原則として1年以上使用するために所有する資産のうち土地，建物，医療用器械備品といった形のある資産をいいます。これに対して無形固定資産とは借地権といった法律上の権利やソフトウェアなど形のない資産をいいます。その他の資産は，1年以内に回収期限が到来しない長期貸付金や長期にわたって保有する預金，公社債などの有価証券，関係団体に対する出資金などが該当します。

ii　負債の内訳

貸借対照表の貸方（右側）に表示されている負債は，資産と同様に「流動負債」と「固定負債」の2つに区分します（図2-7）。そして，通常の事業活動から発生した負債（正常営業循環基準）や決算日の翌日から起算して1年以内に返済期限が到来する借入金（1年基準）を「流動負債」とします。具体的には医薬品・診療材料等の購入対価のうち未払いとなっている債務を表す買掛金，その他の債務の未払金，短期借入金，預り金などによって「流動負債」は構成されます。そして，「流動負債」には賞与引当金など1年以内に支払われる見込みの引当金も含まれます。

これに対し，「固定負債」とは負債のうちで「流動負債」に含まれないものをいいます。具体的には，返済期限が決算日の翌日から1年を超えて到来する借入金や支払期日が決算日の翌日から1年を超えて到来する未払金が該当します。当初，「固定負債」に計上されていた借入金や未払金も，決算日の翌日から起算して1年以内に返済期限や支払期日が到来する部分の金額は「流動負債」に区分を変更します。また，引当金のうち退職給付引当金は「固定負債」に区分され，これについては支払期日が明確ではないため借入金や未払金のように「流動負債」への区分の変更は行いません。

iii　純資産の内訳

貸借対照表の貸方（右側）の負債の次に表示されている純資産は，病院会計準則においては「資産と負債の差額として病院が有する正味財産」です。例えば，企業会計にお

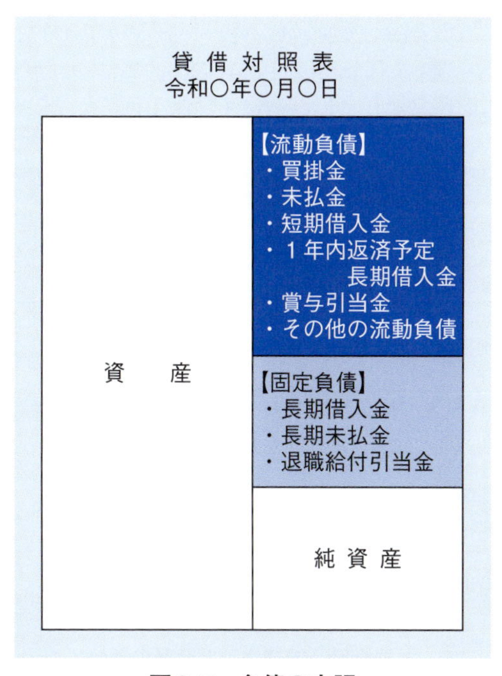

図2-7　負債の内訳

目的が異なる２つの会計について

企業会計の世界では，会計の分野を「財務会計」と「管理会計」に区分することがよく行われます。株式会社などの企業は，株主などの資本提供者に対して利益を出し，配当などによって報いることが必要です。そして，株式や社債といった資本調達の手法が確立されており，資本市場といわれる資本の調達や流通性を確保するシステムもダイナミックに運営されています。また，債権者等の取引上の関係者も非常に多くなります。このため，企業には潜在的な者も含めてさまざまな利害関係者が存在することから，企業が効率的に活動するためには，それら利害関係者を保護するもしくは利害を適切に調整する制度が必要となります。会計は投資家や債権者等の企業外部の者に対して企業の経営成績・財政状態を報告することで，それら利害関係者の保護や利害の適切な調整のため活用され，このような目的のための会計を「財務会計」といいます。

一方，会計は企業の実態を経済的に表すことから，企業内部の経営者・各層の管理者の意思決定や業績管理に役立つ情報を提供しますので，このような目的で活用する会計を「管理会計」といいます。

病院経営指標分析は，会計情報を多用する経営分析の１手法ですから管理会計に属する分野であると考えられています。

「財務会計」は，投資の判断を行う投資家や取引の開始・継続の判断を行う債権者等の外部利害関係者に対する報告のための会計ですから，企業などの法人全体を対象とした過去の経営成績や財政状態といった客観的な実績情報を作成する会計であるといえ，広く一般的に合意されたルール（会計基準）に基づいて作成されることが必要です。このため，提供される会計情報の包括性や客観性，準則性を担保する観点から法律制度の枠内で会計を行うことになり「制度会計」とも呼ばれます。

これに対して，「管理会計」は企業活動に関する意思決定を支援するための会計といわれ，企業内部において会計情報の収集，作成，活用などを検討する領域といえます。経営全般の意思決定に活用されるため，必要に応じて対象や方法が変化し自由に実施されることが特徴です。ただし，「財務会計」との整合性が保たれていない場合，「管理会計」の数値を改善する意思決定や行動が「財務会計」の数値の改善につながらない恐れがあるため，「管理会計」において「財務会計」との整合性を確保することは重要なことといえます。

	財務会計	管理会計
主目的	組織外部の利害調整（外部利害関係者の意思決定）	組織内部の経営管理（内部管理者の意思決定）
報告対象	投資家，債権者，監督官庁等	経営者，管理者等
従うべきルール	社会的に承認された会計基準〔社会一般に制度として定められたルール（制度会計）〕	利用者の必要に応じた組織独自のルール（ただし，財務会計との整合性を考慮）
作成資料等	貸借対照表，損益計算書，キャッシュ・フロー計算書	予算統制，利益計画，原価計算，設備投資の意思決定など，必要に応じた資料
対象期間	通常は１年	日次，月次など必要に応じた期間
特徴	概括性・明瞭性に重点が置かれた要約された情報	必要に応じた部分的・詳細化された情報
利用される情報	過去の主に財務的な情報	過去の財務的な情報のほか，将来の予測情報や数量情報（非財務情報）

財務会計・管理会計と会計の目的

表2-1 それぞれの会計基準による純資産の部

企業会計	独立行政法人会計基準	医療法人会計基準	社会福祉法人会計基準	公益法人会計基準*1
○株主資本 ・資本金 ・資本剰余金 ・利益剰余金 ・自己株式 ○評価・換算差額等 ○新株引受権 ○新株予約権	○資本金 ○資本剰余金 ○利益剰余金 ○評価・換算差額等	○基金 ○積立金 ○評価・換算差額	○基本金 ○国庫補助金等特別積立金 ○その他の積立金 ○次期繰越活動増減差額	○指定正味財産 ○一般正味財産

＊1：公益法人会計基準では「純資産の部」ではなく「正味財産の部」

ける純資産は，企業の所有者である株主に帰属する部分である「株主資本」とそれ以外の，「評価・換算差額等」，「新株予約権」の3つに区分され，株主資本はさらに資本取引から生じた「資本金」，「資本剰余金」および「自己株式」と損益取引から生じた「利益剰余金」に区分されています。これらの区分は，企業の所有者である株主が財務諸表を利用する際の必要性から区分されていますが，「医療法人会計基準」や「独立行政法人会計基準」などにおいても，企業とはまた違った目的で純資産が区分されています。

「純資産」は各法人の特質が如実に表れる部分であることから会計基準によってその内容は多岐にわたります（表2-1）。したがって，国から個人までさまざまな開設主体による病院に対して一律に定めることは難しいことから「病院会計準則」においては資産と負債の差額として「純資産」を位置づけ，それ以上の定めは置いていません。ここが一般の法人全体を対象とした会計基準と施設を対象とした施設基準である「病院会計準則」の大きな違いになっています。

ただ1つだけ，純資産は「他人資本」に対して「自己資本」とも呼ばれ，いずれにしても資本主による拠出額と過去の事業活動において獲得した利益等の合計額なので，経営を行っていくうえで大切な「元手」であり，最後の「砦」であるということを理解してください。貸借対照表の貸方（右側）に表示されている項目のうち「負債（他人資本）」は他人から借りたものなのでいつか返さなければなりませんが，「純資産」は自分で持っているものなので事業を続ける限り原則として返す必要のない「元手」といえます。

②経営分析から見た貸借対照表のポイント

経営分析では，財務情報を加工して経営の状態を把握しますが，その際に財務情報の基である財務諸表上で使われている名称とは異なった名称を使うことがあります。特に，貸借対照表に関しては，図2-8に示すように，情報の読み替えを行います。この読み替えにより経営分析の目的である事業の収益性や安全性などを評価しやすくしていますので，ここでは経営分析特有の見方を学ぶことにします。

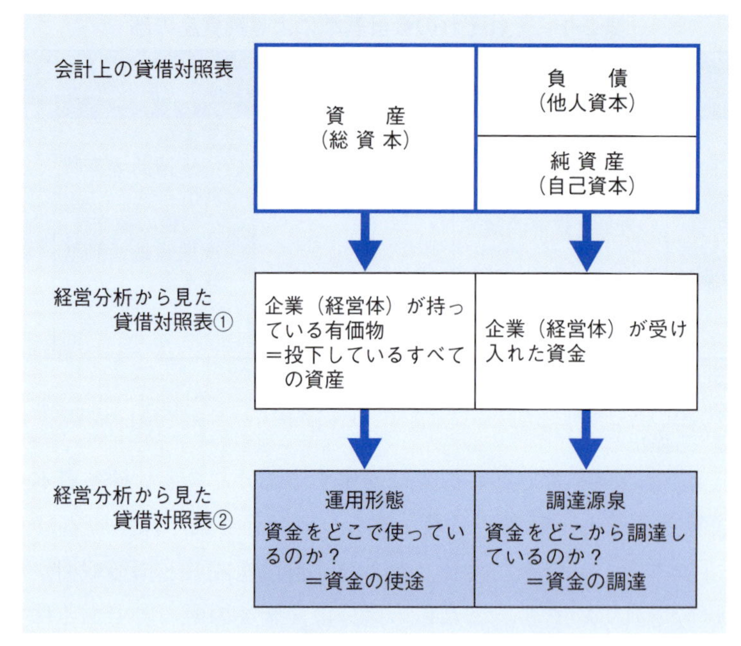

図2-8　経営分析から見た貸借対照表

読み替えの視点は，「資本」と「資金」の2つです。

i　貸借対照表の「資産」の部を見てみる

企業会計の貸借対照表における「純資産」には，株主が出資した部分として「資本」金が計上されています。その「資本」とは別に，経営分析的に「資本」を考えた場合，経営体がその事業に使用し投下している貨幣価値で表示されるすべてのものと見ることになります。そのような見方で貸借対照表を見直してみます。

貸借対照表の左側には「資産」が表示されていますが，ある一定時点で所有している資産はその時点で経営体が持っている有価物＝事業活動に投下しているすべての資産（＝資本）というように見ることもできます。そのような観点から「資産」の部を見ると資産の部＝総資産は，「総資本」ということになります（図2-9）。

そして，資産の部に記載されているさまざまな資産を見た場合，建物や医療用器械備品は資金を投入して得た資産であり，医業未収金は何カ月後には資金化する資産であることがわかります。視点を変えると「資産の部」は，決算日現在で資金をどこに使っているか，「運用」しているかを表しており，「資金の使途」を明示していることになります。

ii　貸借対照表の「負債」，「純資産」の部を見てみる

以上のことが理解できると反対側にある「負債」，「純資産」の部の理解は簡単です。

①総資本	総資本とは，貸借対照表の資産の部の合計額を指します。経営活動に投下しているすべての資本という意味で（他人資本＋自己資本＝総資本）となります。貸借対照表の資産総額＝総資産＝総資本という関係ももちろん成り立ちます。
②他人資本	資金の調達源泉という側面から経営活動を見た場合に，出資者以外の者から受け入れた資金を他人資本と呼びます。したがって，他人資本は，貸借対照表の負債の部の合計額となります。借入金や買掛金など返済しなければならないということは貸借対照表日には資金として借りているということになり総資本の構成要素となります。
③自己資本	出資者が提供した資本を自己資本といいます。貸借対照表の純資産の部の合計額がこれに当たります。自己資本の構成要素は，出資者が自ら拠出した出資と過去において獲得した利益等の合計額となります。総資本の中で自己資本がどれほどの割合となっているかは経営の安全度や資金の安定性を測る重要な物差しの１つとなります。

図2-9　経営分析で使われる資本の概念

経営体が事業活動を行うためにはどこからか事業活動の元手を持ってくることが必要です。銀行から資金を借り入れたり，薬品の仕入業者から「掛け」で薬を購入したりすることは他人から資本（資金）を借りてくるということで，他人から元手を調達したことになります。このため，負債を「他人資本」といいます。そして，出資者が出資をした場合は，企業会計上の表現と同じで「資本」を拠出したことになります。この拠出は法人の設立者自らが資本（資金）を出資したということで「自己資本」と呼びます。会計上，負債として表示されている部分と純資産として表示されている部分の合計額は，資金の提供者は異なりますが事業に投下されていることに変わりはなく，投下された資本の全体，すなわち「総資本」となります。銀行も仕入業者も出資者も，経営体そのものから見ると外側にいる関係者なので，負債・純資産全体を経営体が事業をするために受け入れた資金と見ることもできるのです。したがって，「負債・純資産」の部は，全体として資金がどこから来ているのか，「源泉」はどこなのかを表示していることになります。貸借対照表の右側（貸方）である「負債・純資産」の部が，「資金の調達」を明示しているわけです。

貸借対照表は，見方を変えると「どこから資金が入ってきて，どのように使用されているか」を教えてくれるもので経営における財務上の問題点を見抜いたり，理解したりするうえで大変役立ちます。

③現実の貸借対照表を見てみる

理解の度合いを深めるために，2つの病院の貸借対照表を経営分析の目線で見てみましょう（図2-10）。

A病院とB病院，どちらが財務的に問題のない貸借対照表となっているでしょうか。

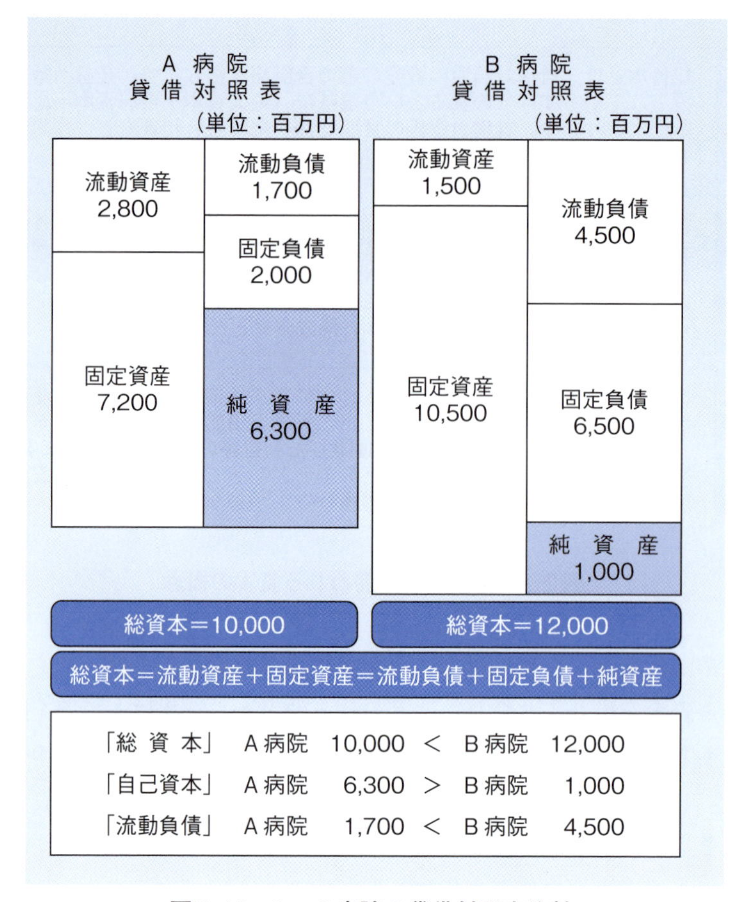

図2-10　2つの病院の貸借対照表比較

今まで説明してきたことから3つの数値を比較してみます。

B病院は120億円の「総資本」でA病院より大きな投資をしています。しかし，その元手は「自己資本」が10億円で全体の8.3％（自己資本10億円÷総資本120億円）にしかなっていません。投下している資金のほとんど，110億円を「他人資本」で調達しています。それに対して，A病院は100億円の投下資本のうち63億円，全体の63％を「自己資本」＝返す必要のない資本で賄っています。どちらの病院の方が財務的に安定しているといえるでしょうか。

さらに，B病院は「自己資本」と通常は設備資金の借り入れが表示される「固定負債」の合計額75億円よりもはるかに大きな105億円の固定資産を保有しており，短期間の支払資金の財源である「流動資産」に比べて短期間に支払う必要のある「流動負債」が3倍にもなっている状況において問題なく「流動負債」の支払ができるのでしょうか。病院が財務的な危機に直面する主な原因の１つに「過剰投資」がありますが，まさにB病院は「過剰投資」の状態になっているといえるでしょう。

病院経営分析の基本である貸借対照表の項目の内容を学んだだけで，A病院とB病院の財政状態の大きな違いは理解できたと思います。病院経営の基本的な方向は，公的病院でも独立的に財務スタンスをとることだといわれています。民間病院のみならず公的な病院もこれからは貸借対照表を意識することが必要となります。

3 損益計算書の構造と理解のポイント

①損益計算書の構造

損益計算書（Profit and Loss Statement；P/L）は，一定期間の経営成績を表示する財務表です。損益計算書には1年間という会計期間の間に獲得した収益とかかった費用を記載することになりますが，単純にすべての収益とすべての費用を対比しただけでは経営成績の最終結果だけがわかるのみでそのプロセスが見えません。このため，損益計算書では，各段階で利益を計算することとされています。

ところで，図1-6に一般企業の損益計算書の様式をあげましたが，同じ段階計算でも病院の損益計算書は一般企業の損益計算書と少し趣を異にしています。

病院の経営成績をどのように表示することが適切かということに関して「病院会計準則」の損益計算書原則注解には次のような記載があり，一般企業の損益計算書が，売上高から売上原価を控除して売上総利益を表示し，さらに，この売上総利益から販売費および一般管理費を控除して営業利益を表示しているのとは異なっています。少し長いのですが大切なことなので抜粋します。

【損益計算書原則注解】

（注20）医業損益計算について

医業において，診療，看護サービス等の提供と医薬品，診療材料等の提供は，ともに病院の医業サービスを提供するものとして一体的に認識する。このため，材料費，給与費，設備関係費，経費等は医業収益に直接的に対応する医業費用として，これを医業収益から控除し，さらに本部会計を設置している場合には，本部費配賦額を控除して医業利益を表示する。

図2-11で病院の損益計算書と企業の損益計算書を比べてみました。確かに様式が少し違うことが理解できます。同じ段階計算なのですが違っています。「病院経営管理指標」などの外部の統計的な病院経営分析に使用されている損益計算書は，企業会計の様式と異なる様式なので注意が必要です。

病院の損益計算書は大きく分けて，「医業損益計算」，「経常損益計算」，「純損益計算」の3つに分けられます（図2-12）。医業損益計算の区分では，医業活動から生ずる収益と費用を記載してその差引金額である医業損益を計算します。差引がプラスであれば「医業利益」，マイナスであれば「医業損失」となります。この区分では，本来的な医業活動の収益と費用を対応させますので，病院としての本来的な業務から生じた利益また

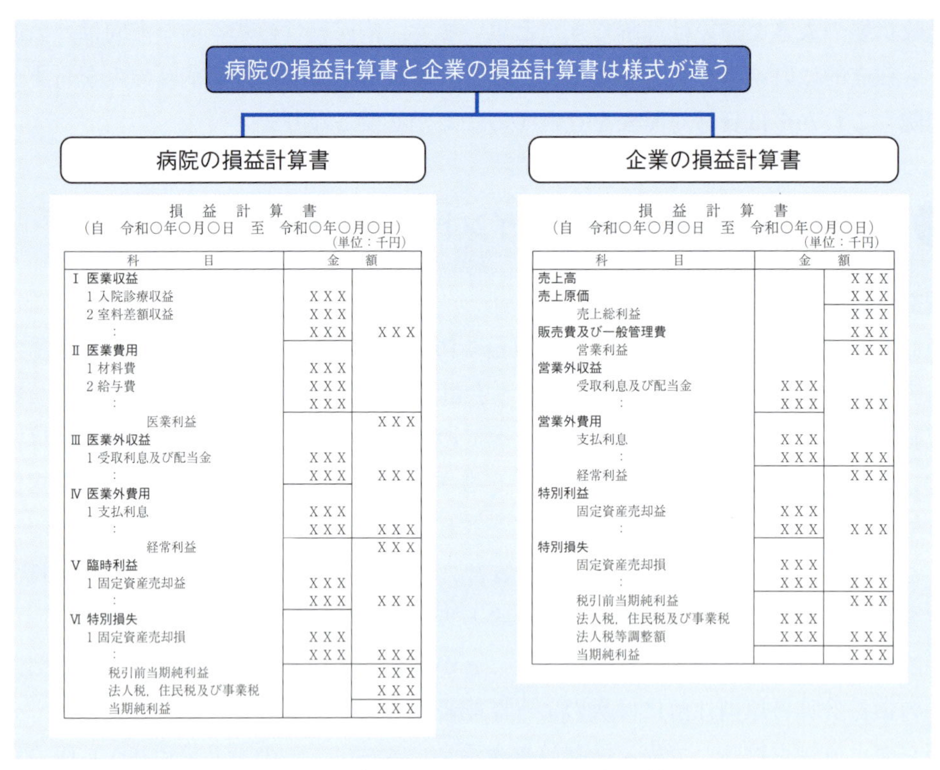

損　益　計　算　書
（自　令和○年○月○日　至　令和○年○月○日）
（単位：千円）

科　　　目	金　額	
I 医業収益		
1 入院診療収益	X X X	
2 室料差額収益	X X X	
：	X X X	X X X
II 医業費用		
1 材料費	X X X	
2 給与費	X X X	
：	X X X	
医業利益		X X X
III 医業外収益		
1 受取利息及び配当金	X X X	
：	X X X	X X X
IV 医業外費用		
1 支払利息	X X X	
：	X X X	X X X
経常利益		X X X
V 臨時利益		
1 固定資産売却益	X X X	
：	X X X	X X X
VI 特別損失		
1 固定資産売却損	X X X	
：	X X X	X X X
税引前当期純利益		X X X
法人税，住民税及び事業税		X X X
当期純利益		X X X

損　益　計　算　書
（自　令和○年○月○日　至　令和○年○月○日）
（単位：千円）

科　　　目	金　額	
売上高		X X X
売上原価		X X X
売上総利益		X X X
販売費及び一般管理費		X X X
営業利益		X X X
営業外収益		
受取利息及び配当金	X X X	
：	X X X	X X X
営業外費用		
支払利息	X X X	
：	X X X	X X X
経常利益		X X X
特別利益		
固定資産売却益	X X X	
：	X X X	X X X
特別損失		
固定資産売却損	X X X	
：	X X X	X X X
税引前当期純利益		X X X
法人税，住民税及び事業税	X X X	
法人税等調整額	X X X	X X X
当期純利益		X X X

図2-11　病院と企業の損益計算書の対比

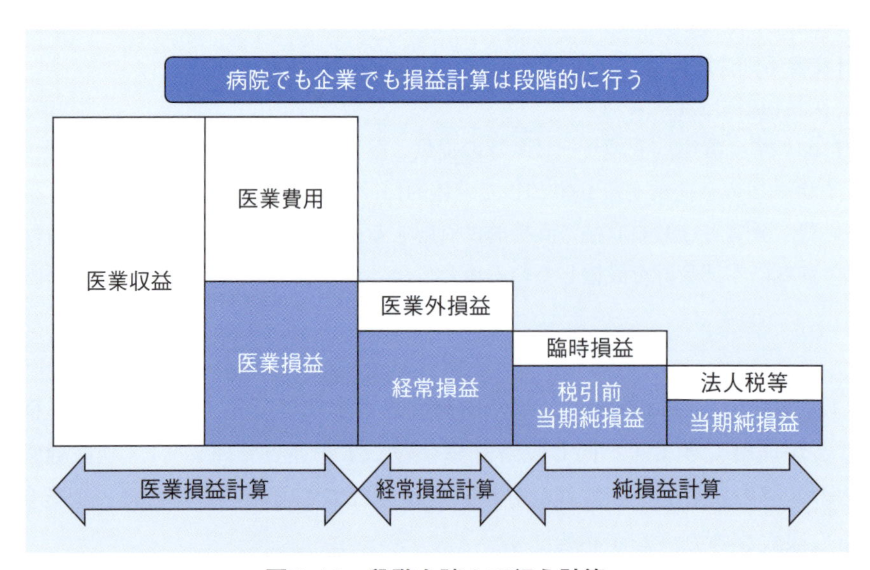

図2-12　段階を踏んで行う計算

は損失を表示してくれます。

次に，経常損益計算の区分では，医業損益計算の結果である医業利益または医業損失に医業外収益（受取利息および配当金，患者外給食収益等）と医業外費用（支払利息，患者外給食用材料費，診療費減免額等）を加味して経常損益（経常利益または経常損失）を計算します。ここで計算された経常損益は財務活動（受取利息および配当金や支払利息など）も含めた会計期間の経常的な経営成績を表示しますので，一般的な損益計算書の損益（利益または損失）といえます。

最後に，純損益計算の区分では，経常損益計算の結果である経常利益または経常損失に臨時的な臨時収益と臨時費用を加味して税引前当期純損益を計算し，これに当期の負担に属する法人税額等を控除して当期純損益を算出します。臨時収益や臨時費用には，名前の通り臨時的な損益やその会計期間のみが享受または負担すべきでない損益が計上され，具体的には，土地などの固定資産の売却に伴う損益や災害による損失のようなものが該当します。

②もう少しくわしく見ると

本来的な医業活動の収益と費用である「医業収益」と「医業費用」の中身をもう少しくわしく見ることにしましょう。

図2-13に「病院会計準則」で定められている「医業収益」の内訳科目をあげました。

医療法では，「病院」とは「医師又は歯科医師が，公衆又は特定多数人のため医業又は歯科医業を行う場所であって，20人以上の患者を入院させるための施設を有するもの」と定められています。したがって，病院は必ず入院（病棟）部門を持っているはずです。診療所，特に患者を入院させるための施設を全く持っていない無床診療所の場合には，入院（病棟）部門はないことになりますが，病院は入院（病棟）部門で入院診療を行い，かつ，外来部門で外来診療を行っているため医療活動本来の収益（売上高）は入院部門と外来部門の両方で計上されることになります。このため，医業収益の中で

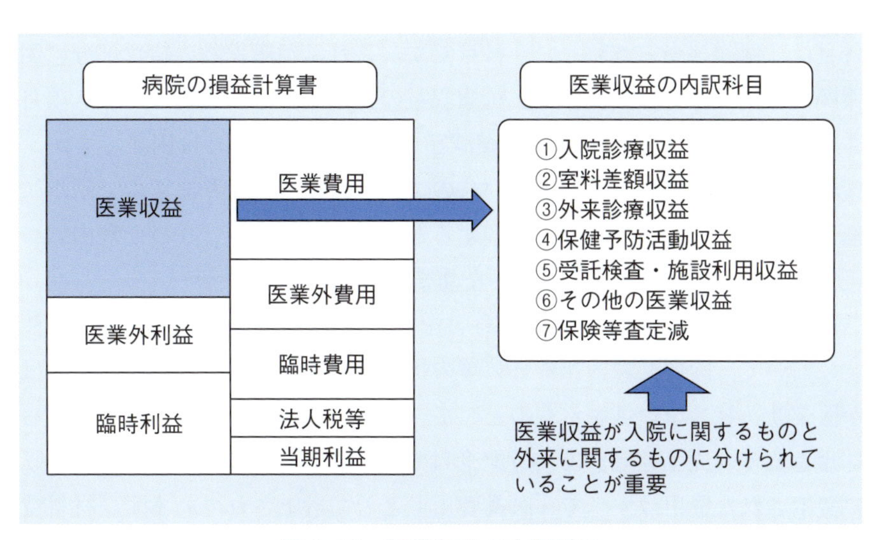

図2-13　医業収益の内訳科目

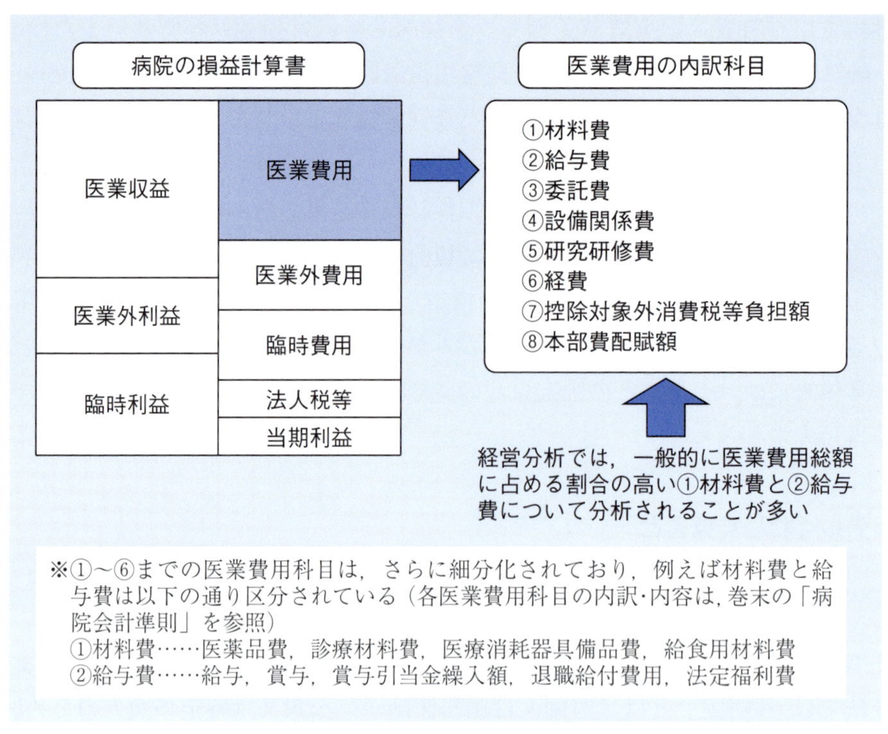

図2-14 医業費用の内訳科目

は，基本的に入院と外来いずれの部門で発生した収益かを明らかにするようになっています。室料差額収益は，入院部門にある特別室の差額徴収額，保健予防活動収益は健康診断，人間ドック，予防接種などの収益です。一般の企業では使われない勘定科目なので最初はわかりづらいですが，病院が提供している医療サービスを目に浮かべながら理解すると比較的早く覚えられます。ただし，それでも理解しづらい勘定科目が医業収益の最後にあるのでこの科目だけは簡単に説明します。

その科目は「保険等査定減」という科目です。これは健康保険の給付部分に関する審査支払機関などによる審査減額分で，医業収益の控除項目（収益のマイナス項目）として計上されるものです。実務的には審査減額を「0」にすることは困難ですが，審査減額は直接収益をマイナスし，そのまま利益のマイナスにつながりますので請求に対する審査減額の割合については継続的に把握するとともに，審査減となった理由についての分析は経営的に重要な管理対象の1つとなります。

次に，図2-14に「医業費用」の内訳科目を表示しました。「病院会計準則」注解の通り，医業において，診療，看護サービス等の提供と医薬品，診療材料等の提供は，ともに病院が医業サービスを提供するものとして一体的に認識するという考え方から一般の企業で採用される「売上原価」という概念はなく，材料費を1番目として医業収益を得るために費消された費用はすべて「医業費用」として計上されています。材料費，給与費，委託費，設備関係費，研究研修費，経費の6項目が管理対象・分析対象になりますが，研究研修費は金額的に小さいのが通常なので経営分析の対象にはあまり出てこないところが多いようです。⑦の控除対象外消費税等負担額は，消費税率が高まる中で病院経営に重要な影響を与える項目でありますが，これにつきましてはコラム「病院経営と消費税問題」を参照してください（75頁）。最後の⑧本部費配賦額は，複数の施設を運営している開設主体が本部会計を設けている場合において，医業費用として計上される本部の費用のうち，一定の配賦基準に基づいて計算された病院の負担分です。

③損益計算書の「減価償却費」

損益計算書とキャッシュ・フロー計算書は，ともに病院の一定期間の業務活動により発生するお金の動きを把握・集計する財務表ですが，キャッシュ・フロー計算書は実際にお金が動いたタイミングで把握・集計するのに対して，損益計算書はお金が動く原因・目的などが発生したタイミングで把握・集計するという点が大きく異なっています。例えば損益計算書に計上される診療収益は診療を行ったタイミング（月）に一括して把握・集計するのに対して，キャッシュ・フロー計算書では，患者の窓口負担部分を診療したときに受け取っていればそれは同じタイミングで把握・集計しますが，保険請求部分については審査機関から入金されるタイミングとなり，通常は診療月の翌々月に把握・集計します。また，医薬品に関しても損益計算書では医薬品を使用したタイミングで「医薬品費」として把握・集計するのに対してキャッシュ・フロー計算書では医薬品の購入先に支払ったタイミングに把握・集計します。そして，このタイミングが最も大きく異なる活動（取引）が建物や医療用器械備品などの購入です。

キャッシュ・フロー計算書において建物や医療用器械備品の購入も，購入代金を支払ったタイミングで把握・集計するのは医薬品の購入などと変わりません。しかし，医薬品と異なり使ってなくなるものではなく一定期間使用し続けるという特徴があることから，損益計算書における把握・集計の方法は異なり独特な処理になっています。具体的には，支払った金額を建物や医療用器械備品の使用（予定）期間に配分して把握・集計します。そして，この費用を計上する科目を「減価償却費」といいます。「減価償却費」は損益計算書における特徴的で独特な処理になりますので，ここで少し説明します。

減価償却は，会計学的な定義を書くと「固定資産に関わる費用の測定を目的としてその原価を使用年度に配分すること」となります。固定資産とは，長期間（1年超）にわたって利用される資産で，病院の場合では病院の建物，建物の附属設備，医療用器械備品，放射性同位元素などを指します。これらの資産はみな1年以上の長期間にわたって利用される資産であり，いつかは使用や時の経過により使えなくなって価値の消滅する資産です。一定期間の経営成績を表示するために作成する損益計算書にとって大切なことは，その期間が負担すべき費用と将来において負担すべき費用を区分して，その期間が負担すべき費用を収益と対応させて，適切な損益計算を行うことです。

貸借対照表（財産目録）で利益計算？

一般的に貸借対照表は「一定時点の財政状態を明らかにする財務表」として説明されますが，実は貸借対照表は「一定時点の財政状態を明らかにする」ことだけではなく，一定期間の利益を計算することもできるのです。利益の計算というと損益計算書をイメージされると思いますが，複式簿記が完成する以前は，財産の実地棚卸に基づいて作成した財産目録（今日の財産目録と利益処分計算書が一緒になった，いわば利益処分結合財産目録といえる財務表）で利益を計算していたといわれています。

複式簿記は13世紀初頭のイタリアで誕生し14世紀前半に完成したといわれていますが，それ以前に，すでに複数人による組合を結成して事業を行っており組合員相互間での利益分配の必要性に迫られていました。そして，その利益分配のため，資産負債の実地棚卸による有高に基づく財産目録を2時点間で比較することでストック（資産・負債）の側面からの損益計算を行っていました。つまり一定期間の損益は，新たな出資や配当などの出資者との取引，いわゆる資本取引がない場合，一定期間終了時点の資産と負債の差額である「正味財産」から一定期間開始時点の「正味財産」を差し引いて計算することができるのです。

しかし，財産の実地棚卸に基づいて作成した財産目録だけに依存した損益計算では，その検証可能性に乏しく，求められた損益の信頼性，信ぴょう性が問われました。そこで，ストック（資産・負債）の側面からの損益計算の証明手段として資産や負債を増減させる，つまり「正味財産」を増減させる原因（「入院診療」，「外来診療」，「材料の使用」，「給与の発生」など）を継続的に記録するようになりました。これにより単に結果としての「正味財産」の増減額だけではなく増減した理由も把握できるようになり，そして，その記録の集計として損益計算書が誕生するのです。このことから，損益計算書は「財産目録の正味財産の増減の原因」を記録した財務表，つまりは「貸借対照表の純資産の増減の原因」を記録した財務表と捉えることができ，このような捉え方は「病院会計準則」における「収益」と「費用」のそれぞれの定義にも反映されています。

そして，貸借対照表の「ストック」による損益計算に対して，損益計算書の損益計算は「フロー」による損益計算といわれます。

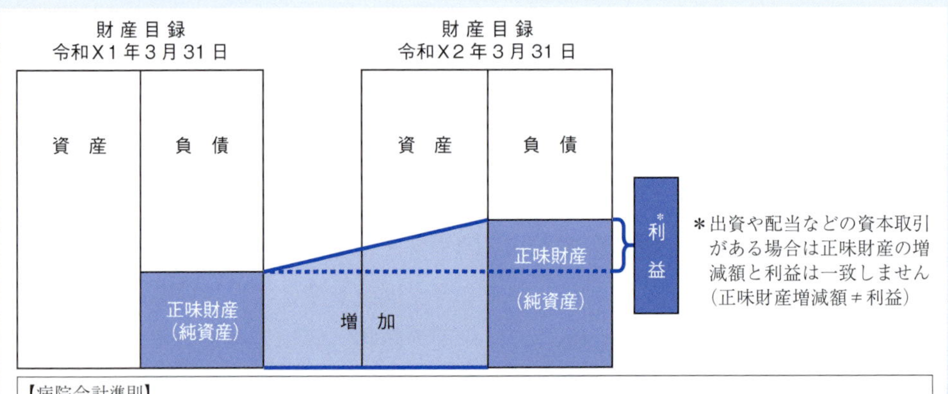

【病院会計準則】
○収益の定義：収益とは，施設としての病院における医業サービスの提供，医業サービスの提供に伴う財貨の引き渡し等の病院の業務に関連して資産の増加または負債の減少をもたらす経済的便益の増加である。
○費用の定義：費用とは，施設としての病院における医業サービスの提供，医業サービスの提供に伴う財貨の引き渡し等の病院の業務に関連して資産の減少または負債の増加をもたらす経済的便益の減少である。

財産目録による損益計算

例えば，1億円の医療用器械備品を購入し，耐用年数（使用予定期間）を5年と見積もり，毎年同額を配分する方法で減価償却費を計算した場合，それぞれの年の損益計算書に計上される減価償却費は2,000万円（1億円÷5年）となります。そして耐用年数はあくまでも事前に見積もった年数なので，5年経過後もまだ使用できる状態であればその後も継続して使用することになりますが，その場合，5年目までに購入金額である1億円がすべて損益計算書に計上されているので，6年目以降の損益計算書には減価償却費は計上されません。

この減価償却という手続きは会計における独特な処理であり，損益計算書の利益とお金の関係を理解するうえで重要な要素になりますので，この考え方に慣れることは経営分析や経営管理の面で非常に重要なこととなります。

④悩める損益計算書

病院という医療施設の開設主体は，国・自治体・その他の公的団体・社会保険関係団体・公益法人・医療法人・社会福祉法人・学校法人・個人など多岐にわたっています。そのため，一般企業の経営分析のような株式会社相互の財務諸表の比較とは異なる要素が生じます。

具体的には，損益計算書によって計算された当期純利益に対して法人税や所得税が課せられる開設主体もありますし，国や自治体などのように当期純利益が計上されても利益（所得）に対する税金が課せられない開設主体や社会医療法人など利益の一部についてのみ課税される開設主体もあります。また，所有している土地や建物，医療用器械備品の固定資産税を払っている開設主体もあれば，払う義務のない開設主体もあります。さらに，「病院会計準則」では国や地方自治体，系統機関などからの補助金・負担金については「運営費補助金収益」や「施設整備補助金収益」という科目を設け「医業外収益」に計上するように規定していますが，このような補助金や負担金を経常的に受けている開設主体と受けていない開設主体があります。そして，開設主体や国等が所有する土地や建物などの資産を無償で使用するという形で，財務諸表には表れない実質的な補助を受けている開設主体もあります。

医業活動によって生じた利益に対する課税の違い，所有している土地・建物などの固定資産に対する課税の違い，不採算の政策医療等に対する費用支弁としての補助金・交付金の有無，施設整備に係る補助金・負担金の有無，資産の無償使用などはすべて経営成績（P/L）や財政状態（B/S）に直接影響を与えます（図2-15）。

病院の経営分析を行う場合，さまざまな開設主体が運営しているという病院事業の特殊性を理解することが適切な分析・評価につながります。そして異なる開設主体間の経営指標を比較する時には，それぞれの病院開設主体の基本的な目的やそれに基づく制度，置かれている環境などの違いを念頭に置きながら結果を解釈し，活用することが大切です。

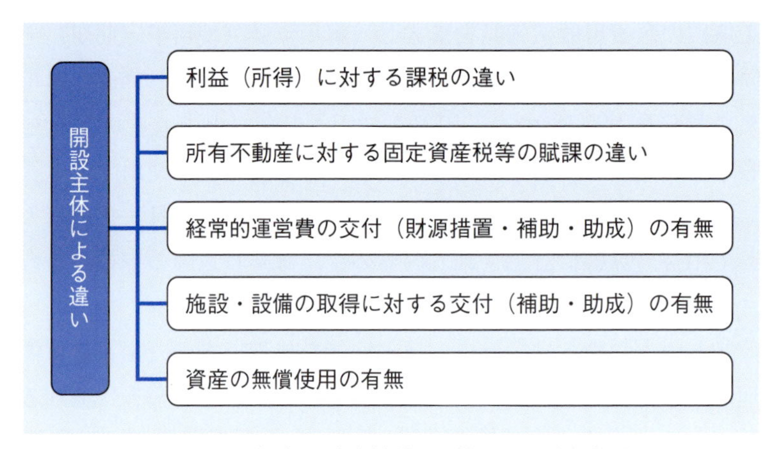

図2-15　病院の財務数値に影響を及ぼす事項

4　キャッシュ・フロー計算書の構造と理解のポイント

①キャッシュ・フロー計算書の構造

キャッシュ・フロー計算書（Cash Flow Statement；C/F）とは，「資金の動き」を明らかにするために，一定期間のすべての資金の収入と支出の内容を記載して，その増減の状況を明らかにするための財務表です。

キャッシュ・フロー計算書が対象としているのは「資金」ですが，一定期間の動きを対象とする財務表という点においては損益計算書と同じです。したがって，どのような活動で資金が増減したかを把握しやすくするため，損益計算書と同様に資金が動いた原因となる活動種類ごとに区分して表示します。具体的には，「業務活動によるキャッシュ・フロー」，「投資活動によるキャッシュ・フロー」，「財務活動によるキャッシュ・フロー」の3つに区分します（図2-16）。

しかし，キャッシュ・フロー計算書の区分別の計算は，それぞれの活動ごとのキャッシュ・フローの増減額に意味があることから，段階的に利益を計算する損益計算書の計算方法とは異なり，3つの区分ごとの「資金」の増減額をそれぞれ計算したうえで，それらを合算して一定期間のすべての資金の増減額である「現金等の増加額（または減少額）」を表示します。そして最後に「現金等の期首残高」を加算して，「現金等の期末残高」を表示する構造となっています。

次に，キャッシュ・フロー計算書の3つの区分方法について説明します（図2-17）。

まず，「業務活動によるキャッシュ・フロー」には，損益計算書における医業損益計算の対象となった取引のほか，投資活動および財務活動以外の取引によるキャッシュ・フローを計上することとなっており，投資活動の成果や財務活動の結果生じる取引である「利息および配当金の受取額」や「利息の支払額」も「業務活動によるキャッシュ・フロー」に計上することとなっています（病院会計準則　第44）。したがって，「業務

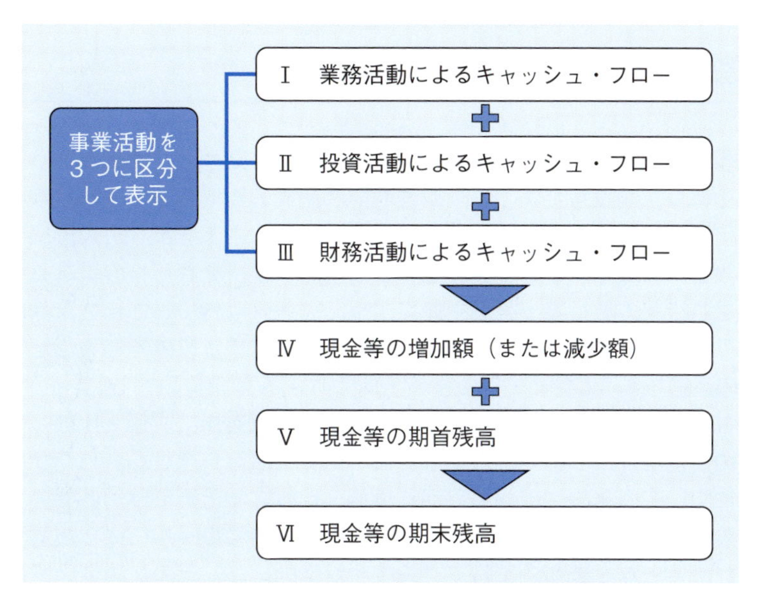

図2-16 キャッシュ・フロー計算書の構造

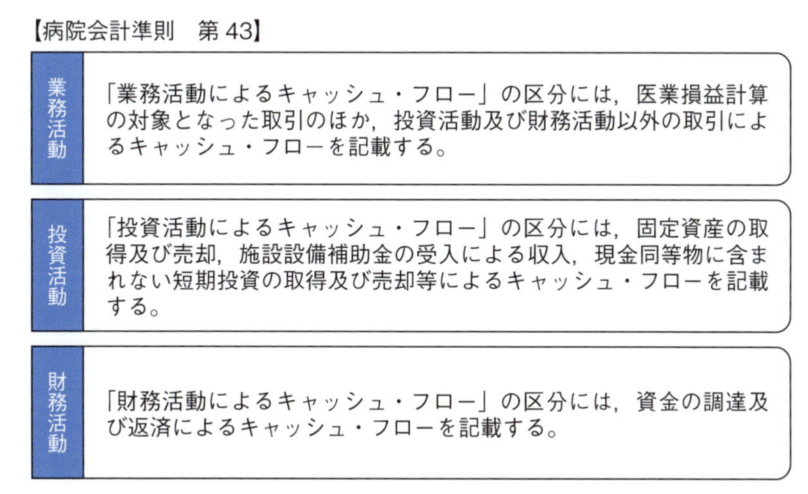

【病院会計準則 第43】

業務活動	「業務活動によるキャッシュ・フロー」の区分には，医業損益計算の対象となった取引のほか，投資活動及び財務活動以外の取引によるキャッシュ・フローを記載する。
投資活動	「投資活動によるキャッシュ・フロー」の区分には，固定資産の取得及び売却，施設設備補助金の受入による収入，現金同等物に含まれない短期投資の取得及び売却等によるキャッシュ・フローを記載する。
財務活動	「財務活動によるキャッシュ・フロー」の区分には，資金の調達及び返済によるキャッシュ・フローを記載する。

図2-17 キャッシュ・フロー計算書の区分

活動によるキャッシュ・フロー」は損益計算書の一般的な収益および費用を資金の収入時点および支出時点に計上時期を変更したものと概ねイメージすることができます。

次の「投資活動によるキャッシュ・フロー」には，固定資産の取得・売却，施設設備補助金の受け入れ，有価証券等の取得・売却，資金の貸付・回収などが計上され，最後の「財務活動によるキャッシュ・フロー」には，資金の借入・返済や出資金の受け入れなどが計上されます。

この2つ目の区分の「投資活動によるキャッシュ・フロー」と3つ目の区分の「財務活動によるキャッシュ・フロー」により，損益計算書では直接把握できなかった投資の

施設会計の基準としての病院会計準則

厚生労働省医政局長通知である「病院会計準則」は，文字通り病院という施設のための会計基準であり，開設者全体の会計処理や財務諸表の作成基準ではありません。病院は国，地方自治体，医療法人，社会福祉法人をはじめ，さまざまな法人形態または個人によって開設されており，それら開設主体の財務諸表は，それぞれの異なる会計基準に従って作成されます。そして，開設主体によっては病院以外にもさまざまな施設の運営を行っており，場合によっては開設主体の主目的は病院運営以外であることもあり，それらの施設の運営もすべて含めて開設主体全体の財務諸表が作成されます。

このような状況の中でそれぞれの開設主体の財務諸表を単に評価・比較しても，それは「病院」の運営状況についての適切な評価・比較にはなりません。したがって，病院の運営状況について財務的視点から適切に評価・比較するためには，各開設主体が運営している施設のうち病院のみを取り出すことと，統一的なルールに従った財務諸表を作成することが必要となります。そして「病院会計準則」が，そのために用意された基準であり，開設主体の異なる各種の病院の財政状態および運営状況を体系的・統一的に捉えるための「施設会計」の準則といえ，すべての病院は，開設主体が従うべき会計基準と「病院会計準則」のそれぞれに従った財務諸表を作成する必要があるということを理解しましょう。

「病院会計準則」は平成16年8月，20年ぶりに全面改正されました。全面的な改正の理由でもある会計に関する環境の大きな変化や病院をめぐる経営環境の変化により，新・旧病院会計準則には財務諸表作成に関する会計処理の考え方や貸借対照表，損益計算書の区分や科目表示の相違が多く存在します。本書では新「病院会計準則」を前提としており，また参考とする公表データは主に平成16年度以降の「病院経営管理指標」のデータです。平成15年度以前の公表データである「病院経営指標（医療法人病院の決算分析）」や「病院経営収支調査年報」のデータを利用される際には，旧「病院会計準則」に基づいたデータとなっているため注意が必要です。

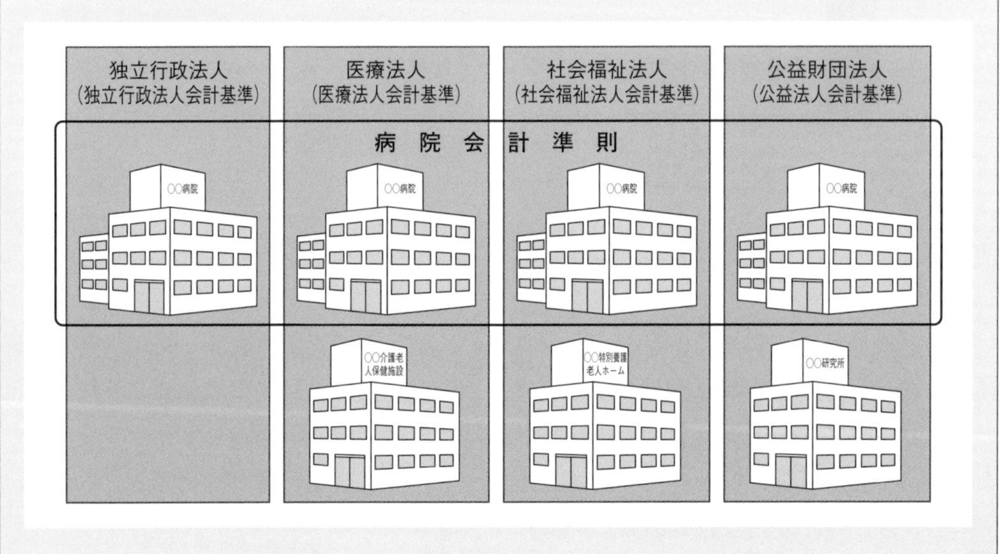

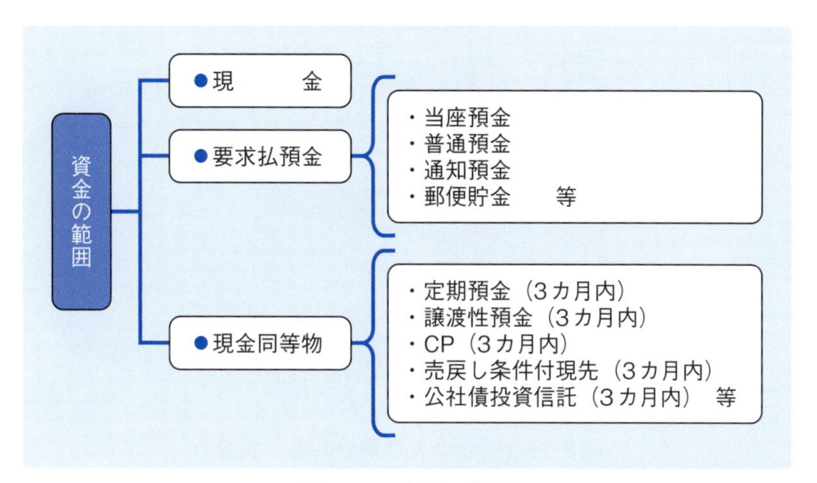

図2-18　資金の範囲

ための支出額や新規の借入額および返済額が明らかになります。

そして，キャッシュ・フロー計算書を3つに区分して表示することで，損益計算書と貸借対照表では直接把握できなかった情報，つまり，通常の業務活動でどれだけの資金を獲得しているかがわかると同時に，それが設備投資額や借入金の返済額に対して十分であるかどうか，つまり，通常の業務の資金獲得能力の良否を設備投資の規模や借入金の返済額と対比して評価することができるのです。もしかしたら，投資活動のための支出額（設備投資額）に対して業務活動により獲得する資金が十分でなく，財務活動（借入）によって資金を確保しているかもしれませんが，その場合でも，その状況がキャッシュ・フロー計算書において明確に表されるのです。

最後に，キャッシュ・フロー計算書が対象とする「資金」と貸借対照表に計上される「現金及び預金」の関係について説明します。

病院会計準則では，キャッシュ・フロー計算書の対象となる資金の範囲を，「現金及び要求払預金並びに現金同等物」としています（図2-18）。要求払預金とは，例えば当座預金，普通預金，通知預金およびこれらの預金に相当する郵便貯金が含まれ，現金同等物とは容易に換金可能であり，かつ，価値の変動についてわずかなリスクしか負わない短期投資であり，例えば取得日から満期日または償還日までの期間が3カ月以内の定期預金，譲渡性預金，コマーシャル・ペーパー（CP），売戻し条件付現先，公社債投資信託が含まれます。

したがって，1年基準（ワン・イヤー・ルール）に基づいて貸借対照表の流動資産に計上される「現金及び預金」の範囲とキャッシュ・フロー計算書の「資金」の範囲は図2-19の通り厳密には一致しません。しかし，定期預金や公社債投資信託などでの運用を行っていない病院では両者が一致し，キャッシュ・フロー計算書の「資金」の増減と貸借対照表の「現金及び預金」の増減も一致します。

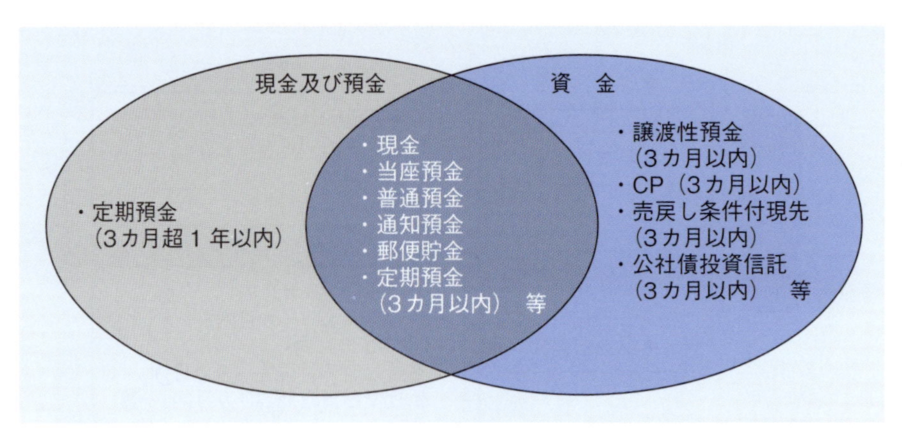

図2-19　「現金及び預金」と「資金」

②現実のキャッシュ・フロー計算書を見てみる

ここで，「病院会計準則」に基づくキャッシュ・フロー計算書のひな形を見てみましょう。キャッシュ・フロー計算書の「業務活動によるキャッシュ・フロー」の表示形式には，「直接法」と「間接法」がありますので2つ並記します（図2-20）。

「直接法」と「間接法」の違いは，「業務活動によるキャッシュ・フロー」の表示形式のみであり，「投資活動によるキャッシュ・フロー」や「財務活動によるキャッシュ・フロー」などの表示形式は「直接法」も「間接法」も全く一緒ですので，ここでは「業務活動によるキャッシュ・フロー」の表示形式について説明します。

i　「直接法」による「業務活動によるキャッシュ・フロー」

「直接法」の「業務活動によるキャッシュ・フロー」には，ある一定期間に受け取った診療の対価の額が「医業収入」として計上され，同じく一定期間に支払った医療材料等の購入対価，給与等の人件費，委託料やその他経費などが「医療材料等の仕入支出」や「給与費支出」，「委託費支出」などとして計上されます（図2-21）。損益計算書が診療時点や材料の使用時点などで「医業収益」や「材料費」などを計上するのに対して，「直接法」のキャッシュ・フロー計算書ではそれらの活動に関連した資金が実際に入金または出金した時点で「医業収入」や「医療材料等の仕入支出」を計上します。つまり損益計算書の各項目について，計上時期を資金の入出金時点に変更して表示しているのが「直接法」によるキャッシュ・フロー計算書です。また，「利息および配当金の受取額」や「利息の支払額」も「業務活動によるキャッシュ・フロー」に計上されると述べましたが，「業務活動によるキャッシュ・フロー」の区分には「小計」が設けられており，利息等の受け払いは「小計」より下に計上します。したがって，「業務活動によるキャッシュ・フロー」の「小計」の額が損益計算書の医業利益に対応するような表示になっています。

キャッシュ・フロー計算書(C ／ F)(直接法)

キャッシュ・フロー計算書
自 令和○年○月○日 至 令和○年○月○日
(単位：千円)

区 分	金 額
Ⅰ 業務活動によるキャッシュ・フロー	
医業収入	XXX
医療材料等の仕入支出	△ XXX
給与費支出	△ XXX
:	XXX
小計	XXX
利息及び配当金の受取額	XXX
利息の支払額	△ XXX
法人税等の支払額	△ XXX
業務活動によるキャッシュ・フロー	XXX
Ⅱ 投資活動によるキャッシュ・フロー	
有形固定資産の取得による支出	△ XXX
有形固定資産の売却による収入	XXX
施設設備補助金の受入れによる収入	XXX
:	△ XXX
投資活動によるキャッシュ・フロー	△ XXX
Ⅲ 財務活動によるキャッシュ・フロー	
借入による収入	XXX
借入金の返済による支出	△ XXX
:	XXX
財務活動によるキャッシュ・フロー	△ XXX
Ⅳ 現金等の増加額（又は減少額）	XXX
Ⅴ 現金等の期首残高	XXX
Ⅵ 現金等の期末残高	XXX

キャッシュ・フロー計算書(C ／ F)(間接法)

キャッシュ・フロー計算書
自 令和○年○月○日 至 令和○年○月○日
(単位：千円)

区 分	金 額
Ⅰ 業務活動によるキャッシュ・フロー	
税引前当期純利益	XXX
減価償却費	XXX
医業債権の増加額	△ XXX
:	XXX
小計	XXX
利息及び配当金の受取額	XXX
利息の支払額	△ XXX
法人税等の支払額	△ XXX
業務活動によるキャッシュ・フロー	XXX
Ⅱ 投資活動によるキャッシュ・フロー	
有形固定資産の取得による支出	△ XXX
有形固定資産の売却による収入	XXX
施設設備補助金の受入れによる収入	XXX
:	△ XXX
投資活動によるキャッシュ・フロー	△ XXX
Ⅲ 財務活動によるキャッシュ・フロー	
借入による収入	XXX
借入金の返済による支出	△ XXX
:	XXX
財務活動によるキャッシュ・フロー	△ XXX
Ⅳ 現金等の増加額（又は減少額）	XXX
Ⅴ 現金等の期首残高	XXX
Ⅵ 現金等の期末残高	XXX

図2-20 キャッシュ・フロー計算書

キャッシュ・フロー計算書(C ／ F)(間接法)

キャッシュ・フロー計算書
自 令和○年○月○日 至 令和○年○月○日
(単位：千円)

区 分	金 額
Ⅰ 業務活動によるキャッシュ・フロー	
医業収入	XXX
医業材料等の仕入支出	△ XXX
給与費支出	△ XXX
委託費支出	△ XXX
設備関係費支出	△ XXX
運営費補助金収入	XXX
:	XXX
小計	XXX
利息及び配当金の受取額	XXX
利息の支払額	△ XXX
法人税等の支払額	△ XXX
:	XXX
業務活動によるキャッシュ・フロー	XXX
Ⅱ 投資活動によるキャッシュ・フロー	
有形固定資産の取得による支出	

図2-21 直接法により表示された「業務活動によるキャッシュ・フロー」

このように，「直接法」の「業務活動によるキャッシュ・フロー」は，損益計算書と似たような項目や区分によって実際の資金の動きをそのまま表していますので，一般的に理解しやすい形になっているといえます。

ii　「間接法」による「業務活動によるキャッシュ・フロー」

「間接法」による「業務活動によるキャッシュ・フロー」は，「税引前当期純利益」に減価償却費等や施設設備補助金収益など損益計算書に計上されている非資金項目や投資活動に関連する項目と，医業未収金・たな卸資産・買掛金など貸借対照表に計上されている業務活動から生じる債権，債務などの増減による資金への影響額を調整し，法人税等の支払額を控除して計算します（図2-22）。もちろん，「業務活動によるキャッシュ・フロー」の総額は「直接法」による場合も「間接法」による場合も変わるものではなく，「小計」の欄も設けたうえで同額が計上されます。

一般的に「直接法」に比べてわかりづらいと思われる「間接法」ですが，「間接法」の目的が「直接法」のように実際の資金の動きを表すことではなく，損益計算書の「利益（または損失）」と「業務活動によるキャッシュ・フローの増減」の関係，つまり，「利益（または損失）」と「資金の増減」のズレを明らかにすることであると理解して見るようにしてください。「直接法」によるキャッシュ・フロー計算書の作成が推奨されることもありますが，「間接法」によるキャッシュ・フロー計算書の作成は，「直接法」

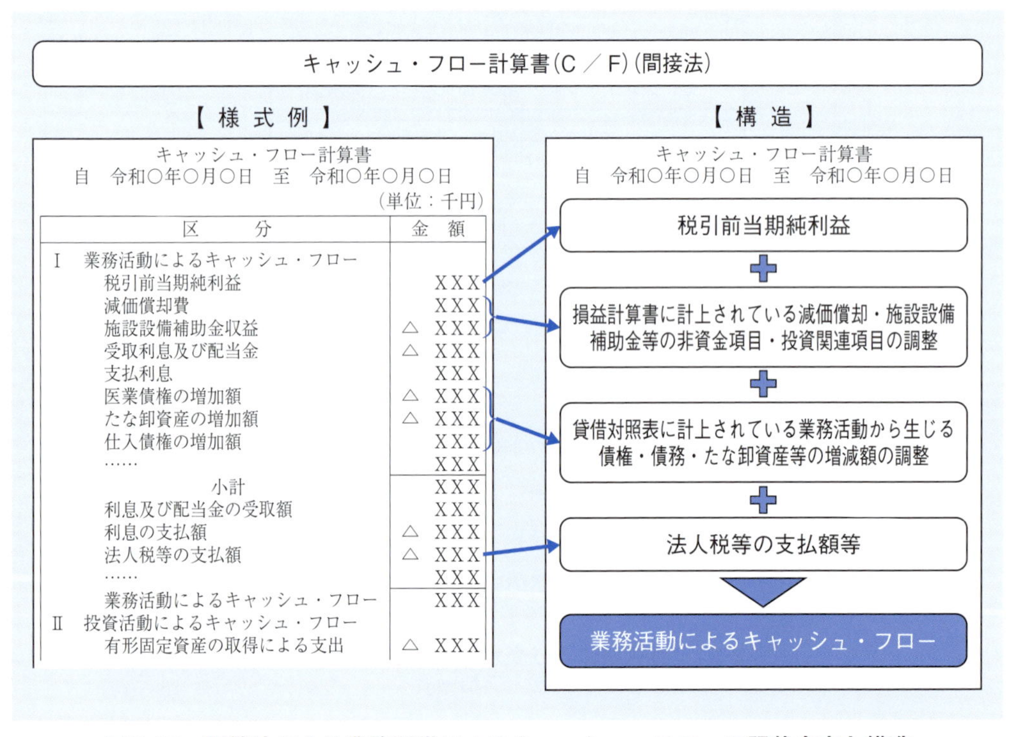

図2-22　間接法による業務活動によるキャッシュ・フローの記載内容と構造

による作成に比べて手間がかからないことやそれゆえ第三者でもある程度の情報があればキャッシュ・フローの概要を把握するために作成できること，また，「間接法」のキャッシュ・フロー計算書自体が経営体の財務状況を理解するための分析資料になることから，ぜひ，「間接法」によるキャッシュ・フロー計算書に慣れてください。

そして，「間接法」による「業務活動によるキャッシュ・フロー」を見ると利益に対して調整される主な項目は「損益計算書に計上される非資金項目や投資活動に関連する項目」と「貸借対照表に計上されている業務活動から生じる債権，債務などの増減」であることがわかります。このうち後者は一時的に大きく増減することはありますが，通常，長期的に見れば経営体の規模に応じて安定的に推移し資金の増減に与える影響は限られ，また，施設設備補助金収益など投資活動に関連する項目がそのまま損益計算書に計上されることは少ないことから，少し乱暴ではありますが「業務活動によるキャッシュ・フロー」は，およそ当期純利益に非資金項目である減価償却費を加算した値であるといえます。この「利益＋減価償却費」がおよそ「業務活動によるキャッシュ・フロー」を表すという考え方は経営分析においては重要な考え方ですので覚えておきましょう。

③キャッシュ・フロー計算書の具体的な見方

いわゆる複式簿記の結果作成される財務表は貸借対照表と損益計算書の2つであり，これによって一定時点の財政状態および一定期間の経営成績が表されます。しかし，その2つの財務表だけでは表しきれない重要な情報があります。それが「資金」の情報です。

固定資産の購入や資金の借入または返済などを行ったとしても，貸借対照表にはその時点での残高のみが計上されます。そして，これらの取引自体は収益や費用に直接影響を与えないため損益計算書には計上されません。つまり，組織運営上，非常に重要な資産である「資金」の変動に関して貸借対照表と損益計算書だけでは十分な情報は得られません。

もちろん，会計期間の期首の貸借対照表と期末の貸借対照表を比較することで，「資金」の総額が増えたか減ったかはわかりますが，その理由まではわかりません。そして「資金」が増えている理由もしくは減っている理由がわからない状況で投資や借入の意思決定を適切に行うことはできません。したがって資金の動きをその内容別に把握するために，キャッシュ・フロー計算書が必要になり，キャッシュ・フロー計算書を理解することで，今後の医療用機器備品などへの投資規模や資金借入の可否の判断，さらには将来の建て替えのための資金計画を作成するうえでの非常に有用な情報を得ることができるのです。

具体的にA病院とB病院を比べてみましょう（図2-23）。A病院，B病院の医業収益がそれぞれ52.6億円，25.6億円，医業費用等（医業費用＋支払利息）がそれぞれ51.6億

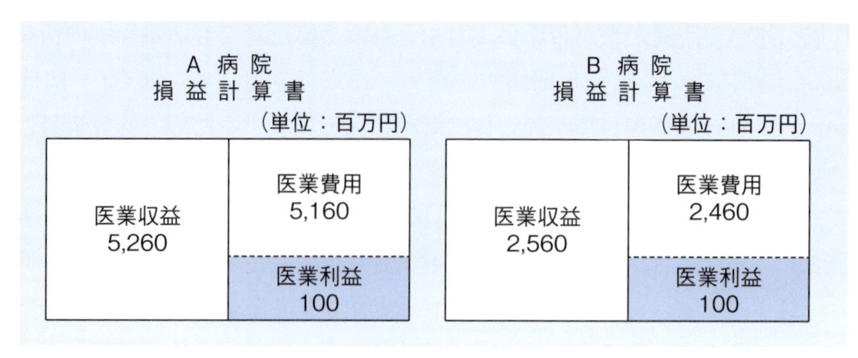

図2-23　A病院とB病院の損益計算書

円，24.6億円であった場合，差引当期利益はともに1億円となり，それ以外の取引がなければ損益計算書の利益も2つの病院に差はありません。もしかしたら，25.6億円の医業収益で1億円の当期利益を計上しているB病院の方が効率的に利益を上げていると考えられるかもしれません。

ここで，それぞれの病院の医業費用等に減価償却費がそれぞれ2.4億円と0.8億円含まれていたとしたらどのようになるでしょうか。それぞれの病院の損益計算書とキャッシュ・フロー計算書を図2-24に示します。

当期利益はA病院，B病院ともに1億円ですが，業務活動によるキャッシュ・フロー（C／F）はそれぞれプラス3.4億円とプラス1.8億円となっています。この期間にそれぞれ固定資産の購入が2億円，借入金の返済が1億円あったとすると，全体の資金の増減額はA病院がプラス0.4億円となる一方B病院はマイナス1.2億円となっています。つまりA病院，B病院ともに同じ1億円の当期利益であり，投資活動と財務活動も同じであったとしても資金の増減額は異なる可能性があるのです。仮にB病院のこの状況が経常的なものであるのであれば何か改善を行わないことには数年後には資金が不足し，いわゆる「黒字倒産」ということも考えられます。

そして，今後の各病院が財務的な改善策を考える場合においても，A病院は追加支出が0.4億円以内の改善策である限り，仮に全く収入が増えなかった場合でも手元資金が減ることはなく病院の継続に深刻な影響は及ぼさない一方，B病院は思うように収入が増えなかった場合，手元資金のさらなる減少を伴い，財務状況の悪化がより深刻なものとなることがわかります。また，A病院は0.4億円以内の範囲であれば，将来のために短期的には資金負担を伴う改善策についても実行することが可能ですがB病院にはそのような余裕はなく，将来のための投資は基本的に行えない状況であり，この違いは，病院の将来にも大きく影響します。

このように，同じ改善策を行う場合であってもそれぞれの病院の資金の状況によって，それに伴うリスクの程度が異なる場合があります。手元資金，業務活動によるキャッシュ・フロー，借入金の残高および返済期間（＝年間返済額）は，将来の事業計

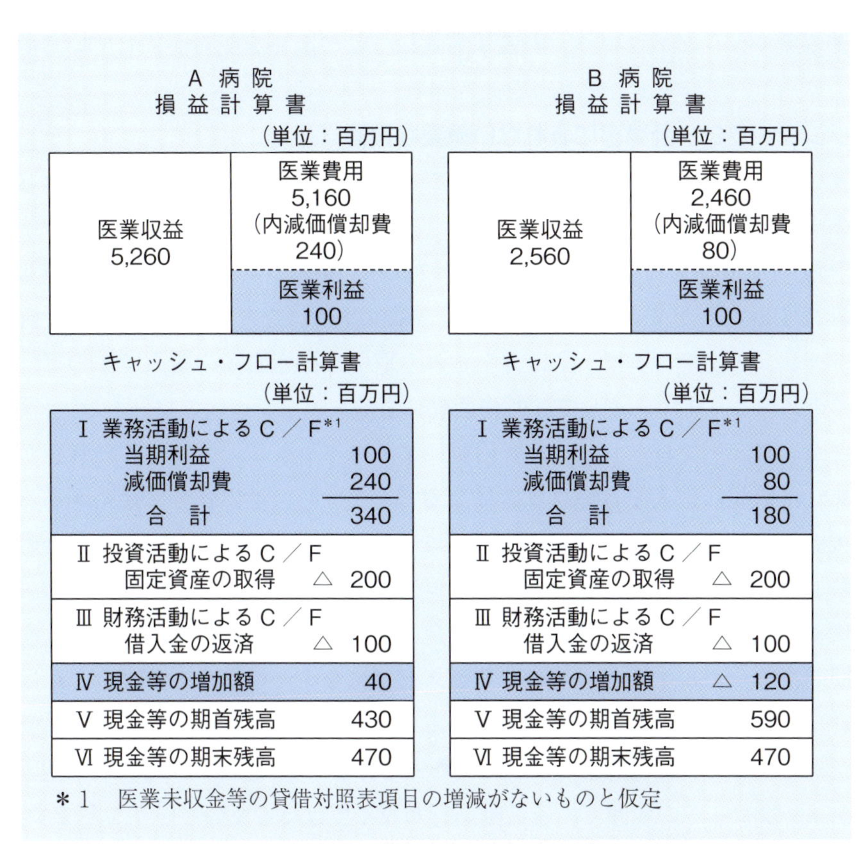

図2-24　損益計算書とキャッシュ・フロー計算書

画を検討する際の制約条件にもなりますので常に意識する必要があります。

損益計算書の当期利益が同じであっても資金の状況はこのように異なる可能性があり，この違いは損益計算書や貸借対照表からは直接読み取ることができず，ここにキャッシュ・フロー計算書の有用性があるのです。

また，先ほど「貸借対照表に計上されている業務活動から生じる債権，債務などの増減」がキャッシュ・フローに与える影響は限られていると述べましたが，実際は，病院で常に課題となっている窓口未収金の問題のように回収できない債権が発生した場合など，損益計算書で利益が計上されていてもキャッシュ・フローはプラスにならない場合があります。この場合，損益計算書上の利益が資金化されていないため，その利益を借入金の返済原資や投資のための資金に充てることはできないのです。つまりキャッシュ・フローを良好に保つためには，損益計算書上の利益を増やすことは当然必要ですが，その利益を確実に資金化するということも同時に必要なことなのです。同額の利益である限り，債権などの資産が増えることはキャッシュ・フローの面ではマイナスの影響を与え，逆に債務が増えることはキャッシュ・フローの面ではプラスの影響を与えます。この資産と負債の増減とキャッシュ・フローの関係を理解しておくことも，経営管理の観点から非常に重要な考え方であり，先ほど説明しました「間接法」による「業務活動によるキャッシュ・フロー」の表示方式は，この関係を明らかにしているのです。

④キャッシュ・フロー計算書に表れない重要な数値

キャッシュ・フロー計算書の3つの区分ごとの「資金」の増減のパターンは８つに区分できます（**表2-2**）。

このうち，「業務活動によるキャッシュ・フロー」が基本的にマイナスというようでは組織が継続することができませんので，通常はプラスになります。一方，「投資活動によるキャッシュ・フロー」は，主に計上される取引は固定資産の購入ですので，基本的にはマイナスになります。そして「財務活動によるキャッシュ・フロー」は，「業務活動によるキャッシュ・フロー」と「投資活動によるキャッシュ・フロー」の資金が不足するのであれば新規に借入を行いプラスになるでしょうし，逆に資金に余裕があるのであれば借入金の返済を行うことでマイナスになります。したがって表2-2の８つのパターンのうち，基本的なパターンは③と④ということになります。ここで大事なことは，「財務活動によるキャッシュ・フロー」が借入金に関する取引だけであれば，借入から返済までの期間をトータルするとプラスマイナスゼロになるということです。これは逆の見方をすれば，トータルでは「業務活動によるキャッシュ・フロー」と「投資活動によるキャッシュ・フロー」の合計をプラスにしなくてはならない，つまり，「業務活動によるキャッシュ・フロー」の範囲で投資活動を行わなくてはならないということです。

実は，キャッシュ・フロー計算書には直接表示されない数値ではありますが，経営において非常に重要な「フリー・キャッシュ・フロー（Free Cash Flow；FCF）という考え方があります。フリー・キャッシュ・フローとは経営者の自由裁量で利用可能なキャッシュ・フローを意味し，その利用目的によって対象範囲は異なることがありますが，一般的に，「業務活動によるキャッシュ・フロー」から，現在の業務活動の維持に必要な設備投資額など「業務活動によるキャッシュ・フロー」に含まれないが経常的な業務活動に不可避的に発生する支出額を差し引いた残余額といわれています。設備投資には，現状の機能の維持のためのいわゆる更新投資と新たな機能を獲得するためのいわゆる新規投資に区分されますが，フリー・キャッシュ・フローの計算において「業務活動によるキャッシュ・フロー」から差し引くのは，厳密には前者の更新投資の支出額ということになります。ただし，実務的に両者を明確に区分することが難しいこともあり，「業務活動によるキャッシュ・フロー」から設備投資額などの総額を差し引いた額

表2-2　キャッシュ・フロー計算書の区分ごとの「資金」の増減パターン

区分	①	②	③	④	⑤	⑥	⑦	⑧
業務活動によるＣ／Ｆ	＋	＋	＋	＋	－	－	－	－
投資活動によるＣ／Ｆ	＋	＋	－	－	＋	＋	－	－
財務活動によるＣ／Ｆ	＋	－	＋	－	＋	－	＋	－

A 病院 キャッシュ・フロー計算書 （単位：百万円）	
Ⅰ 業務活動によるC／F*1	
当期利益	100
減価償却費	240
合　計	340
Ⅱ 投資活動によるC／F	
固定資産の取得	△ 200
フリーC／F（Ⅰ＋Ⅱ）	140
Ⅲ 財務活動によるC／F	
借入金の返済	△ 100
Ⅳ 現金等の増加額	40
Ⅴ 現金等の期首残高	430
Ⅵ 現金等の期末残高	470

B 病院 キャッシュ・フロー計算書 （単位：百万円）	
Ⅰ 業務活動によるC／F*1	
当期利益	100
減価償却費	80
合　計	180
Ⅱ 投資活動によるC／F	
固定資産の取得	△ 200
フリーC／F（Ⅰ＋Ⅱ）	△ 20
Ⅲ 財務活動によるC／F	
借入金の返済	△ 100
Ⅳ 現金等の増加額	△ 120
Ⅴ 現金等の期首残高	590
Ⅵ 現金等の期末残高	470

＊1　医業未収金等の貸借対照表項目の増減がないものと仮定

図2-25　A病院とB病院のフリー・キャッシュ・フロー

をフリー・キャッシュ・フローと考えることが多いでしょう。

ここで先ほどのA病院とB病院のキャッシュ・フロー計算書を改めて見てみましょう。図2-25は，キャッシュ・フロー計算書にフリー・キャッシュ・フローの項目を追加したものです。フリー・キャッシュ・フローを追加することで，A病院，B病院ともに2億円という同額の投資を行っていますが，A病院は3.4億円の「業務活動によるキャッシュ・フロー」の範囲内の投資である一方，B病院は「業務活動によるキャッシュ・フロー」を超える投資を行っていることが明らかになります。別の見方をするとA病院とB病院は同じ1億円の利益を計上していますが，A病院はその2倍の投資を行っても資金は増加する財政状態である一方，B病院は資金が不足する財政状態であることが明らかになるのです。

ここで仮にB病院が財務活動において100百万円の返済ではなく追加借り入れを60百万円していた場合を考えてみましょう。その場合，「Ⅳ現金等の増加額」はA病院とB病院ともに同額のプラス40百万円になりますので，資金の総額の増減額だけでは，病院の財政状態等を判断するための情報としてはまだ不十分であり，ここにフリー・キャッシュ・フローの重要性があります。

5　3つの財務表の関係

ここまで，貸借対照表，損益計算書，キャッシュ・フロー計算書を見てきましたが，それぞれの関係はどのようになっているか確認したいと思います（図2-26）。

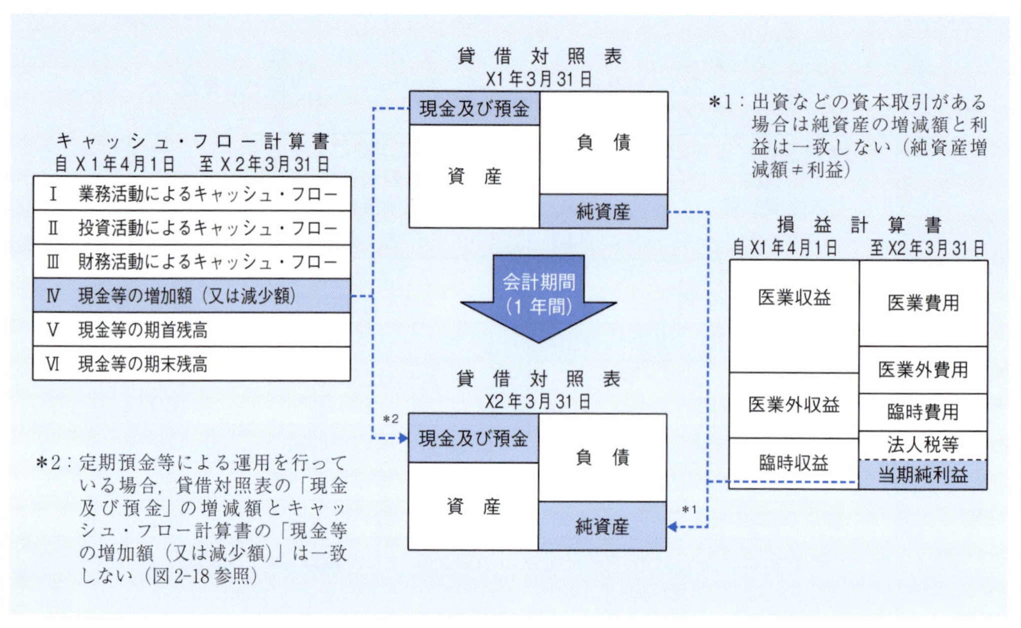

図2-26　貸借対照表と損益計算書・キャッシュ・フロー計算書の関係

損益計算書は貸借対照表の純資産の増減の一部を表す財務表となります。厳密には純資産は損益計算書で計算される損益以外でも，例えば出資などの資本取引や有価証券の評価差額など損益計算書に計上されずに純資産を増減させる項目がありますが，病院という施設においてこのような取引が経常的に発生するのは一般的ではありませんので，そのような取引がない限り純資産の増減は基本的には損益計算書に計上された利益または損失によるものとなります。

キャッシュ・フロー計算書が対象とする「資金」の範囲は，図2-18で示した通り，厳密には貸借対照表の「現金及び預金」の範囲とは異なっていますが，多くの病院においてその違いを考慮する必要はないものと思われます。したがって，キャッシュ・フロー計算書は貸借対照表の「現金及び預金」の増減を概ね表しているといえます。

従来は，貸借対照表と損益計算書が正式な財務諸表として位置づけられ，キャッシュ・フロー計算書は一般的に正式な財務諸表には位置づけられていませんでした。しかし，取引内容や社会環境が複雑になることに対応して，適切な財政状態や経営成績を表すために，貸借対照表や損益計算書の作成の過程において見積もりや判断の要素が多分に含まれるようになり，また，利益と資金の時間的なズレも大きくなってきていることから，財政状態の変動についての情報として損益計算書は，それ自身の有用性は否定されないものの必ずしも十分には情報を提供できなくなってきました。そのため，資金の動きを改めて別の財務表で把握する目的で，キャッシュ・フロー計算書が正式な財務諸表に位置づけられることとなりました。

キャッシュ・フロー計算書の1つの目的が，このような利益と資金の時間的ズレを適時に把握するためであることから,「税引前当期純利益」という利益をキャッシュ・フローの金額に調整する「間接法」によるキャッシュ・フロー計算書が,その必要性に対応したキャッシュ・フロー計算書であるともいえます。「間接法」によるキャッシュ・フロー計算書が,単に貸借対照表の「現金及び預金」の増減を表すのみならず,利益と資金の増減との差額要因を明らかにすることで,貸借対照表の純資産の増減額と「現金及び預金」の増減額の関係性を表す財務表であることを理解することは重要です(図2-27)。

そして,間接法によるキャッシュ・フロー計算書は損益計算書の利益=貸借対照表の純資産の増加額に「資金」が伴っているか把握することができるので,別の言い方では

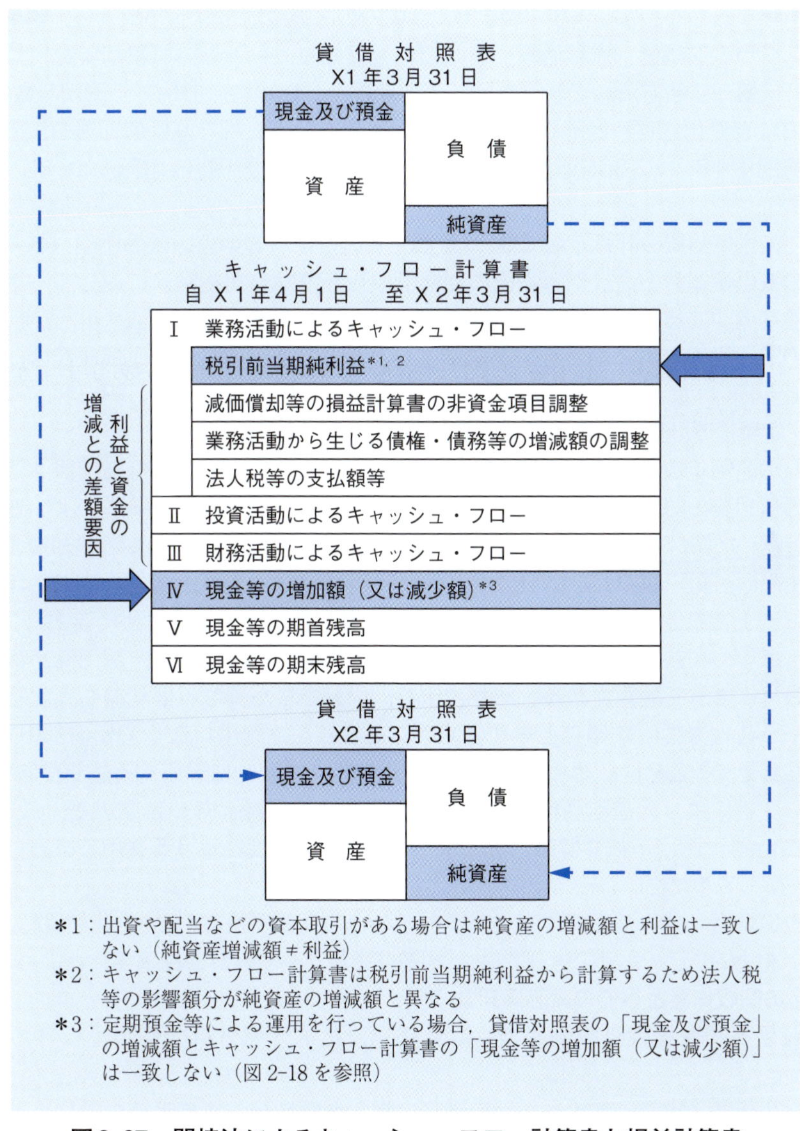

図2-27 間接法によるキャッシュ・フロー計算書と損益計算書

減価償却費とは？

「病院会計準則」が財務諸表の1つとしている損益計算書の医業費用の中に「減価償却費」という科目があります。減価償却費とは建物や医療用器械備品など長期間（1年超）にわたって利用される資産の購入金額をそれら資産の使用（予定）期間に配分して適切な損益計算を行うための会計処理であることは本文でも紹介しました。ここでは，会計において特徴的で独特な「減価償却」についてもう少し詳しく見てみたいと思います。

1．計算方法などの違いによって異なる減価償却費

減価償却費は，長期間にわたって利用される資産の購入金額をそれら資産の使用（予定）期間（「耐用年数」といいます）に配分して損益計算書に費用計上する処理です。したがって，費用計上される総額は資産の購入金額に確定していますが，耐用年数などは事前に予測することとなります。つまり，1億円の医療用器械備品を購入し，耐用年数経過時のスクラップ価値（残存価額）をゼロと見積もり，「定額法」（耐用年数にわたって毎年均等に償却する方法）で計算することを前提とした場合において，耐用年数を4年，5年，10年と変化させるとそれぞれの損益計算書に計上される減価償却費も，2,500万円（1億円÷4年），2,000万円（1億円÷5年），1,000万円（1億円÷10年）と変化します。

また，減価償却費の計算方法には，「定額法」のほかにも期首の帳簿価額（購入金額から過去の減価償却費の合計額（減価償却累計額）を控除した金額）に対して一定率を乗じた金額を償却する「定率法」という償却方法もあります。耐用年数4年，5年，10年の場合の法人税の規定に基づく定率法により計算される1年目の減価償却費は，それぞれ5,000万円（1億円×0.5），4,000万円（1億円×0.4），2,000万円（1億円×0.2）となり，定額法で計算した金額に対して2倍の金額になります。

いずれの耐用年数で減価償却費を計算しても耐用年数経過後に減価償却費は計上されず，減価償却費の総額は1億円（購入金額）になります。また，定率法によって減価償却費を計算した場合も，2年目以降の減価償却費は逓減し，最終的に減価償却費の総額は1億円（購入金額）になります。しかし，同じ資産を購入した場合であっても毎年の損益計算書に計上される減価償却費は，耐用年数や償却方法の違いによって変わってくる，つまり，毎年の利益は変わってきます。損益計算書の利益計算には，減価償却費のように見積もりによって計算される金額が含まれ，見積もりが異なれば利益も異なることがあるということを理解することも重要です。もちろん，耐用年数や減価償却の方法は，その都度変更することは認められず，一定のルールを継続的に適用する必要があります。恣意的な変更により利益を調整することは不正な会計処理となりますので，ここでは，「減価償却とは，耐用年数や償却方法によってその金額が変わりうる費用である」ということを理解してください。

ちなみに耐用年数や減価償却方法が変わったとしても手持ちのキャッシュが変わることはありませんので，会計の世界では，「利益は意見，キャッシュは事実」といわれます。

2．資金の回収作業としての減価償却費

次に減価償却費を会計の側面ではなく経営または経営分析の側面から考えてみましょう。

減価償却費は，すでに支払った固定資産の購入金額を配分する手続きのため操業度との関係で変動することのない典型的な固定費となります。1度投資してしまえば，耐用年数が到来して償却が終わるまで設備の稼動状況が良くても悪くても発生する費用です。したがって，減価償却を実施すべき設備の取得時点における経営上の判断が極めて重要であるということになります。特に，病院の建替えや高額医療機器の購入に際しては十分な事前調査が不可欠であり，投資に対する回収可能性の評価をきちんと行うべきです。

また，損益計算書に計上される費用項目の中で資金の流出を伴わない費用であることを理解するとともに，設備投資時点において銀行借り入れなどの手法によって外部から資金調達した場合には，元金償還の原資となることも理解してください。減価償却は，費用の期間配分であるとともに資金の回収作業でもあるのです。

財政状態が良好で借り入れなどせずに設備投資資金を全額自己資金で賄える場合は，会計的・資金的には回収が終わっていませんが「事業リスク」という観点からは極めてリスクの小さい状態となります。仮に損益計算書の利益がマイナス（損失）であったとしても費用から減価償却費を除いて計算した利益（償却前利益）がプラスであれば借入金の元金返済がない場合，資金的には増加するという状態をイメージできるようにしてください。経営全体として減価償却を捉える作業に慣れることが経営管理側面で重視すべき点です。

「利益の質」を確認するための財務表ともいえます。

そして，わが国の上場企業においてキャッシュ・フロー計算書の作成が義務づけられたのは平成11年度からですが，ほとんどの上場企業が「間接法」によるキャッシュ・フロー計算書を公表しています。

3 経営分析に必要となる医事統計データ等

1 外部統計資料との比較に必要な基本データ

自病院の経営分析を行うための第1歩として，外部公表データとの比較を行う場合に用意すべき非財務情報にはどのようなものがあるでしょうか。

外部公表データのうち「病院経営管理指標」で必要とされる基本的な非財務情報を抜き出してみたのが図2-28です。病床数といった施設の情報のほか，在院患者延数，新入院患者数，退院患者数，外来患者延数などの患者に関する基本的な数量情報と医療従事者を中心とした従業者に関する数量情報が，病院経営分析を始めるうえで必要となる非財務的な基本情報です。入院や外来に関する数量情報の取り方には，病院独特なもの

施設の概況

・病床種類別の許可病床数および稼働病床数

患者数の状況

・在院患者延数（24 時現在，病院に在院している患者数）
・新入院患者数（その日のうちに退院した患者も含む。）
・退院患者数（入院してその日のうちに退院した患者も含む。）
・外来患者延数
・救急対応患者数（救急車等により搬送され受け入れた患者数に加え，それ以外の方法で来院した患者数）
・初診患者数（初診料を算定した患者数）
・紹介患者数（他の医療機関より紹介状を持参して来院した患者数）
・逆紹介患者数（他の医療機関に紹介し，診療情報提供料を算定した患者数）

従業者の状況

・常勤・非常勤別の医師（歯科医師除く）・看護師・准看護師の人数（非常勤は常勤換算）
・常勤換算の薬剤師・リハビリテーション専門職・社会福祉士・放射線技師・臨床検査技師・事務職員・その他の職員の人数

図2-28　外部統計（病院経営管理指標）との比較に必要な基本的非財務データ

の考え方があり，また，資料によって似たような名称であってもその計算方法などが異なっている場合がありますので，それを理解することも重要です。

次に自病院のこれらの情報をいかに用意するかを考えた場合，患者に関する情報は基本的に医療に関する事務を行う医事部門に存在しますので，いわゆる病院情報システムの整備状況にもよりますが，一般的に医事部門が用意します。一方，従業者に関する情報は基本的に人事部門に存在しますので，一義的には人事部門が用意することになります。そして，それら報告された情報を加工して初めて外部公表データとの比較が可能となりますが，仮に医事部門や人事部門が用意したデータが比較対象とする外部公表データの作成のための基礎データと集計方法などが異なっていたら，その比較結果から得られるものはあるでしょうか。つまり，外部公表データと比較するためのデータを適切に用意するためには，最終的にデータを加工する部門もしくは職員が比較対象となる外部公表データの作成方法を理解していることは当然ですが，さらにそのための基礎資料などを整備する部門もしくは職員も外部公表データの作成方法をしっかりと理解していることも重要です。

2　自病院の経営分析に有用な医事統計データの作成

公表されている外部の統計資料を活用し，それとの比較によって自病院の経営状態をつかむことは経営分析の入り口です。

経営分析は，種々の経営情報を収集・整理・比較・分析・評価することによって経営

① 入院関連データ
・在院患者延数
・1人1日当たり入院収益
・1日平均入院患者数
・平均病床利用率
・平均在院日数
・医師（看護師）1人当たり入院患者数

② 外来関連データ
・外来患者延数
・1人1日当たり外来収益
・1日平均外来患者数
・平均通院日数（平均受診回数）
・初診患者数
・医師（看護師）1人当たり外来患者数

③ その他
・手術件数統計表
・救急車搬入台数統計表
・紹介患者・逆紹介患者統計表
・PET，CT，MRI，レントゲン，ESWL 等統計表
・健診センター部門，人工透析部門，デイケア，訪問診療等の各種統計表

※：必要に応じて，病棟別，診療科別等の分類でデータを作成します。
※：作成されるべき資料は，経営実態を適切に反映するように作成することが重要であり，資料の作成のみならず，その分析による経営実態の把握を行うことが大切です。

図2-29　必要とされる医事統計データ

内容の実態を明らかにし，経営管理，経営改善，経営計画の立案などを合理的かつ適切に実施するために行います。したがって，経営分析によって算出された「経営指標」は経営状態の「認識指標」といえますが，それだけではなく「管理指標」としても活用できます。外部統計資料との比較検討は通常年次情報ベースとなりますが，経営は動いていますので日々管理をする必要があります。経営分析の管理指標を活用して日常的な経営管理や経営改善を行うためには，自病院でのデータ作成や管理を年次から月次，患者数などの指標によっては日次まで短縮する必要が生じます。そして，自病院での経営管理を有効に行うためには，時系列的な期間の短縮だけではなく作成する経営資料（管理指標やその基礎データ）の幅を広げることも必要になります。つまり，非財務情報の幅と財務情報の幅の両方を広げることが大切です。このため，財務・会計データ，医事統計データ，人事・労務管理データ，物品管理データ，施設管理データなどを加工して独自の経営資料（管理指標やその基礎データ）を作成することになります。

特に，診療報酬の請求業務を統括している医事部門は，病院経営情報の宝庫であり，これを活用できるかどうかが病院経営分析・管理の成否を握っているといえます。経理サイドが持っている財務・会計情報は医療現場との距離があるため，その中継点である医事部門の情報を斟酌することによって，本当の意味での病院機能が見えてきます。また，病院の経営改善を実施しようとする場合，一番大切なことは医療現場の従事者と事務サイドが同じ土俵と言語で情報を突き合わせることです。

このことを意識して，自病院において作成することが必要と思われる基本的な医事統計資料を図2-29に例示しました。

4 開設主体全体の経営分析

1 「病院」と「開設主体」

「表1-1　開設者別病院数・病床数データ」には，全国約8,200の病院の開設主体別データが出ています（9頁）。国が開設していた病院の中で「国立病院・療養所」特別会計として運営されていた約150施設は，平成16年4月，独立行政法人国立病院機構という単一法人に移行し，令和3年10月1日現在140病院を開設していますが，同時に30を超える看護学校なども運営しています。また，国立大学法人と私立学校法人が開設している病院は合わせて159になりますが，これらの法人は当然に学校を運営しています。ほかに，公的医療機関として規定されている日本赤十字社は91の病院を開設するとともに，50を超える血液センターや20を超える児童福祉・老人福祉施設も運営しており，社会福祉法人恩賜財団済生会も83の病院を開設する一方で，ほぼ同数の特別養護老人ホームや介護老人保健施設といった福祉施設も運営しています。そして，198病院の開設主体となっている社会福祉法人は当然社会福祉施設も運営しており，約8,200の病院の7割弱に当たる5,681病院の開設主体となっている医療法人は，その多くが病院のほか，介護老人保健施設や介護医療院，診療所のほか訪問看護ステーションなどを同時に運営しています。病院とともに研究所を設置している国立高度専門医療研究センターや公益法人なども考慮すると，病院の開設主体の多くが病院以外の事業を同時に行っていることがわかります。

このため，病院という施設に対する経営分析を理解することと同じように，病院を開設している開設主体全体，つまり病院以外の，特に介護老人保健施設や訪問看護，訪問介護事業などを含めて経営分析について考える必要があります。仮に介護事業などに赤字が発生している場合，例えば医療事業など他の事業の黒字で補填することになりますが，介護事業の赤字が他の事業で補填できないほど大きい場合，開設主体の継続が危ぶまれ，当然，病院の存続も危ぶまれます。したがって，開設主体全体の経営分析は，病院の経営分析と同様に，またはそれ以上に重要なことなのです。

2 医療法人全体の経営分析

ここでは，病院という施設に対する経営分析を理解することと同じように，病院を開設している開設主体の経営分析も考えるという観点から，「医療法人」を例に説明を加えます。

令和3年10月1日時点において医療法人は全病院の70％弱，全介護老人保健施設の

75%以上，訪問看護ステーションの20%以上を運営しており，それぞれの法人は個別の経営体ですが，多くの医療法人が病院や介護施設などを複数展開しています。

最大規模の医療法人は，数十の病院等を開設し年間事業収益は1,000億円をはるかに超えているようですが，ここでは1例として，病院を3施設（急性期病院1，療養型病院2），サテライトの診療所2と透析専門クリニックおよび総合健診センター各1の計4施設，介護事業として介護老人保健施設1と訪問看護ステーション1で，全体として3病院，4診療所，1介護老人保健施設，1訪問看護ステーション，すなわち事業単位は9事業を開設している医療法人をイメージします。それぞれの施設の規模にもよりますが，年間の事業収益（医業収益と介護事業収益の合計）は100億円程度となることが一般的であり，非常勤者も含めた従業者数は800～1,000人近くになることが予想されます。

それぞれの施設が別々の事業を独立的に営んでいたとしても，病院経営において赤字が生じ人件費や材料費の支払資金，借入金の返済資金などが不足するようなことになった場合には，経営体は1つの医療法人であるため，他の診療所や介護事業の資金を投入することになります。また，反対に介護事業の資金不足は医療事業の資金で補填することになります。そして例えば，経営が大変厳しいといわれている急性期病院の赤字が大きく資金不足が深刻な状態になれば，医療法人全体の経営を疲弊させ診療所や介護施設も一緒に破綻することになります。

1病院のみを開設している医療法人は，病院施設の経営分析や経営管理を法人のマネジメントにそのまま適用していくことができますが，複数事業展開型医療法人は将来における経営計画の立案（医療・介護スタッフの採用，設備投資，新規事業等）も法人経営全体を見据えたうえで考えられなければなりません。

このため，このような複数事業展開型医療法人は，経営体としての一体性を認識し各施設の経営状態をタイムリーに，的確かつ継続的に管理する作業が極めて重要な作業となります。個々の施設の管理のみならず，全体としての経営の管理も同時に行う必要性が生じるのです。医療や介護を巡る制度環境が大きく変動していくこれからの時代には，事業種類別・施設別の適切な経営管理と法人全体のマネジメントを両立しなければならないのです。

法人全体すなわち開設主体全体での経営分析を怠り，個々の経営のみの評価に依存すると，全体としての経営力を見誤ることになります。

3 経営管理システムの構築

法人全体の経営状態をタイムリーに，的確かつ継続的に管理するためには「現在進行年度における時系列的自己分析（月次データ）」が基本情報となります。月次ベースで毎月行われる時系列的自己分析が実施されれば自動的に年次の情報形成が可能となり，経営戦略策定にとって重要なデータベースを提供することになります。

ただし，時系列的月次分析を実施するためには準拠すべきいくつかのルールがあります。そのルールが守られずに作成されたデータは，タイムリーかつ有効に活用することはできない陳腐化した情報となるので注意してください。

具体的なルールとは下記の3項目です。

①経理サイドの会計処理を必ず発生主義により行う

②極力，経理データと医事データ等の関連データの整合性を図る

③月次経営データの報告を，翌月末までには完了する

（注）上記の作業を実際に行おうとすると，思った以上に事務サイドにとって手間やストレスのかかる作業ですが，事業主体として複数事業展開による成長・発展・拡大を指向している組織においては最初から導入することをお勧めします。それにより，事業が複数展開となり拡大を始めてから導入しようとするより，結局は効率的・省力的となります。

有効に機能している内部経営管理システムは，経営体の未来に対する戦略立案に有用な情報を提供します。それぞれの経営体は，過去・現在・未来という時系列のラインに乗っているため現在や過去の状態を抜きにして簡単に未来にワープすることはできません。経営戦略を作成する際に忘れてはならない重要なファクターは，今まで経営はどのように行われその結果はどうであったかという事実に対する認識です。

確かに平成37年（2025年）のさらなる高齢社会やその後の現役世代の加速度的な減少から大胆な社会保障制度改革は避けられないと考えた時，医療・介護事業は過去の指標データの延長線上には未来を予測できない環境へと移行したといえるでしょう。そして過去の延長線上に未来を予測できないことは，すでに起こった新型コロナウイルス感染症の流行により実感されていることだと思います。経営戦略立案に際して，単純に過去の経営指標データを前提とすることができない時代，まさにVUCA*の時代の到来がこれからの医療経営の重要なテーマとなります。

*：VUCAとはVolatility（変動性），Uncertainty（不確実性），Complexity（複雑性），Ambiguity（曖昧性）の頭文字を取った軍事用語。

それでもなお，過去の経営の積み重ねがそれぞれの病院の現在の姿を作り，現在を起点にして未来があることを考えると，過去・現在の事実を認識することの重要性に変わりはなく，日常的な経営管理体制をますます強固に確立する必要があります。

医療制度や人口構成，患者意識や検査・治療技術の変化など，すべての外部環境の変化を認識しつつ，自らの病院が提供してきた，あるいは提供している医療サービスの内容を一般的・標準的経営指標のみによって分析・評価するだけではなく，より深層にあるさまざまな実態情報を掌握することが必要となっています。医療現場や医事部門，経理部門，さらには診療情報部門やその他すべての部門に散在している経営情報を有機的に結合させて活用することが，VUCAの時代における未来に対する最大の防御なのです。そして，すべての部門の情報を効果的・効率的に結合させるには，現場任せでは限界があり，経営者のコミットメントが重要になってきます。

病院経営と消費税問題

病院会計準則の医業費用の中に「控除対象外消費税等負担額」という勘定科目があります。この勘定科目はあまり見慣れない科目ですが，平成元年にわが国に消費税が導入された当初は3%であった税率が令和元年10月には10%まで引き上げられ，医療機関に与える影響が拡大していることから医療機関と消費税の問題について考えてみたいと思います。

消費税は，一般的に最終消費者が負担する税金であり，会社などの事業者は負担しないものと考えられています。実際に消費税は，物品等の販売代金と一緒に事業者が預かって納付しますが，その際に事業者が費用等の支払に付随する消費税を預かった消費税から控除して納付するという仕組みにより，一般的には費用等の支払に付随して支払う消費税が事業者の負担とならないようになっています。

しかし，わが国の消費税法では，この仕組みが成り立つのが消費税の対象となる取引の場合に限られ，消費税の対象とならない物品等の販売のために支払う費用等に付随する消費税は控除の対象外としています。消費税の対象とならない取引（非課税取引）には，消費に負担を求める税としての性格から課税の対象としてなじまないものや社会政策的配慮から課税しないものがあり，前者は土地や有価証券に関する取引などで，後者の代表的な取引として社会保険医療の給付等や介護サービスの提供などがあります。

一般的な病院が提供するサービスは主に非課税取引である社会保険医療の給付ですので，そのために支払う費用等に付随する消費税は病院が負担することになり，この負担額を計上するのが医業費用の「控除対象外消費税等負担額」や臨時費用の「資産に係る控除対象外消費税等負担額」です。そして，これらの金額は消費税率の上昇に比例して増加していくことになり，結果的に消費税の増税は病院の財務状況を直接的に悪化させます。特に病院の建て替えや高額医療機器の購入がある場合には，その影響はより大きなものとなります。

このような消費税の影響に対しては消費税が増税するたびに診療報酬で一定の対応をしていますが，異なる制度で完全に対応することは技術的に困難であることから，少なくとも医療機関における過剰な負担感や医療機関ごとの不公平感は解消されていません。日本医師会や病院団体を中心に消費税法も含めて医療機関が消費税の負担をしなくてすむ制度を要望していますが，現在まで実現しておらず，少なくともしばらくは各病院において消費税の負担を考慮した病院運営が必要となりそうです。

III

病院の経営分析

病院における一般的な経営指標の特徴

企業経営を評価する視点としては，一般的に「成長性」，「収益性」，「生産性」，「安全性」の4つが代表的なものです（図3-1）。これに対して病院経営で着目する経営評価の視点は，企業経営の場合と少し異なります。具体的には「機能性」，「収益性」，「生産性」，「安全性」の4つです。

営利企業にとっては常に成長を目指して利益を最大化することが重要な目的の1つなので，「成長性」は経営を評価するうえで重要な要素となります。しかし，病院の目的は良質な医療を適切にかつ効率的に提供することであり，財務的な経営数値が成長する必要は必ずしもありません。それよりも，その病院が医療的にどのような機能を果たしているかの方が重要であり，その際，いかに効率的に運営されているかが評価されるべき内容となります。このため，病院の経営指標としては「成長性」は一般的に重要視されず，「機能性」を評価する項目が中心にあげられるのです。

病院経営における「機能性」について少し古い話になりますが，平成7年12月に大蔵省財政制度審議会がまとめた「歳出の削減合理化の方策に関する報告」で，増大する医療費抑制のために，①病院経営の近代化・効率化，②費用の無駄の排除，③有限である医療資源の有効活用が提唱されました（図3-2）。病院経営評価における機能性の評価は，まさしく病院がどのような機能を持っているか，自らに与えられた機能をどのよう

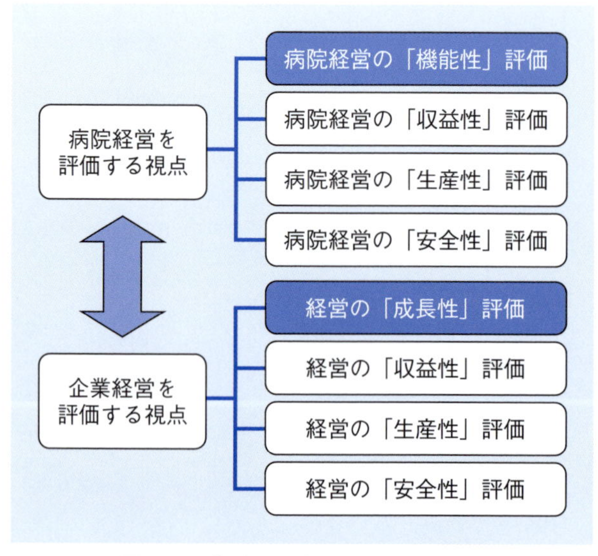

図3-1　病院を評価する4つの視点

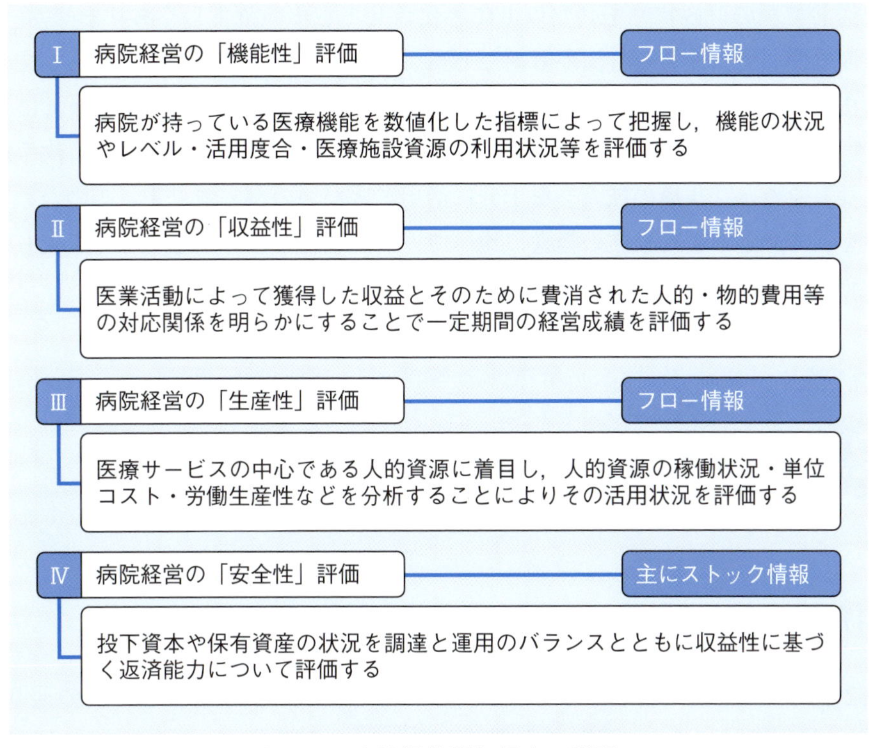

図3-2　病院経営評価視点の説明

に果たしているか，有限な医療資源を効率的に活用しているかどうかという観点から取り上げられた経営指標です。

そして，「収益性」は医業活動によって獲得した収益と費用の関係を見ることで一定期間の経営成績を明らかにし，「生産性」は特に人的資源の投入と産出の関係を明らかにし，医業経営の中心的な資源である“人材”の活用度合いを評価します。

これら「機能性」，「収益性」，「生産性」の3つの評価視点は，一定期間の数値に着目したフロー・データからのものですが，最後の「安全性」は一定時点のストック情報が中心となっています。「安全性」評価は，投下総資本や保有資産の観点から機能性や収益性を見るとともに財務の安全性を確認するものです。

最後に病院経営における「成長性」について少し考えてみたいと思います。一般的に組織の成長は規模の経済を働かせて収益性を向上させたり，昇進の機会を増やすことで職員のモチベーションを高めることに非常に役に立ちます。わが国の政策においても「経済成長」は非常に重要視され，社会保障制度を含めた国の課題を解決する手段の1つとして利用されます。つまり「成長」または「規模の拡大」は，国，組織にかかわらず，課題の解決のために有効な手段といえます。しかし，これを病院経営にそのまま当てはめて「成長性」を追求したらどうなるでしょうか。各病院がむやみに収益の拡大を目指す状況をわが国全体という視点から考えると，第1章で示したように国民医療費の増加を通じて国の財政状態を必要以上に悪化させてしまい望ましくありません。また，入院医療に関してはそもそも医療計画などにより病床に関する規制が定められているため，自由に増床して入院患者を増やすことはできません。つまり，病院経営において「成長性」を追求することには制度的にも物理的にも限界があり，課題の解決手段として「成長」または「規模の拡大」を十分に活用できないのが実情です。そのため自由に成長性を追求できる営利企業の経営に比べて，病院経営には「知恵」と「工夫」がより一層求められるのではないでしょうか。

「病院経営管理指標」のポイント

1 「病院経営管理指標」の概要

令和2年度の「病院経営管理指標」において示されている指標は表3-1の通りです。「病院経営管理指標」では，病院の事業の性格上，「生産性」を一般産業のように徹底して追求する産業ではないと考えています。つまり，例えば医師1人当たり入院患者数は生産性の面からは多いほどよいといえますが，機能性の面からは少ないほどよいといえ，「生産性」の指標を取り上げることで病院の評価をミスリードする可能性を考慮し，また，「生産性」は「収益性」の補助的位置づけで，「収益性」に内包されることから独

表3-1　病院経営管理指標一覧

「機能性」の指標	
① 平均在院日数	② 外来／入院比
③ 1床当たり1日平均入院患者数	④ 患者1人1日当たり入院収益
⑤ 患者1人1日当たり入院収益(室料差額除く)	⑥ 外来患者1人1日当たり外来収益
⑦ 医師・看護師・職員1人当たり入院患者数	⑧ 医師・看護師・職員1人当たり外来患者数
⑨ 紹介率	⑩ 逆紹介率
「収益性」の指標	
① 病床利用率	② 医業利益率
③ 経常利益率	④ 償却前医業利益率
⑤ 各種医業費用比率(材料費・医薬品費・人件費・委託費・設備関係費・減価償却費・経費)	⑥ 常勤(非常勤)医師・看護師・その他職員人件費比率
⑦ 固定費比率	⑧ 金利負担率
⑨ 職員1人当たり医業収益	⑩ 常勤医師・看護師・職員1人当たり人件費
⑪ 総資本医業利益率	⑫ 総資本回転率
⑬ 固定資産回転率	⑭ 1床当たり医業収益
「安全性」の指標	
① 自己資本比率	② 固定長期適合率
③ 流動比率	④ 借入金比率
⑤ 償還期間	⑥ 償却金利前経常利益率
⑦ 1床当たり固定資産額	

立した指標として取り上げていません。したがって，「病院経営管理指標」で取り上げられている指標は，「機能性」，「収益性」，「安全性」の3つです。ここからは，それぞれの指標の内容と基本的な指標についてポイントなどを解説していきます。

2 「機能性」分析で見るもの

「病院経営管理指標」における「機能性」の指標と内容は表3-2の通りです。⑨と⑩の指標は，機能分化と連携が政策上も経営上も重視されていることから，連携に関わる機能性指標として平成23年度から追加されました。

①平均在院日数

在院日数は，患者が入院してから退院するまでの期間をいいます。その平均が「平均在院日数」です。「病院経営管理指標」での具体的な算式は以下の通りです。少しわかりづらい算式ですが覚えてください。

$$\text{平均在院日数} = \frac{\text{在院患者延数}}{(\text{新入院患者数}+\text{退院患者数})\times 1/2}$$

平均在院日数の計算法にはいろいろな考え方があり，退院患者の在院期間を平均したり，ある時点の在院患者の入院日数を平均したりする方法もあります。しかし，どちら

表3-2 「機能性」の経営指標

指　標	内　容
① 平均在院日数	入院患者の入院日数の平均を表す指標
② 外来/入院比	入院患者数に対する外来患者数を表す指標
③ 1床当たり1日平均外来患者数	病床数に対して1日に診療している外来患者数を表す指標
④ 患者1人1日当たり入院収益	患者1人が1日入院した場合の室料差額を含めた入院収益の平均を表す指標
⑤ 患者1人1日当たり入院収益（室料差額除く）	患者1人が1日入院した場合の室料差額を除く入院収益の平均を表す指標
⑥ 外来患者1人1日当たり外来収益	患者1人が外来診療を受けた場合の1日当たりの外来収益の平均を表す指標
⑦ 医師・看護師・職員1人当たり入院患者数	医師・看護師・職員1人に対する1日平均入院患者数を表す指標
⑧ 医師・看護師・職員1人当たり外来患者数	医師・看護師・職員1人に対する1日平均外来患者数を表す指標
⑨ 紹介率	初診料算定患者数に対する他の医療機関の紹介状を持参した患者数と救急対応患者数の合計人数の割合を表す指標
⑩ 逆紹介率	初診料算定患者数に対する他の医療機関に紹介し診療情報提供料を算定した患者数の割合を表す指標

もたまたま長期間入院していた患者が退院したり，入院していたりすると大きく変動する可能性があることから「病院経営管理指標」では採用されていません。一方で，厚生労働省が行っている「患者調査」では，「退院患者の平均在院日数」として各病院の一定期間に退院した患者の在院日数の平均を集計しており，診療報酬点数を計算する際の入院基本料の施設基準においては，計算式は同様ですが一定の患者を除外して計算しています。このように同じ「平均在院日数」という言葉で表されていても，それぞれの目的によって計算式などが異なる場合があるため，平均在院日数に限らず，外部の統計資料などと自病院の数値を比較する際は，それぞれの算式を確認したうえで比較することが大切です。

また，平均在院日数は別の見方をすると病床の回転率とも考えられます。つまり，平均在院日数が30日の病棟は，病床が平均的に1カ月に1度回転（1病床に1人の患者が入院）したことになります。15日では2回転（1病床に2人の患者が入院），60日では1/2回転です。

平均在院日数は，同じ疾病をどれだけ短い期間で対応できているかという指標ともいわれ，まさに病院機能の代表的な指標であることから，診療報酬算定上でも一定の要件に加えられていますが，単に短くすればよいというものでもなく，予期せぬ再入院の発生状況など，診療結果とのバランスを見ながらなるべく短くすべき指標であると考えられます。また，DPC制度において診断群分類ごとの入院期間ⅠとⅡの合計が平均在院日数になるように設定されていますので，もう少し詳細に自病院の平均在院日数の状況を比較したいという場合にはその日数と比較することも有用です。

令和3年の「病院報告」によればわが国の病院の平均在院日数は総数27.5日，一般病床16.1日，療養病床131.1日，精神病床275.1日となっており，この10年間で総数は約8%，一般病床は約10%，療養型病床は約44%，精神病床は約8%短縮しています。今後もこの傾向は確実に続くと思われますので，全体としての平均在院日数だけではなく，複数病棟・複数診療科の病院では病棟別・診療科別数値を算定するとともに，患者個別の「在院日数管理」を経常的に行う必要があります。

また，平成17年度からの5年ごとと新型コロナウイルス感染症の流行前の平成30年度の「病院経営管理指標」において報告されている「平均在院日数」は，**表3-3**の通りであり，一般病院はすべての開設主体においても着実に平均在院日数が短縮していることがわかります。医療法人が開設しているケアミックス病院，療養型病院，精神科病院も平成22年度から平成30年度までの8年間は平均在院日数を着実に短縮していましたが，新型コロナウイルス感染症の流行後の令和2年度では平成22年度もしくは平成27年度の平均在院日数と同水準になっています。この点について，以下の2つの点を理解してください。

1つは計算式の分母となる入退院数が減少したことによりこのような日数が計算されている，つまり，クラスターの発生などにより新たな入退院を制限したことによる入退

表3-3 病院経営管理指標における「平均在院日数」の推移

開設主体	病院種別	平成17年度	平成22年度	平成27年度	平成30年度	令和2年度
医療法人	一般病院	29.1日	27.7日	22.4日	23.6日	22.7日
	ケアミックス病院	97.9日	108.3日	100.6日	60.6日	109.9日
	療養型病院	341.4日	344.4日	268.2日	113.1日	292.7日
	精神科病院	536.1日	544.6日	383.4日	127.2日	506.2日
自治体	一般病院	20.0日	30.4日	25.5日	20.9日	13.9日
日赤	一般病院	17.7日	15.4日	12.9日	14.6日	11.7日
済生会	一般病院	18.2日	19.4日	32.5日	21.9日	16.8日
厚生連	一般病院	18.3日	17.7日	18.1日	19.9日	15.8日

院数の著しい減少がこのような平均在院日数となる要因であり，必ずしも実際の入院患者の在院日数が数倍に延びていなくてもこのような値になる可能性があるということです。

もう1つは，令和2年度の病院の集計数が平成30年度に比べてケアミックス病院で214病院から81病院，療養型病院で105病院から33病院，精神科病院が118病院から57病院にそれぞれ減少しているため，1つの病院の平均在院日数が指標に与える影響が強まっていることからこのような結果になっている可能性があるということです。この2つ目の点についてはほかの指標にも同様のことがいえますので，統計数値を利用する際には常にこの点には留意してください。

②1床当たり1日平均外来患者数

「1床当たり1日平均外来患者数」の算式は，以下の算式となります。

$$1\text{床当たり}1\text{日平均外来患者数} = \frac{\text{外来患者延数}}{365\text{日} \times \text{許可病床数}}$$

分母を365日としてありますが，これは，統計上のデータ集計の都合から全病院を一律的に365日として計算するためです。つまり，土曜日の外来診療をしている病院としていない病院，している病院でも午前中のみの病院と夕方まで診療している病院など外来診療の日数や時間は各病院によってさまざまであることから，一律365日で計算するという考え方です。そして「1床当たり1日平均入院患者数」と同様に，「病院経営管理指標」においては病院の規模の影響を排除した指標とするため，「1床当たり」となっています。

内部の管理目的で使用する際には，一般的に「1床当たり」とせず，さらに，実際の外来診療日数（実外来日数ともいいます）を用いることで診療日数の増減による影響を排除した「1日平均外来患者数」を利用することが多いと思いますが，その際の算式は以下の通りです。

$$1\text{日平均外来患者数} = \frac{\text{外来患者延数}}{\text{実外来日数}}$$

土曜日等に関して半日診療を行っている場合などは，全日診療している平日の1日平均外来患者数を別につかむことが必要かもしれません。

外来患者の数量情報で1日平均外来患者数と一緒につかんでおくことが有効な指標として「新患・再来」データ，「紹介率」，「逆紹介率」そして，「平均通院日数（平均受診回数）」があります。いずれももう少し詳しく外来患者の中身を見ようとする指標です。

「新患・再来」データは，外来受診した患者の中で何人が新来患者（初診患者）で，何人が再来患者（新患ではない患者）であるかをとったものです。

平成17年度からの5年ごとの「病院経営管理指標」において報告されている「1床当たり1日平均外来患者数」は，表3-4の通りであり，従来から1人未満となっている療養型病院と精神科病院は横ばいですが，それ以外の病院については開設主体にかかわらずこの15年間減少傾向にあり，病院が本来果たすべき入院機能にシフトしていることがわかります。

そして，「病院経営管理指標」では触れられていませんが，「平均通院日数（平均受診回数）」も病院経営においては気になる指標ですので少し触れたいと思います。これは，外来を受診している患者が1年または1カ月に何日（何回）受診しているかの平均値です。例えば，年間の平均通院日数（平均受診回数）が12回ということは，平均して1人の外来患者が1月に1回外来にかかっているということになります。したがって，平均通院日数（平均受診回数）が12回から6回に減った場合，前提が同じであると日々の外来患者は半減することになります。1日平均外来患者数300人の病院の平均通院日数（平均受診回数）が半分になると，毎日の外来患者は150人まで減少することになります。

表3-4　病院経営管理指標における「1床当たり1日平均外来患者数」の推移

開設主体	病院種別	平成17年度	平成22年度	平成27年度	令和2年度
医療法人	一般病院	1.9人	1.8人	1.6人	1.3人
	ケアミックス病院	1.0人	0.9人	0.8人	0.6人
	療養型病院	0.7人	0.5人	0.5人	0.5人
	精神科病院	0.2人	0.2人	0.3人	0.2人
自治体	一般病院	1.6人	1.3人	1.3人	1.2人
日赤	一般病院	1.5人	1.3人	1.4人	1.2人
済生会	一般病院	1.7人	1.3人	1.4人	1.1人
厚生連	一般病院	1.8人	1.6人	1.5人	1.4人

平均通院日数（平均受診回数）は，入院部門における平均在院日数と同じ意味の指標で外来の回転率を表します。

③紹介率・逆紹介率

先ほど触れた「紹介率」と「逆紹介率」について説明したいと思います。「病院経営管理指標」における「紹介率」は，初診患者数に対する他の医療機関から紹介を受けた患者と救急対応患者の合計数の割合をいい，「逆紹介率」は，初診患者に対する他の医療機関に紹介して診療情報提供料を算定した患者の割合をいいます。いずれも，近年特に機能分化と連携が重視されてきていることから，平成23年度から「病院経営管理指標」に導入された指標です。

$$\text{紹介率} = \frac{\text{紹介患者数} + \text{救急患者数}}{\text{初診患者数}}$$

$$\text{逆紹介率} = \frac{\text{逆紹介患者数}}{\text{初診患者数}}$$

入院治療を目的とする病院では，「紹介率」や「逆紹介率」がその機能を表すうえで重要な指標となることから，地域医療支援病院や特定機能病院の承認要件に加えられています。そして，地域の医療機関の外来機能の明確化・連携のために令和4年度から開始された外来機能報告制度は紹介，逆紹介と密接に関連していますので，今後「紹介率」と「逆紹介率」の重要性は，より増してくるといえます。

初診患者は初診料算定となるほか，さまざまな検査を行うことが多いため，一般的に収益（売上）は再診患者よりも高くなりますが，他の医療機関からの紹介が多いということはそのような初診患者の増加につながるので，病院経営の観点から「紹介率」を考えた時，「紹介率」の高まりは病院の収益性の高まりと見ることになります。そして，検査や専門治療が終了した患者を紹介先医療機関に戻すこと（逆紹介）により，連携に関する信頼感を高め，再び紹介されるという好循環を享受できるようになると，より少ない外来患者でより高い収益（売上）を獲得することが可能になるとともに，病院としての機能を明確化させることができることにつながるのです。

「紹介率」と「逆紹介率」の指標が初めて導入された平成23年度と平成27年度，新型コロナウイルス感染症が流行する前の平成30年度と流行後の令和2年度の「病院経営管理指標」でそれぞれ報告されている「紹介率」と「逆紹介率」は表3-5の通りです。「紹介率」はいずれの開設主体，病院種別においても平成27年度がピークで平成30年度に向けて減少し，その後は医療法人について横ばいからやや減少傾向ですが，それ以外の開設主体は新型コロナウイルスの流行に対応しつつ着実に高めていることがわかりま

表3-5　病院経営管理指標における「紹介率」と「逆紹介率」の推移

紹介率

開設主体	病院種別	平成23年度	平成27年度	平成30年度	令和2年度
医療法人	一般病院	32.9%	49.8%	35.0%	35.6%
	ケアミックス病院	25.2%	45.8%	30.1%	32.2%
	療養型病院	34.4%	40.8%	22.6%	18.9%
	精神科病院	31.2%	46.4%	33.0%	31.3%
自治体	一般病院	43.1%	86.1%	50.8%	72.2%
日赤	一般病院	56.2%	104.9%	63.2%	86.0%
済生会	一般病院	45.3%	79.7%	53.3%	78.3%
厚生連	一般病院	35.3%	74.6%	37.0%	58.9%

逆紹介率

開設主体	病院種別	平成23年度	平成27年度	平成30年度	令和2年度
医療法人	一般病院	21.7%	23.3%	23.1%	59.4%
	ケアミックス病院	18.7%	20.8%	21.7%	50.3%
	療養型病院	22.0%	22.6%	30.4%	30.3%
	精神科病院	27.7%	32.3%	33.7%	35.9%
自治体	一般病院	31.5%	39.3%	35.8%	79.6%
日赤	一般病院	38.4%	50.8%	43.6%	78.3%
済生会	一般病院	33.1%	40.2%	43.2%	82.7%
厚生連	一般病院	21.2%	30.9%	25.4%	65.2%

す。「逆紹介率」は平成30年度まではいずれの開設主体も比較的横ばいもしくは若干の増加傾向でしたが，新型コロナウイルス感染症の流行後の令和2年度は，医療法人以外の開設主体においては明らかに高まっていることがわかります。

④外来／入院比

「外来／入院比」は，病院において多くの外来患者を吸収しているわが国の医療体制の特色を示す指標であるとともに，入院に対する潜在患者を示す数値として意味のある指標です。

$$外来／入院比 = \frac{1日平均外来患者数}{1日平均入院患者数}$$

例えば，許可病床300床の病院の1日平均在院患者が255人（病床利用率85%）で，1日平均外来患者数が650人である場合の外来／入院比は，650/255＝2.5（倍）となります。

従来から，病院は入院機能の重視とともに，外来に関しては病院規模によって中小病

表3-6 病院経営管理指標における「外来／入院比」の推移

開設主体	病院種別	平成17年度	平成22年度	平成27年度	平成30年度	令和2年度
医療法人	一般病院	2.7倍	2.6倍	3.4倍	1.7倍	2.3倍
	ケアミックス病院	1.2倍	1.1倍	1.1倍	0.9倍	7.8倍
	療養型病院	0.7倍	0.6倍	0.7倍	0.4倍	0.6倍
	精神科病院	0.2倍	0.3倍	0.4倍	0.3倍	0.4倍
自治体	一般病院	2.2倍	1.9倍	2.1倍	1.8倍	9.7倍
日赤	一般病院	1.8倍	1.7倍	1.8倍	1.8倍	1.7倍
済生会	一般病院	2.0倍	1.8倍	1.8倍	1.4倍	1.5倍
厚生連	一般病院	2.3倍	2.0倍	1.9倍	1.9倍	1.9倍

院ではプライマリケア機能を重視し，大病院では専門性の高い診療や紹介外来を重視する傾向にあるため，外来／入院比という指標は長期的趨勢の中で見ていく必要があります。場合によっては「紹介率」や「逆紹介率」も加味したうえで見ていく必要のある指標となってきています。

平成17年度からの5年ごとと新型コロナウイルス感染症の流行前の平成30年度の「病院経営管理指標」において報告されている「外来／入院比」は，表3-6の通りであり，当該指標においても平成30年度までは開設主体，病院種別にかかわらず減少傾向もしくは横ばいであり，各病院において医療資源を入院診療にシフトしていることがわかります。また，新型コロナウイルス感染症の流行後の令和2年度は平成30年度に比べて医療法人が開設主体となっているケアミックス病院と自治体が開設主体となっている一般病院で著しい上昇が見られます。医療法人が開設しているその他の病院では3割から5割の上昇となっており，それ以外の病院においては横ばいから若干の上昇という状況です。ここで医療法人が開設している一般病院の「外来／入院比」が1.7倍から2.3倍に約35％増加したからといって外来患者がその分増加したと受け取ると実態を見誤るかもしれません。「外来／入院比」の上昇を単純にその分の外来患者の増加と受け取ることはできず，入院患者の減少によっても「外来／入院比」が増加するということを理解しておくことが，指標から病院の実態を適切に把握するためには重要なことです。他の指標でも同様ですが，その指標が何を表しているか，例えば「外来／入院比」であれば，外来患者そのものの数量を表しているのではなく，あくまでも入院患者に対する外来患者の割合を表しているということを常に意識するようにしてください。

さて，医療法人が開設しているケアミックス病院と自治体が開設している一般病院についてもう少し詳細なデータを見るために，病床規模別のデータを見てみましょう（表3-7）。病床規模別に「外来／入院比」を見ると，医療法人が開設主体となっているケアミックス病院では「300～399床」のグループの数値が95.2倍，自治体が開設主体となっている一般病院では「400床～」のグループの数値が20.1倍と突出した数値になってい

表3-7　令和２年度病院経営管理指標における病床規模別の「外来／入院比」

開設主体	病院種別	項目	病床規模						合計	突出値を除く
			20〜49床	50〜99床	100〜199床	200〜299床	300〜399床	400床〜		
医療法人	ケアミックス病院	病院数	1	10	47	13	6	4	80	74
		外来／入院比	−	1.4倍	0.8倍	0.3倍	95.2倍	0.1倍	7.8倍	0.8倍
自治体	一般病院	病院数	2	3	16	12	22	41	96	55
		外来／入院比	2.1倍	2.6倍	2.1倍	1.5倍	1.8倍	20.1倍	9.7倍	1.9倍

ます。このような数値になっている理由までは確認できませんが，例えばこれらのグループを除いて「外来／入院比」を推計すると，それぞれ0.8倍と1.9倍になり，平成30年度の数値とほぼ変わらない数値になることがわかります。

このように「病院経営管理指標」では，さまざまな視点からグルーピングした指標が提供されていますので，複数のグルーピングされた指標を比較・検討しながら活用することで，より有用な情報を得ることができます。

最後に表3-7の医療法人が開設主体となっているケアミックス病院の「20〜49床」のグループをご覧ください。このグループの病院数は「1」となっていますが，「外来／入院比」の記載はなく，実はこのグループの指標は「外来／入院比」以外も記載がありません。これは，「病院経営管理指標」では，回答病院数が１の場合，回答病院が特定される可能性があるため，記載を省略することとしているためです。

⑤患者１人１日当たり入院収益と外来患者１人１日当たり外来収益

「患者１人１日当たり入院収益」と「外来患者１人１日当たり外来収益」はともに，「診療単価」を表示する指標です。以下の算式でわかるように一定期間の収益を同じ期間の取扱患者数で除したものが「患者１人１日当たり入院収益」や「外来患者１人１日当たり外来収益」，つまり診療報酬単価になります。「患者１人１日当たり入院収益」の分母に退院患者数を含めているのは，診療報酬は退院日も１日として算定するので分子と整合させるためです。また，在院患者数に退院患者数を合計した患者数を「延患者数」に対して「取扱患者数」と表現します。そして，「患者１人当たり入院収益」の分子については，室料差額を除いて純粋な診療行為だけを対象とした指標を使用する場合もあり，その場合は「患者１人当たり入院収益（室料差額除く）」と表現します。

$$\text{患者１人１日当たり入院収益} = \frac{\text{入院診察収益＋室料差額等収益}}{\text{在院患者延数＋退院患者数}}$$

$$\text{外来患者１人１日当たり外来収益} = \frac{\text{外来診察収益}}{\text{外来患者延数}}$$

上記の算式（入院収益については室料差額を除く）は，展開し直すとそれぞれ以下の算式になり，入院診療収益と外来診療収益を「単価」と「数量」に分解し，それらを掛け合わせる形で表現できます。

入院診察収益 ＝ 患者１人１日当たり入院収益×（在院患者数＋退院患者数）
外来診察収益 ＝ 外来患者１人１日当たり外来収益×外来患者延数

この分解により，それぞれの収益の増減要因を「単価」と「数量」に分けて把握できるようになります。例えば収益に変動がなかった場合でも，実は診療単価の上昇と患者数（数量）の減少の相殺結果であれば患者数の減少という課題を認識できるようになります（数量・価格分析）。

病院の経営分析を行っていくうえで，収益も費用も「単価×数量」の形に分解して考えていくことは極めて重要な視点です。経営状態の実情を把握する際には，物事の内容をきちんと整理することが作業の始まりであり，単価と数量への分解作業はその第1歩なのです。

そして，病院全体としての診療単価は診療科別，病棟別，担当医師別，診療行為別などの段階まで細分化してつかむことが有効です（このことは，数量要素である入院患者数や外来患者数，病床利用率，平均在院日数などについてもいえることです）。例えば診療単価が46,000円のA診療科と158,000円のB診療科を持つ病院を考えてみましょう（表3-8）。X1年4月のA診療科とB診療科の取扱入院患者数がそれぞれ300人と1,200人の合計1,500人でA診療科の取扱入院患者数が全体の20％（300人÷1,500人）を占めているとすると，その時の病院全体の診療単価はA診療科とB診療科の収益合計203,400千円を取扱入院患者数の合計1,500人で割った135,600円になります。そして，その1年後，B診療科の取扱入院患者数は変わらずにA診療科の取扱入院患者数が400人まで増加したら病院全体の診療単価はどのようになるでしょうか。A診療科とB診療科の診療単価は変わらなくとも診療単価が相対的に低いA診療科の取扱入院患者の占める割合が20％から25％（400人÷1,600人）に増えたことにより，病院全体の診療単価は135,600円から130,000円まで，5,600円下がってしまいます。このように，個々の

表3-8　全体の単価と個別の単価の関係

診療科	X1年4月			X2年4月			増減		
	取扱入院患者数	単価	収益	取扱入院患者数	単価	収益	取扱入院患者数	単価	収益
A診療科	300人	46,000円	13,800千円	400人	46,000円	18,400千円	100人	0円	4,600千円
B診療科	1,200人	158,000円	189,600千円	1,200人	158,000円	189,600千円	0人	0円	0千円
合計	1,500人	135,600円	203,400千円	1,600人	130,000円	208,000千円	100人	△5,600円	4,600千円

診療科の診療単価に変化がなかったとしても，診療単価が異なる診療科の患者割合が変わることで病院全体の診療単価は上下しますので，特に診療単価に大きな差がある複数の診療科を持っている病院では，病院全体の診療単価を見ているだけでは実態を把握するには十分とはいえません。

また，ICUなどのいわゆるアルファベットで表される病棟の診療単価は比較的高額になり，場合によっては100万円/日を超えることもあります。したがって，ある診療科の入院患者のICUなどの利用の有無によっても診療単価が大きく変動することも認識し，別途，ICU，HCU，SCU等，そして一般病床という区分での診療単価算定を行うことも病院の収益の実態を理解するうえで非常に有用です。

さらに詳細に分析するためには，診療報酬点数の区分（基本診察料，検査，画像診断，投薬，注射，リハビリテーション，手術，麻酔等）ごと，つまり行われた診療行為の内容に踏み込んで分析を行うことになります。また，DPC（Diagnosis Procedure Combination）における包括範囲については診断群分類ごとの構成割合と入院期間，医療機関別係数が分析対象となります。そして，診療単価の分析には直接関係しませんが，診療行為の保険診療としての適切性などを評価するうえで，DPCにおける包括範囲に対して実際に行った診療の出来高点数と比較することは病院の経営分析にとって有用な情報を提供するでしょう。

診療単価の変動理由を理解するうえで，高額医薬品や医療材料の存在も忘れてはいけません。高額な医薬品は増加傾向にあり，1人1回当たりの治療で1億円を超える薬も出てきています。また，医療材料も1,000万円を超える材料価格が定められている特定保険医療材料があり，今後も医療技術の進歩によってこれら高額な医薬品や医療材料は増加することが予想されます。高額な医薬品や医療材料の使用の有無は，診療単価に大きく影響し，特に診療科別に診療単価を分析する際にはその影響が非常に大きくなる場合があります。診療行為の内容に踏み込んだ分析を行うのであればおのずと明らかになりますが，仮にそこまでの詳細な分析を行わない場合であっても，高額な医薬品や医療材料の使用状況を把握し診療単価の変動理由を明らかにすることは，自病院の実態を把握するためには非常に重要なこととなります。

平成17年度からの5年ごとと新型コロナウイルス感染症の流行前の平成30年度の「病院経営管理指標」において報告されている「患者1人1日当たり入院収益（室料差額除く）」と「外来患者1人1日当たり外来収益」は，表3-9の通りです。入院収益については上昇率が一番小さい医療法人が開設主体となっている精神科病院の23%から同じくケアミックス病院の181%まで幅はさまざまですが，一律に上昇傾向にあることがわかります。しかし，この15年間安定的に上昇してきたかというと，そうではなさそうです。いずれの病院においても平成17年度から平成22年度の5年間の上昇率が大きく，一般病院とケアミックス病院では平成30年度から令和2年度までの2年間も上昇率が大きいことがわかります。逆に，平成22年度から平成30年度までの8年間

表3-9　病院経営管理指標における「患者１人１日当たり入院収益（室料差額除く）」と「外来患者１人１日当たり外来収益」の推移

・患者１人１日当たり入院収益（室料差額除く）

開設主体	病院種別	平成17年度	平成22年度	平成27年度	平成30年度	令和2年度	平成17年度比	
							増減額	増減率
医療法人	一般病院	31,600円	41,180円	45,510円	45,908円	54,962円	23,362円	73.9%
	ケアミックス病院	21,400円	26,673円	28,480円	29,709円	60,275円	38,875円	181.7%
	療養型病院	16,300円	20,646円	21,702円	23,629円	25,475円	9,175円	56.3%
	精神科病院	13,000円	16,267円	16,438円	15,928円	16,054円	3,054円	23.5%
自治体	一般病院	32,900円	41,802円	47,353円	48,730円	70,095円	37,195円	113.1%
日赤	一般病院	39,500円	51,756円	60,294円	59,081円	71,738円	32,238円	81.6%
済生会	一般病院	36,100円	43,963円	47,261円	53,566円	53,541円	17,441円	48.3%
厚生連	一般病院	37,500円	41,237円	47,589円	44,660円	56,456円	18,956円	50.5%

・外来患者１人１日当たり外来収益

開設主体	病院種別	平成17年度	平成22年度	平成27年度	平成30年度	令和2年度	平成17年度比	
							増減額	増減率
医療法人	一般病院	9,600円	10,754円	12,478円	11,710円	13,759円	4,159円	43.3%
	ケアミックス病院	7,800円	10,065円	10,370円	10,094円	10,995円	3,195円	41.0%
	療養型病院	7,400円	10,287円	8,930円	9,469円	16,580円	9,180円	124.1%
	精神科病院	8,700円	9,505円	9,691円	9,055円	11,478円	2,778円	31.9%
自治体	一般病院	9,800円	11,649円	13,366円	13,343円	19,993円	10,193円	104.0%
日赤	一般病院	10,200円	12,333円	15,347円	15,091円	20,040円	9,840円	96.5%
済生会	一般病院	11,100円	13,087円	16,408円	14,721円	16,342円	5,242円	47.2%
厚生連	一般病院	11,700円	13,780円	17,087円	14,869円	18,258円	6,558円	56.1%

は，その前の5年間と比べて上昇率は低位に推移しています。平成30年度から令和2年度にかけての上昇は，新型コロナウイルス感染症の流行により，通常の診療については治療の必要度が高い患者，つまり診療密度（診療単価）が高い患者を重点的に入院させたことが影響していると考えられることから，療養型病院や精神科病院における上昇率が数%である一方，一般病院は20%を超える上昇率になっているものと推測できます。

外来収益に関しても平成17年度と令和2年度を比較すれば同様に上昇傾向であり，平成17年度から平成22年度と平成30年度から平成2年度の上昇率が大きいことは入院収益の動きと同様ですが，平成27年度から平成30年度の3年間は，開設主体にかかわらずほとんどの病院において低下しているところが入院収益の動きと異なっています。

最後に，令和2年度の「患者1人1日当たり入院収益（室料差額除く）」のうち医療法人が開設しているケアミックス病院の数値が60,275円と平成30年度に比べて著しく上昇していますが，これに関しては先ほどの「外来/入院比」と同様に一定のグループの数値が突出していることから，仮にそれを除いて推計すると29,235円になり，平成30年度と横ばいで推移している結果になります。

各種指標と財務諸表の関係性の理解

多くの病院では月次など一定期間ごとに「患者１人１日当たり入院収益」や「新規入院患者数」,「平均在院日数」といった「機能性」の指標などが集計・報告されているのではないでしょうか。そして，それらは診療科別等に細分化したうえで前年同期や目標値と比較し，病院の稼働の良否を判断しているかと思います。また，それと同時に病院全体の損益計算書も前年同期や予算と比較した形で報告され経営の良否を判断している病院も多いと思います。

「患者１人１日当たり入院収益」や「新規入院患者数」,「平均在院日数」といった指標は損益計算書の入院収益の額と直接的な関連を持っている指標です。したがって，損益計算書に計上される病院全体の「入院収益」の予算との乖離は，診療科別に細分化したそれらの指標の良否によって表すことができます。しかし，それらの関連を明確にした資料の作成もしくは説明を行っている病院は多くない印象です。

そのため，誰が何をすると財務的にどの程度の経営改善が図られるかがわからず，実際に改善活動を行っている医療現場において経営改善を実感したり当事者意識を持つことが難しくなり，一時的な経営改善は果たせたとしても，それが継続的な改善につながらないのではないでしょうか。

また，個々の診療科ごとの指標や財務的な改善はもちろん大事ではありますが，経営幹部の視点で病院全体の経営を考えた場合，どうしてもすべての診療科を同じように検討することはできません。したがって，ある程度優先順位をつける必要がありますが，その優先順位を適切に判断するうえでも損益計算書という病院全体の数値と各診療科等に細分化された指標などの関係性を理解することは重要になります。例えば「患者１人１日当たり入院収益」が大幅に減少した診療科があったとしても，そもそも患者数が少ない診療科であれば財務的な影響はそれほど大きくありませんので，場合によっては現場に対応を任せてもよいですが,「患者１人１日当たり入院収益」の減少幅が少なかったとしても患者数が非常に多い診療科であれば財務的な影響が大きくなるため，原因の把握とその対応は確実に行う必要があり，経営幹部が関与する必要性は高まります。

病院の経営改善という観点からは，より多くの職員に当事者意識を持ってもらうことや優先順位を適切に決めて対応することが必要ですので，指標などの関係性や財務的影響の理解は非常に重要です。そのためにも，損益計算書などの数値については，入院収益に限らず現場の職員が直接的に理解できる指標などとの関係を明確にし共有することが重要であり，報告資料などを作成する際にはそのような観点も意識することが事務管理部門には求められます。

⑥医師等１人当たり入院患者数と医師等１人当たり外来患者数

この指標は，医師，看護師，職員それぞれの1人当たりの入院患者数または外来患者数を表す指標であり，それぞれの算式は以下の通りです。

$$\text{医師１人当たり入院患者数} = \frac{\text{１日平均入院患者数}}{\text{常勤医師数＋非常勤（常勤換算）医師数}}$$

$$\text{医師１人当たり外来患者数} = \frac{\text{１日平均外来患者数}}{\text{常勤医師数＋非常勤（常勤換算）医師数}}$$

$$\text{看護師１人当たり入院患者数} = \frac{\text{１日平均入院患者数}}{\text{常勤看護師数＋非常勤（常勤換算）看護師数}}$$

$$\text{看護師１人当たり外来患者数} = \frac{\text{１日平均外来患者数}}{\text{常勤看護師数＋非常勤（常勤換算）看護師数}}$$

$$\text{職員１人当たり入院患者数} = \frac{\text{１日平均入院患者数}}{\text{常勤職員数＋非常勤（常勤換算）職員数}}$$

$$\text{職員１人当たり外来患者数} = \frac{\text{１日平均外来患者数}}{\text{常勤職員数＋非常勤（常勤換算）職員数}}$$

これらの指標は，医師等が平均的にどれだけの患者に対応しているかを表す指標ですが，逆の言い方をすれば患者1人当たりの診療にどの程度の人的資源を投入しているかを表す指標とも言えます。そして，この指標はその数値のみで良否の判断はできず（つまり単純に多い方がよい，もしくは少ない方がよいといった指標ではなく），自病院の機能や診療単価などの指標とのバランスで評価する指標となります。

平成17年度からの5年ごとと新型コロナウイルス感染症の流行前の平成30年度の「病院経営管理指標」において報告されている「医師1人当たり入院患者数」と「医師1人当たり外来患者数」は，表3-10の通りであり，開設主体にかかわらず一般病院においては入院の指標も外来の指標も低下しており，医師が受け持つ患者数は減少傾向にあることがわかります。また，入院の指標よりも外来の指標の減少率の方が一律で大きいことから，ここでも医師が，病院が本来果たすべき入院機能に相対的にシフトしていることがわかります。

3 「収益性」分析で見るもの

「病院経営管理指標」における「収益性」の指標と内容は表3-11の通りです。「収益性」の指標の多くは「医業収益」に対する割合で示されますので，利益獲得能力について規模の異なる病院の比較や自病院を時系列で比較する際に有効な指標となります。

表3-10　病院経営管理指標における「医師１人当たり入院患者数」と「医師１人当たり外来患者数」の推移

医師１人当たり入院患者数

開設主体	病院種別	平成17年度	平成22年度	平成27年度	平成30年度	令和2年度	平成17年度比	
							増減人数	増減率
医療法人	一般病院	7.2人	6.0人	5.5人	5.5人	4.9人	－2.3人	－31.9%
	ケアミックス病院	13.4人	12.8人	21.8人	11.0人	13.2人	－0.2人	－1.5%
	療養型病院	20.9人	20.4人	18.7人	15.2人	16.4人	－4.5人	－21.5%
	精神科病院	31.4人	28.0人	26.4人	18.1人	23.9人	－7.5人	－23.9%
自治体	一般病院	6.0人	5.5人	4.6人	4.5人	3.2人	－2.8人	－46.7%
日赤	一般病院	5.4人	4.4人	3.5人	4.0人	2.9人	－2.5人	－46.3%
済生会	一般病院	5.8人	5.6人	5.1人	5.0人	3.6人	－2.2人	－37.9%
厚生連	一般病院	5.9人	5.7人	5.1人	6.0人	4.0人	－1.9人	－32.2%

医師１人当たり外来患者数

開設主体	病院種別	平成17年度	平成22年度	平成27年度	平成30年度	令和2年度	平成17年度比	
							増減人数	増減率
医療法人	一般病院	15.6人	11.9人	11.2人	8.9人	8.1人	－7.5人	－48.1%
	ケアミックス病院	12.6人	10.1人	9.1人	8.1人	7.3人	－5.3人	－42.1%
	療養型病院	10.1人	8.0人	7.4人	4.6人	6.7人	－3.4人	－33.7%
	精神科病院	6.3人	6.3人	7.2人	6.3人	5.6人	－0.7人	－11.1%
自治体	一般病院	13.1人	9.9人	8.3人	7.4人	5.8人	－7.3人	－55.7%
日赤	一般病院	9.8人	7.4人	6.5人	6.7人	5.1人	－4.7人	－48.0%
済生会	一般病院	11.1人	8.9人	8.2人	6.0人	5.2人	－5.9人	－53.2%
厚生連	一般病院	13.8人	11.3人	9.3人	10.5人	7.3人	－6.5人	－47.1%

①病床利用率

病床がどのくらいの割合で利用されているかを示したものが「病床利用率」です。

$$\text{病床利用率} = \frac{\text{1日平均入院患者数}}{\text{稼働病床数}}$$

分母になる病床には2つの考え方があります。1つは法律上使用することが認められている「許可病床数」で，もう1つは「稼働（可能）病床数」です。平成25年度の「病院経営管理指標」まで「機能性」の指標の1つであった「１床当たり１日平均入院患者数（在院患者延数÷（365日×許可病床数）」は，パーセントで表される「病床利用率」と同様のものを人数で表す指標でしたが，「機能性」の指標であることから「許可病床数」を分母とし，病院が持っている医療施設の活用状況を表していました。しかし，「病床利用率」は「収益性」の指標であることから，実際の病院の運営において看護基準等，他の条件も考慮して稼働可能な病床の利用率として，「稼働（可能）病床数」を

表3-11 「収益性」の経営指標

指 標	内 容
① 病床利用率	病床の稼働状況を示す指標
② 医業利益率	損益計算書の医業収益に対する医業利益の割合を示す指標
③ 経常利益率	損益計算書の医業収益に対する経常利益の割合を示す指標
④ 償却前医業利益率	損益計算書の医業収益に対する医業利益に減価償却費を加算した金額の割合を示す指標
⑤ 各種医業費用比率(材料費・医薬品費・人件費・委託費・設備関係費・減価償却費・経費)	損益計算書の医業収益に対する各種医業費用の割合を示す指標
⑥ 常勤(非常勤)医師・看護師・その他職員人件費比率	医業収益に対する医師・看護師・その他職員の給与・賞与の合計額の割合を示す指標
⑦ 固定費比率	損益計算書の医業収益に対する代表的な固定費である給与費，設備関係費および支払利息の合計額の割合を示す指標
⑧ 常勤医師・看護師・職員1人当たり人件費	常勤医師・看護師・職員1人に対して支給される給与・賞与の平均額
⑨ 金利負担率	損益計算書の医業収益に対する支払利息の割合を示す指標
⑩ 資本費比率	損益計算書の医業収益に対する減価償却費と支払利息の合計額の割合を示す指標
⑪ 総資本医業利益率	貸借対照表の総資本に対する損益計算書の医業利益の割合を示す指標
⑫ 総資本回転率	貸借対照表の総資本に対する損益計算書の医業収益の割合を示す指標
⑬ 固定資産回転率	貸借対照表の固定資産に対する損益計算書の医業収益の割合を示す指標
⑭ 1床当たり医業収益	許可病床1床に対する損益計算書の医業収益の割合を示す指標

分母として計算しています。

例をあげると，許可を受けている病床は200床ですが現実に稼働できる病床は180床の場合，病床利用率の計算は「稼働（可能）病床数」を使った方が現実的な数値となる一方，看護基準等の関係から病棟を一部閉鎖しているといったケースでは，本来稼働すべき入院施設が稼働していないということになります。そのため，「機能性」の観点からは「許可病床数」を分母として計算する方が指標の目的に即していると考えられるのです。

このような場合には両方の病床数を分母にしてそれぞれの病床利用率を確認しながら，看護師を補充することにより，病床は確実に稼働するのか，またそれだけ地域に医療需要があるのかなどの要素を判断しつつ，どれほどのアイドル・コストが発生しているのかを認識することが大切です。

また，1年は通常365日あり最も長い月は31日，短い月は28日であり，3日の差があります。3日の差は3/31＝9.7％，約10％の稼働差となりますので，病床利用率が同じでも月によっては「在院延患者数」や「取扱延患者数」が大きく変わり，収益総額が変わってきます。「収益性」の観点から病床利用率を見る際には必ず収益総額も同時に確認するもしくは日数が同じ前年同月と比較を行うことも重要です。さらに外来については休日の関係で前年同月であっても診療日数が異なることがあります。土日に外来診療を行っていない病院の場合，1日はひと月の診療日数の約5％に当たることから，週末の回数が収益に与える影響は無視できず，経営分析の際には留意が必要です。

そして，「病床利用率」に関しては，どうしても理解しなければならないことがあります。「病床利用率」と「機能性」の指標である「平均在院日数」の関係です。2つの指標は，一般的に相反する性格を持っています。例えば，入院患者数が一定であれば「平均在院日数」の短縮は「病床利用率」の低下を招きます。平均在院日数の短縮が至上命題となっているわが国の医療では，この点に注意しないと往々にして病棟の稼働が失速し，思わぬ入院収益の減少に悩むことになります。

例えば，「病院経営管理指標」では医療法人が開設者となっている一般病院の「病床利用率」と「平均在院日数」は，平成17年度が74.6％と29.1日，令和2年度は75.8％と22.7日になっていました。これが仮に平均稼働病床数165床の病院であれば，計算値として平成17年度の新規入院患者受入数は1,544人，令和2年度の新規入院患者受入数は2,011人となります（表3-12）。つまり，令和2年度は平成17年度に比べて新規入院患者を467人，率にして30％以上多く受け入れたことになります。これは逆にいうと，令和2年度までの間にそれだけ多くの入院患者を獲得するように努力・改善した結果ともいえます。

仮にそのような努力を行わずに平成17年度の新規入院患者の受入数のまま平均在院日数だけを22.7日まで短縮した場合，病床利用率は58.2％と平成17年度の病床利用率74.6％から実に16％以上も落ち込む結果となり，当然大幅な入院収益の減少につながってしまいます。

DPC対象病院であれば，入院期間が延びれば診療報酬が低くなる報酬体系であるため平均在院日数の短縮は当然目指すべき目標となります。そして欧米に比べて2～4倍の長さとなっているわが国の平均在院日数は常に医療制度の課題であるため，DPC対

表3-12　医療法人が開設者となっている165床の一般病院の状況（例）

項　目	計算式	平成17年度	令和2年度	増　減
病床利用率	①	74.6%	75.8%	1.2%
平均在院日数	②	29.1日	22.7日	△6.4日
病床の年間回転数	③＝365日÷②	12.54回転	16.08回転	3.54回転
病床数	④	165床	165床	0床
入院患者受入数	⑤＝③×④×①	1,544人	2,011人	467人
延入院患者数	⑥＝⑤×②	44,928人	45,651人	723人
平均在院日数22.7日の場合の延入院患者数	⑦＝⑤×22.7日	35,047人	45,651人	10,604人
平均在院日数22.7日の場合の病床利用率	⑧＝⑦÷365日÷④	58.2%	75.8%	17.6%

象病院以外の病院であっても当然目指すべき目標となりますが，それと同時に入院患者受入数の増加も目指さなければなりません。病院経営において平均在院日数の短縮と入院患者受入数の増加は常に目指すべき目標であり，機能的で収益性が適切に確保された病院であり続けるためには2つの目標を同時に達成し続けることが必要なことなのです。

平均在院日数と病床利用率の関係は非常に重要ですので，もう少し見てみましょう。表3-13に平成17年度からの5年ごとと新型コロナウイルス感染症の流行前の平成30年度の「病院経営管理指標」において報告されている「機能性」の指標である「平均在院日数」と「収益性」の指標である「病床利用率」の推移を開設主体，病院種別ごとに併記しました。医療法人が開設主体となっている各種病院を比較すると，平均在院日数が長い方から精神科病院，療養型病院，ケアミックス病院，一般病院の順になっている状況は従来から変わっていないことがわかります。そして，平成30年度から令和2年度の変動を見てみると，医療法人が開設主体となっているケアミックス病院，療養型病院，精神科病院の平均在院日数は大幅に延びており，病床利用率は3〜5％程度の低下となっています。ここから，それらの病院では入院患者が少ない状況で病床利用率の維持のために退院患者も減少したことで平均在院日数が大幅に延びたと考えられます。

一方，一般病院の平均在院日数の変動は，医療法人が開設主体となっている一般病院は4％弱の短縮にとどまりますが，それ以外が開設主体となっている一般病院は20％〜30％と大幅に短縮しています。その中で厚生連が開設主体となっている一般病院のみ病床利用率を上昇させている，つまり平均在院日数を短縮しながらもそれ以上の入院患者の獲得により病床利用率を維持していることがわかります。自治体，日赤，済生会が開

表3-13　病院経営管理指標における「平均在院日数」と「病床利用率」の推移

開設主体	病院種別	項目	平成17年度	平成22年度	平成27年度	平成30年度	令和2年度
医療法人	一般病院	平均在院日数	29.1日	27.7日	22.4日	23.6日	22.7日
		病床利用率	74.6%	76.0%	75.7%	81.9%	75.8%
	ケアミックス病院	平均在院日数	97.9日	108.3日	100.6日	60.6日	109.9日
		病床利用率	87.2%	86.2%	84.3%	86.7%	83.4%
	療養型病院	平均在院日数	341.4日	344.4日	268.2日	113.1日	292.7日
		病床利用率	95.0%	92.0%	88.6%	91.1%	88.2%
	精神科病院	平均在院日数	536.1日	544.6日	383.4日	127.2日	506.2日
		病床利用率	94.3%	91.9%	90.2%	91.9%	86.6%
自治体	一般病院	平均在院日数	20.0日	30.4日	25.5日	20.9日	13.9日
		病床利用率	76.3%	71.6%	72.2%	75.4%	67.3%
日赤	一般病院	平均在院日数	17.7日	15.4日	12.9日	14.6日	11.7日
		病床利用率	80.5%	78.1%	79.7%	79.2%	73.2%
済生会	一般病院	平均在院日数	18.2日	19.4日	32.5日	21.9日	16.8日
		病床利用率	82.4%	78.7%	80.2%	82.5%	74.6%
厚生連	一般病院	平均在院日数	18.3日	17.7日	18.1日	19.9日	15.8日
		病床利用率	79.5%	79.5%	80.0%	77.0%	78.9%

設主体となっている一般病院も病床利用率の低下率が平均在院日数の低下率よりも低いことから，病床利用率を維持するのに十分とはいえませんが入院患者受入数は増加していると考えられます。これに対して，医療法人が開設主体となっている一般病院は，平均在院日数の減少率が3.8％であるにもかかわらず病床利用率の減少率がそれ以上の7.4％となっていることから，平均在院日数以外にも新規入院患者数の減少も病床利用率の減少に影響しているものと考えられます。

最後に「病床利用率」と似た指標である「病床稼働率」について説明したいと思います。「病床利用率」の分子は在院患者数を基本に計算するのに対して「病床稼働率」の分子は在院患者に退院患者を合計した人数を基本に計算します。診療報酬の計算では退院日も１日分の診療報酬が算定されますので，「病床稼働率」は診療報酬の計算方法と整合する指標であるとともに，「病床利用率」は，どんなに病床を効率的に使用したとしても100％が上限となりますが，「病床稼働率」は平均在院日数の短縮努力によって100％を超えてさらに増やすことができる指標であることから，平均在院日数が短く高稼働の病棟の病床管理において有用な指標となります。

②医業収益に対する利益率

「医業利益率」は，医業利益（または医業損失）を医業収益で割ることによって求められます（図3-3）。医業活動から生ずる収益と費用の差引金額である医業利益（または医業損失）が，医業収益に対してどの程度の比率で生じているかを明らかにする指標

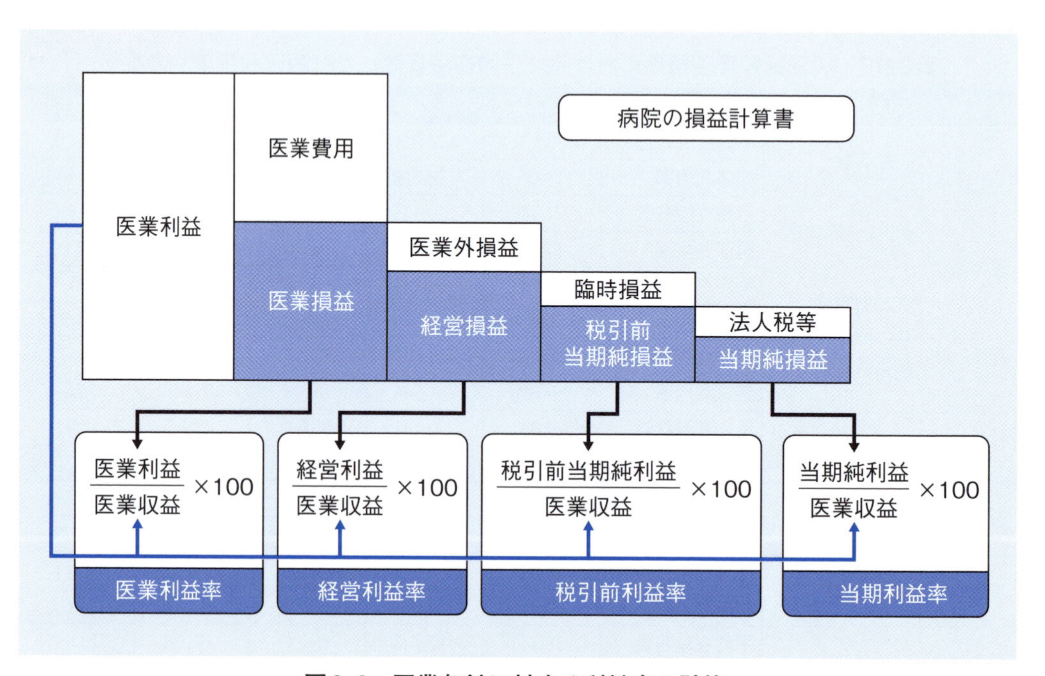

図3-3　医業収益に対する利益率の計算

です。赤字の場合は，収益<費用のため医業利益率はマイナスで表示されることになります。医業利益率は，その期間の病院の本来の医業活動の財務的な結果を表すため，大変重要な数値といえます。この段階で比率がマイナスになっているということは，医業外損益段階で計上されてくる借入金の利息を負担する前の段階で赤字ということですから，そうなった理由が一時的（設備投資の直後で減価償却費が大きいなど）でない場合には極めて重大な経営上の問題があることになります。

同じように，経常利益（または損失）の医業収益に対する比率を「経常利益率」，税引前当期純利益（または損失）の医業収益に対する比率を「税引前利益率」，当期純利益（または損失）の医業収益に対する比率を「純利益率」といいます。どれも損益計算書の各段階で算出される利益（または損失）を医業収益で割った指標です。

これらの比率は，損益計算書の段階計算と同じ意味を持っています。つまり，それぞれの段階でどのような比率が出ているのか，どのように変化しているのかを見ることによって経営の各段階における状態がわかります。その意味では，収益性分析の入り口の指標といえます。

平成17年度からの5年ごとと新型コロナウイルス感染症の流行前の平成30年度の「病院経営管理指標」において報告されている「医業利益率」と「経常利益率」，さらにその差額は，**表3-14**の通りです。新型コロナウイルス感染症の流行前の平成30年度までは医療法人が開設主体となっている病院はその種別にかかわらず「医業利益率」，「経常利益率」ともにプラスになっています。一方，自治体が開設主体となっている一般病院では，「医業利益率」，「経常利益率」ともにすべての年でマイナスになっており，日赤，済生会，厚生連が開設主体となっている一般病院の「医業利益率」は，平成22年度を除きマイナスになっています。平成22年度がプラスになっている要因には10年ぶりの診療報酬のプラス改定も影響しているでしょう。

次に，平成30年度から令和2年度の推移を見てみましょう。日赤と済生会が開設主体となっている一般病院の令和2年度の「医業利益率」はマイナスではありますが，平成30年度のそれに比べて1〜1.5%の改善が見られる一方，それ以外の病院は開設主体，病院種別にかかわらず「医業利益率」は悪化しています。その中でも医療法人が開設主体となっている一般病院は4.6%と大幅な悪化によりそれまでプラスで推移していた「医業利益率」がマイナスになり，自治体が開設主体となっている一般病院は9%以上悪化するなど厳しい状況であることがわかります。ただし，令和2年度の「経常利益率」は，すべての開設主体，病院種別でプラスになっており，「医業利益率」と「経常利益率」の「差引額」は済生会が開設主体となっている一般病院を除き記載されている5年の中で最も大きい割合になっています。例えば医療法人が開設主体となっている一般病院は，平成30年度までは基本的に1%以下であった差引額が4.1%になっており，自治体が開設主体となっている一般病院も，それまで6%から12%程度であった差引額が20%を超えた割合になっています。これは損益計算書における「医業外収益」が増加してい

表3-14　病院経営管理指標における「医業利益率」と「経常利益率」の推移

開設主体	病院種別	項目	平成17年度	平成22年度	平成27年度	平成30年度	令和2年度
医療法人	一般病院	医業利益率	2.9%	3.3%	0.6%	1.4%	－2.8%
		経営利益率	3.1%	3.7%	1.6%	2.0%	1.3%
		差引(医業外損益率)	0.2%	0.4%	1.0%	0.6%	4.1%
	ケアミックス病院	医業利益率	3.4%	4.4%	1.7%	1.4%	0.4%
		経営利益率	3.5%	4.6%	2.6%	2.4%	3.1%
		差引(医業外損益率)	0.1%	0.2%	0.9%	1.0%	2.7%
	療養型病院	医業利益率	6.5%	6.2%	2.7%	2.1%	2.0%
		経営利益率	6.8%	7.2%	3.4%	3.2%	3.8%
		差引(医業外損益率)	0.3%	1.0%	0.7%	1.1%	1.8%
	精神科病院	医業利益率	5.0%	4.2%	2.3%	2.2%	0.2%
		経営利益率	6.1%	5.2%	3.6%	3.8%	2.9%
		差引(医業外損益率)	1.1%	1.0%	1.3%	1.6%	2.7%
自治体	一般病院	医業利益率	－11.4%	－13.2%	－15.3%	－9.1%	－18.3%
		経営利益率	－4.7%	－1.2%	－2.7%	－1.0%	2.5%
		差引(医業外損益率)	6.7%	12.0%	12.6%	8.1%	20.8%
日赤	一般病院	医業利益率	－3.0%	1.4%	－1.8%	－3.9%	－2.4%
		経営利益率	－5.7%	2.0%	－0.8%	－1.8%	8.9%
		差引(医業外損益率)	－2.7%	0.6%	1.0%	2.1%	11.3%
済生会	一般病院	医業利益率	－0.2%	2.3%	－4.1%	－2.1%	－1.1%
		経営利益率	－1.2%	2.4%	－0.2%	0.0%	2.2%
		差引(医業外損益率)	－1.0%	0.1%	3.9%	2.1%	3.3%
厚生連	一般病院	医業利益率	－2.0%	2.3%	－2.4%	－1.7%	－4.7%
		経営利益率	－1.4%	4.1%	－0.6%	2.4%	4.4%
		差引(医業外損益率)	0.6%	1.8%	1.8%	4.1%	9.1%

ると考えられ，その内容は新型コロナウイルス感染症への対応のための補助金などの影響ということになるのでしょう。

新型コロナウイルス感染症が収束し，補助金の規模が縮小されていく中，医療は従来の状況に戻るのでしょうか。患者の診療行動も変化しているといわれていることから，従来の状況には戻らないことを前提として「医業利益率」，「経常利益率」をプラスにするための改革が必要になるかもしれません。

そして，ここでもう1つ「損益計算書」に直接計上されていない利益に関する指標を説明したいと思います。それは「償却前医業利益率」です。「償却前医業利益」とは，「減価償却費」を計上する前の医業利益という意味で，医業利益と減価償却費の合計を指し，「償却前医業利益率」の算式は以下の通りとなります。

$$\text{償却前医業利益率} = \frac{\text{医業利益}+\text{減価償却費}}{\text{医業収益}}$$

医業利益と減価償却費の合計は何を意味しているのでしょうか。「Ⅱ 病院における経営分析のための基礎知識」でキャッシュ・フロー計算書における「間接法」による「業務キャッシュ・フロー」の説明でも触れましたが，「業務活動によるキャッシュ・フロー」は利益に資金の流出を伴わない費用である減価償却費などと医業未収金や買掛金，たな卸資産など業務活動から生じる債権・債務などの増減額を調整して計算します。後者の業務活動から生じる債権・債務などの金額は一時的に大きく増減することはありますが，通常，長期的に見れば経営体の規模に応じて安定的に推移し，資金の増減に与える影響は限られると考えられるため，償却前医業利益は医業利益に基づいた簡易的な業務活動によるキャッシュ・フローということがいえます。したがって，「償却前医業利益率」はキャッシュ・フローで考えた場合の「医業利益率」，つまり本来の医業活動による資金ベースでの「収益性」の指標といえます。

また病院は，施設産業であるがゆえに一時的に多額の設備投資が発生し，その直後には減価償却費の増加に伴う医業利益の悪化を伴うことがあります。設備投資による減価償却費の影響を考慮しない「償却前医業利益率」は，「医業利益率」の変動が設備投資の影響であるかを見極めるうえで有用な指標であり，「医業利益率」を補完する指標になります。

平成17年度からの5年ごとと新型コロナウイルス感染症の流行前の平成30年度の「病院経営管理指標」において報告されている「医業利益率」と「償却前医業利益率」は表3-15の通りです。先ほど医療法人以外が開設主体になっている一般病院の「医業利益率」は基本的にマイナスになっていると述べましたが，実は，自治体が開設主体になっ

表3-15 病院経営管理指標における「医業利益率」と「償却前医業利益率」の推移

開設主体	病院種別	項目	平成17年度	平成22年度	平成27年度	平成30年度	令和2年度
医療法人	一般病院	医業利益率	2.9%	3.3%	0.6%	1.4%	－2.8%
		償却前医業利益率	6.7%	7.3%	5.4%	5.5%	1.9%
	ケアミックス病院	医業利益率	3.4%	4.4%	1.7%	1.4%	0.4%
		償却前医業利益率	7.6%	8.5%	5.8%	5.4%	4.7%
	療養型病院	医業利益率	6.5%	6.2%	2.7%	2.1%	2.0%
		償却前医業利益率	10.6%	10.1%	5.9%	5.5%	5.7%
	精神科病院	医業利益率	5.0%	4.2%	2.3%	2.2%	0.2%
		償却前医業利益率	9.3%	8.6%	6.5%	6.1%	4.3%
自治体	一般病院	医業利益率	－11.4%	－13.2%	－15.3%	－9.1%	－18.3%
		償却前医業利益率	－4.2%	－6.1%	－6.9%	－1.8%	－10.0%
日赤	一般病院	医業利益率	－3.0%	1.4%	－1.8%	－3.9%	－2.4%
		償却前医業利益率	3.0%	7.8%	5.2%	2.6%	4.3%
済生会	一般病院	医業利益率	－0.2%	2.3%	－4.1%	－2.1%	－1.1%
		償却前医業利益率	6.3%	8.1%	1.3%	4.0%	4.4%
厚生連	一般病院	医業利益率	－2.0%	2.3%	－2.4%	－1.7%	－4.7%
		償却前医業利益率	3.6%	7.8%	3.1%	3.6%	0.1%

ている一般病院を除いて「償却前医業利益」はすべての病院でプラスになっていることがわかります。これは，基本的に本来の医業活動だけで見ればお金が増えているという状況になります。

そして，「償却前医業利益率」に関するもう１つ大事な視点は，「医業利益率」との関係を見るということです。医療法人が設立主体となっている一般法人の平成27年度と平成30年度を見ると，「医業利益率」は0.6％から1.4％に0.8％の改善が見られますが，「償却前医業利益率」の改善は5.4％から5.5％の0.1％にとどまっています。これは，「医業利益率」の0.8％の改善のうち0.7％は減価償却費の減少が影響しているということであり，本来の医業活動における財務的改善は0.1％ということになります。

このように「医業利益率」の変動を確認する際には合わせて「償却前医業利益率」の変動も確認することで，より病院の実態を理解することができるようになりますので，損益計算書には直接表れませんが，「償却前医業利益」という考え方に慣れてください。

③各種医業費比率

各種医業費比率は，医業収益と医業費用の内訳科目との関係を明らかにする比率です。医業収益に対する材料費の割合を「材料費比率」，給与費の割合を「人件費比率」，委託費の割合を「委託費比率」，設備関係費の割合を「設備関係費比率」，経費の割合を「経費比率」といいます。「病院会計準則」では医業費用の内訳が材料費・給与費・委託費・設備関係費・研究研修費・経費・控除対象外消費税等負担額・本部費配賦額の8つに区分されていますが，研究研修費・控除対象外消費税等負担額・本部費配賦額はそれぞれ金額が一般的に小さいこと，他の経費等に付随して計上されるものであること，病院固有の費用ではないことから，分析の対象としないのが一般的です。

そして，「病院経営管理指標」では計上額が大きく金額的に重要な材料費はさらにその内訳となる医薬品の割合を「医薬品費比率」として，同じく給与費については，医師，看護師，その他職員と分けたうえで，さらに常勤・非常勤別に「常勤医師人件費比率」，「非常勤医師人件費比率」，「常勤看護師人件費比率」，「非常勤看護師人件費比率」，「常勤その他職員人件費比率」，「非常勤その他職員人件費比率」の6つに分けた指標を設定しています。そして，設備関係費のうち減価償却費は資金の流出を伴わない費用であることから，これも「減価償却費比率」として独立した指標となっています。このため，図3-4と図3-5に示したように「病院経営管理指標」で取り上げられている医業収益に対する医業費用の比率は13となります。

次に，それぞれの指標について説明を加えます。まずは，理解するうえで前提となる「変動費」と「固定費」という費用（原価）分類方法について解説します。

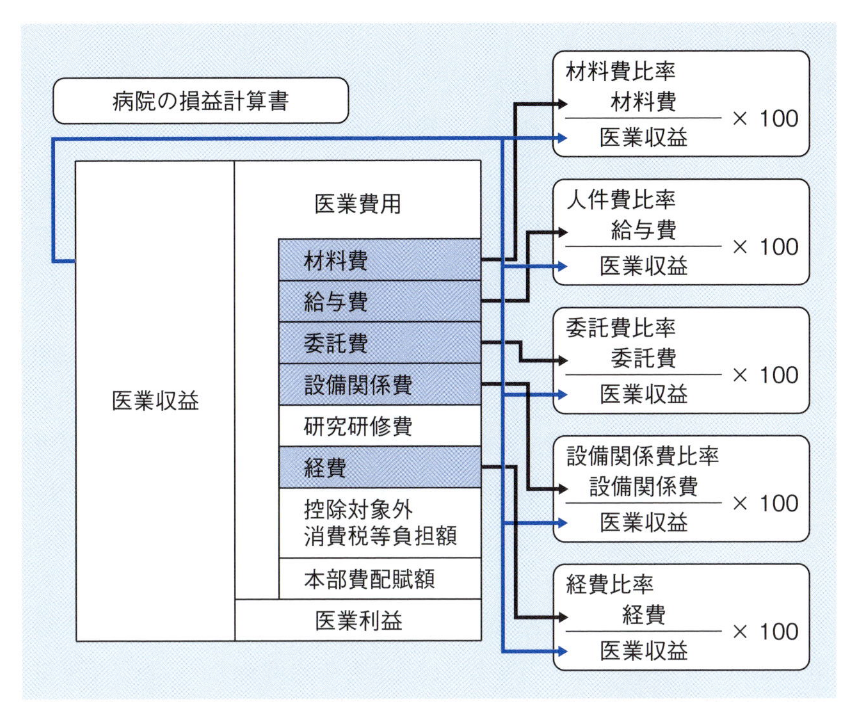

図3-4　医業収益に対する各医業費用の比率の計算①

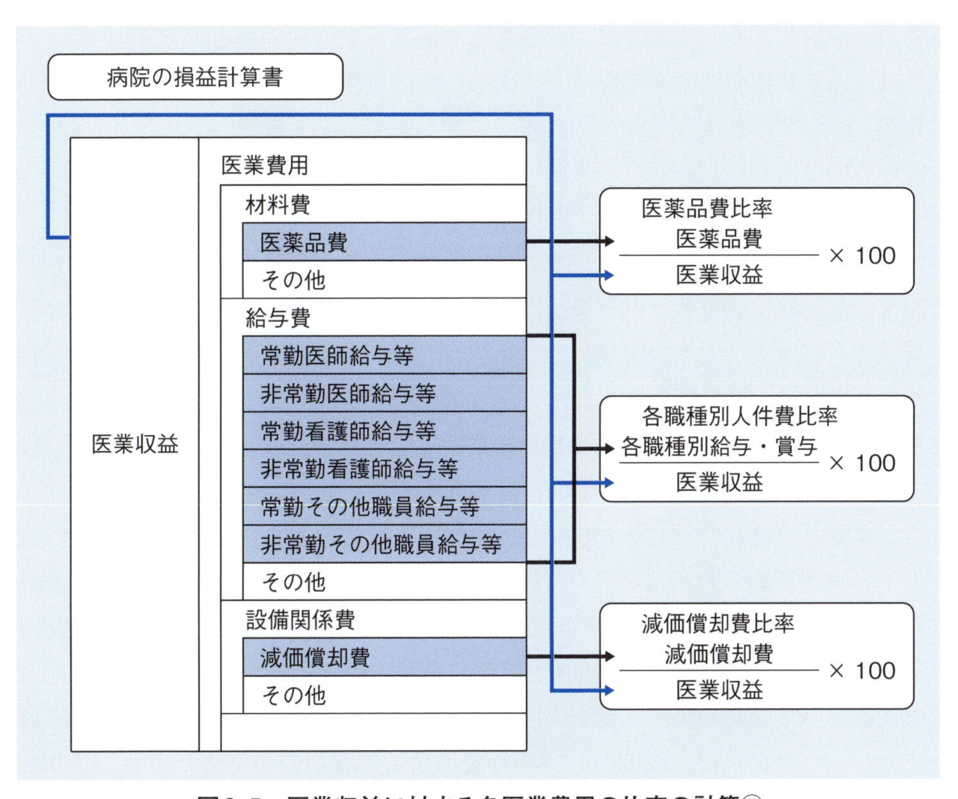

図3-5　医業収益に対する各医業費用の比率の計算②

ⅰ　変動費と固定費

病院経営における収益性分析を行ううえで，医業活動の結果得ることができた医業収益との対応関係において，それぞれの医業費用がどのように変化するかということを理解する必要があります。

固定費と変動費は操業度の変化に対応して費用（原価）がどのような動きをするかによって区分した分類法で，操業度の変化に対応して変動する費用（原価）を「変動費」といい，操業度の変化にかかわらず変動しない費用（原価）を「固定費」といいます。病院の場合，操業度とはその病院が保有している病床や受け入れ可能な外来患者に対する現実の稼働状態の比率をいいます。ごく簡単には，病床の利用状態や外来患者数の変化に連動して変動するのが変動費，変動しないのが固定費です。もっと，乱暴な言い方をすると，医業収益に連動して変動するのが変動費で，しないのが固定費，つまり患者が増えて医業収益が増加した時に一定割合で増加するのが変動費，増加しないのが固定費ということになります。

現実の費用（原価）は，それほど単純に変化するものではなく，変動費といっても操業度の変化に比例して変動するものもあれば必ずしも比例せずに，例えば逓減的に変動するものもあります。そして，固定費にしても，操業度の変動幅が大きくなると段階的に変動するもの（準固定費）もあります。このようなことから変動費と固定費を完全に分類することは困難ですが，変動費と固定費という概念は，医業収益との関係において医業費用を分析しようとする際に必要な見方であり，大変便利なものです。

例えば，ある費用が変動費であるか，あるいは固定費であるかによって予算値と実績値の比較についての評価も変わってきます。変動費の場合，医業収益の増加に伴って増加しているのであれば，それは一般的には異常な増加ではないと評価できますが，固定費が予算値を超えている場合，いくら医業収益が増加していても一義的には計画とは異なった状態になっていると判断し，その原因を追求することになります。

そして，変動費と固定費という概念は，自病院の現状における安全性の確認や将来の財務計画を作成するためにも有用です。収益と変動費および固定費の発生金額の関係を，ケース1として図3-6に表します。

左側の図において縦軸を金額，横軸を操業度とした場合，収益は操業度とともに増えていくため操業度0の時に0円となる右上がりの点線となり，このケース1において操業度AおよびBの時点でそれぞれ6億円，12億円になるとします。同様に変動費も操業度とともに増えていくため操業度0の時に0円となる右上がりの直線となり，操業度AおよびBの時点でそれぞれ4億円，8億円になるとします。変動費の角度が収益の角度を超えた場合，（変動費の直線の傾きが収益の直線の傾きよりも急になった場合）どんな操業度においても変動費が収益を上回り（いわゆる赤字になってしまう）組織は継続できません。したがって，原則として変動費の角度は収益の角度より小さくなります。一方，固定費は操業度によらずに一定ですので，このケースでは2億円で水平になって

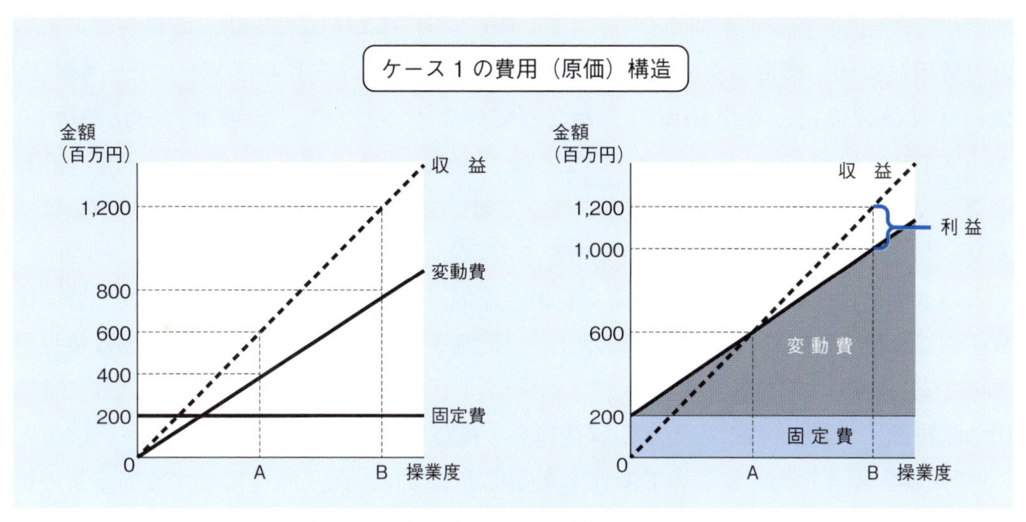

図3-6　収益と費用の関係（ケース1）

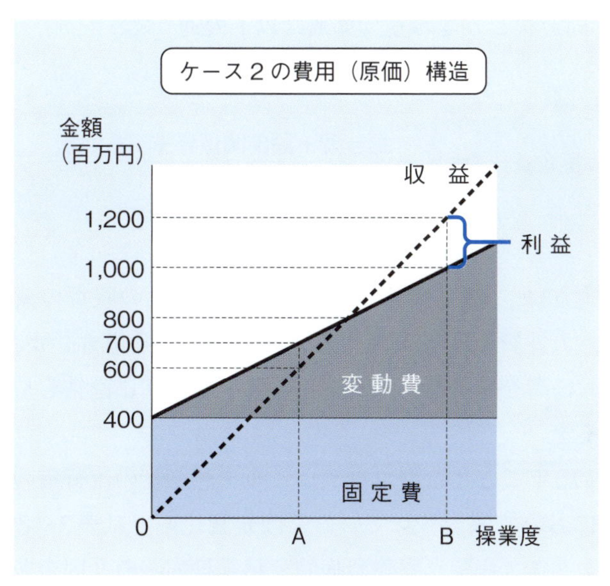

図3-7　収益と費用の関係（ケース2）

いることとします。

この変動費と固定費を合計したのが右側の図になります。固定費と変動費を合計した金額は，2億円から右上がりの直線で表した線となり，操業度Aで6億円（固定費2億円＋変動費4億円），操業度Bで10億円（固定費2億円＋変動費8億円）となります。そして収益との関係で利益を見ると，操業度0の利益は2億円のマイナス（収益0円－費用2億円），操業度Aの利益は0円（収益6億円－費用6億円），操業度Bの利益は2億円（収益12億円－費用10億円）となることがわかります。

次に費用（原価）の発生状況が異なるケース2を図3-7に示します。

ケース2では固定費が4億円とケース1よりも2億円多くかかる一方，変動費が抑えられた費用（原価）構造になっていますが，操業度Bにおける利益はケース1と同様に2億円（収益12億円－費用10億円）となっています。しかし，操業度Aを見た場合，ケース1では利益が0でしたがケース2ではマイナス1億円（収益6億円－費用7億円）となっています。そして，ケース2において利益を0とするには8億円の収益が必要であり，ケース1よりも2億円，収益を増やさないといけないことになります。

このように，操業度との関係による費用（原価）の動きによって変動費と固定費に区分することは，病院の収益性を考えたり将来計画を検討する際にもとても重要な視点ですので覚えておいてください。そして，ケース1での6億円の収益額，ケース2での8億円の収益額，つまり利益が0となる収益額を「損益分岐点売上」といいます。

「病院経営管理指標」において関連する指標としては，医業収益に対する固定費の比率である「固定費比率」があります。変動費と固定費の発生形態は各病院でさまざまですので，「病院経営管理指標」では代表的な固定費である「給与費」，「設備関係費」，「支払利息」のみを固定費としており，算式は以下の通りです。

$$\text{固定費比率} = \frac{\text{給与費}+\text{設備関係費}+\text{支払利息}}{\text{医業収益}}$$

上記のケースのように，「固定費比率」が高いほど少しの収益の減少が赤字につながりやすいことから，人件費が50%を超えるうえに一定の設備も必要とする病院事業は，固定費比率が一般的に高く操業度（稼働率）の低下が赤字に直結しやすいことを常に意識する必要があります。

平成17年度からの5年ごとと新型コロナウイルス感染症の流行前の平成30年度の「病院経営管理指標」において報告されている「固定費比率」は表3-16の通りです。一般病院に比べてケアミックス病院，療養型病院，精神科病院の「固定費比率」が高い傾向にあります。新型コロナウイルス感染症の流行前の平成30年度までは，自治体が開設

表3-16　病院経営管理指標における「固定費比率」の推移

開設主体	病院種別	平成17年度	平成22年度	平成27年度	平成30年度	令和2年度
医療法人	一般病院	59.6%	63.2%	61.9%	64.9%	67.6%
	ケアミックス病院	63.5%	66.6%	65.5%	69.9%	69.9%
	療養型病院	65.6%	68.2%	65.3%	69.1%	69.2%
	精神科病院	68.4%	71.0%	66.6%	70.9%	71.5%
自治体	一般病院	72.2%	74.0%	74.6%	72.0%	73.8%
日赤	一般病院	62.5%	61.8%	63.6%	66.0%	61.6%
済生会	一般病院	55.8%	58.9%	62.1%	63.3%	61.8%
厚生連	一般病院	60.1%	59.6%	61.6%	62.1%	65.2%

主体となっている一般病院を除いて上昇傾向にあることがわかります。つまり，収益の減少がより赤字につながりやすい財務体質になってきているということです。そして，平成30年度から令和2年度にかけて，医療法人が開設主体となっている各種病院と自治体および厚生連が開設主体となっている一般病院は継続して上昇していますが，日赤および済生会が開設主体となっている一般病院では減少していることがわかります。

ここで，医療法人，自治体，日赤，済生会が開設主体となっている一般病院について，「固定費比率」を構成している給与費，設備関係費，支払利息の各比率を見てみましょう（表3-17）

平成17年度から平成30年度にかけて，すべての開設主体において人件費比率が2.1％から8.7％の幅があるものの上昇しており，金利負担率は0.3％から2.0％の間で低下していることがわかります。また，自治体以外が開設主体となっている一般病院の設備関係費比率が1.4％から2.1％の間で上昇しているのに対して，自治体が開設主体となっている一般病院だけが設備関係費比率を0.6％減少させており，これが，自治体が開設主体となっている一般病院だけが固定費比率を減少させている要因であることがわかります。

次に，平成30年度から令和2年度の推移を見てみましょう。医療法人と自治体が開設主体となっている一般病院の「固定費比率」はそれぞれ2.7％，1.8％上昇しており，人件費比率などの項目ごとの比率も上昇もしくは横ばいになっています。一方で，「固定費比率」が減少している日赤と済生会が開設主体となっている一般病院は，「人件費比率」がそれぞれ4.9％，3.6％減少しており，これが「固定費比率」が減少している主な

表3-17　病院経営管理指標における開設主体別の一般病院における「固定費比率」とそれを構成する費用の比率の推移

開設主体	病院種別		平成17年度	平成22年度	平成27年度	平成30年度	平成17年度比	令和2年度	平成30年度
医療法人	一般病院	人件費比率	52.0%	54.3%	53.3%	56.7%	4.7%	58.2%	1.5%
		設備関係費比率	6.4%	8.1%	8.1%	8.1%	1.7%	9.5%	1.4%
		金利負担率	1.2%	0.9%	0.7%	0.5%	－0.7%	0.5%	0.0%
		固定費比率	59.6%	63.2%	61.9%	64.9%	5.3%	67.6%	2.7%
自治体	一般病院	人件費比率	59.2%	62.4%	63.1%	61.3%	2.1%	63.1%	1.8%
		設備関係費比率	10.1%	9.5%	9.9%	9.5%	－0.6%	10.7%	1.2%
		金利負担率	2.9%	2.1%	1.4%	0.9%	－2.0%	0.9%	0.0%
		固定費比率	72.2%	74.0%	74.6%	72.0%	－0.2%	73.8%	1.8%
日赤	一般病院	人件費比率	53.6%	51.7%	53.5%	56.2%	2.6%	51.3%	－4.9%
		設備関係費比率	8.4%	9.6%	10.0%	9.8%	1.4%	10.3%	0.5%
		金利負担率	0.5%	0.5%	0.2%	0.2%	－0.3%	0.1%	－0.1%
		固定費比率	62.5%	61.8%	63.6%	66.0%	3.5%	61.6%	－4.4%
済生会	一般病院	人件費比率	48.4%	51.0%	54.5%	57.1%	8.7%	53.5%	－3.6%
		設備関係費比率	6.4%	7.1%	7.5%	8.5%	2.1%	8.4%	－0.1%
		金利負担率	1.0%	0.7%	0.2%	0.4%	－0.6%	0.3%	－0.1%
		固定費比率	55.8%	58.9%	62.1%	63.3%	7.5%	61.8%	－1.5%

※指標の算定方法によって人件費比率と設備関係費比率と金利負担率の合計は固定費比率に必ずしも一致していません

要因であることがわかります。

ⅱ　材料費比率

「材料費比率」は，医業収益に対する材料費の比率です。「病院会計準則」では材料費を医薬品費・診療材料費・医療消耗器具備品費・給食用材料費に分類しています。材料費は，主に医業活動に対応して変動する変動費ですから投入と産出の関連が取れる性格を持っています。

医業収益を診療行為別に見ると，「基本診察料，検査，画像診断，投薬，注射，リハビリテーション，手術，麻酔など」に分けられます。診療行為別の医業収益に計上されている投薬料や注射料の中には，医薬品費に対応する収益が含まれています。また，保険診療のもとでは，薬は薬価基準によって請求できる金額が定められているため医業収益と薬品費の対応関係が存在していることからも，「材料費比率」のほかに「医薬品費比率」も個別に見る必要があります。

内部の経営管理の観点からは，毎月の医業収益の変動に比例して材料費が変動しているかどうかは重要なポイントとなります。もし，医業収益の動きと材料費の動きが連動していないようであれば医業収益の内訳である入院収益と外来収益に分解してその対応関係を確認したり，診療行為別収益内訳と比較したりすることになります。診療報酬や薬価の改定，入院・外来比重の変化，診療内容や方針の変化，中心となる医師の変更などが医業収益と材料費の対応関係を変動させますが，そのことをタイムリーに認識することが必要です。また，給食材料費は，在院患者延数によって給食数の概要を把握することができるため，給食材料単価の比較を行うことは比較的簡単であり，抗がん薬などの高額の医薬品やカテーテル，人工骨頭といった高価な材料に関しても個別に投入・産出のチェックが可能です。多くの病院では「継続記録による材料の受払」による管理がいまだに不十分のようであり，このような管理の視点は非常に重要といえます。

平成17年度からの5年ごとと新型コロナウイルス感染症の流行前の平成30年度の「病院経営管理指標」において報告されている「材料費比率」は表3-18の通りです。

先ほどの「固定費比率」と異なり，一般病院に比べてケアミックス病院，療養型病院，

表3-18　病院経営管理指標における「材料費比率」の推移

開設主体	病院種別	平成17年度	平成22年度	平成27年度	平成30年度	令和2年度
医療法人	一般病院	21.1%	18.9%	18.6%	17.8%	18.3%
	ケアミックス病院	17.1%	14.3%	13.2%	12.7%	12.1%
	療養型病院	11.0%	10.2%	9.9%	9.2%	9.4%
	精神科病院	11.9%	11.0%	10.7%	9.2%	9.6%
自治体	一般病院	27.0%	23.4%	23.9%	22.1%	25.6%
日赤	一般病院	29.1%	25.9%	27.2%	26.2%	29.7%
済生会	一般病院	29.8%	25.2%	27.8%	22.4%	25.0%
厚生連	一般病院	30.6%	26.6%	28.5%	26.0%	26.4%

精神科病院の「材料費比率」は低い傾向にあります。また，新型コロナウイルス感染症の流行前の平成30年度までは，いずれの病院においても減少傾向にあることがわかります。

次に，平成30年度から令和2年度の推移を見てみましょう。一般病院については開設主体にかかわらず「材料費比率」が上昇していますが，「機能性」指標における「患者1人1日当たり入院収益（室料差額除く）」と「外来患者1人1日当たり外来収益」で見たように，平成30年度から令和2年度にかけて，一般病院における診療単価の増加率が比較的大きく，例えば自治体が開設主体となっている一般病院では入院単価と外来単価がそれぞれ43.8%と49.8%，日赤が開設主体となっている一般病院では21.4%と32.8%の増加となっていることから，「材料費比率」のぞれぞれの増加は3.5%となっていますが，1人の患者の治療に使用する材料の購入額の増加率は，それ以上の増加になっているのではないでしょうか。

iii 人件費比率

「人件費比率」は，医業収益に対する給与費の比率です。給与費には従業者に直接支払われる給与・賞与のほかに法定福利費も含まれ，退職時の退職金や退職後の年金のための掛金，見積費用計上額などの退職給付費用も含まれます。法定福利費とは，事業主が負担する厚生年金保険料・健康保険料・労働保険料などです。

従来から給与費は典型的な固定費の一例として説明されてきましたが，企業経営の世界では雇用形態のパート・シフトや人材派遣の活用などによって「人件費の変動費化」が進んでおり，「非正規社員」という言葉も定着して社会問題にもなっています。これに対して，医療の世界では医師や看護師等に対する法律上の人員充足要件などもあり固定費としての性格がいまだに強いようです。

平成17年度からの5年ごとと新型コロナウイルス感染症の流行前の平成30年度の「病院経営管理指標」において報告されている「人件費比率」は表3-19の通りです。「人件費比率」は先ほどの「固定費比率」の8割以上を占める指標ですので，その傾向は「固定費比率」と同様となります。

人件費比率は，すべての費用の中で最も大きな費用項目で従来は50%というライン

表3-19 病院経営管理指標における「人件費比率」の推移

開設主体	病院種別		平成17年度	平成22年度	平成27年度	平成30年度	令和2年度
医療法人	一般病院	人件費比率	52.0%	54.3%	53.3%	56.7%	58.2%
	ケアミックス病院	人件費比率	55.5%	57.7%	57.0%	60.9%	61.4%
	療養型病院	人件費比率	57.5%	59.8%	57.1%	61.0%	61.1%
	精神科病院	人件費比率	60.6%	63.4%	59.0%	62.8%	63.5%
自治体	一般病院	人件費比率	59.2%	62.4%	63.1%	61.3%	63.1%
日赤	一般病院	人件費比率	53.6%	51.7%	53.5%	56.2%	51.3%
済生会	一般病院	人件費比率	48.4%	51.0%	54.5%	57.1%	53.5%
厚生連	一般病院	人件費比率	50.7%	50.2%	52.1%	51.4%	56.4%

を中心に分布していましたが，現在は50％を超えたところで推移し，さらに今後の医師の働き方改革への対応やわが国全体における賃金引き上げの方向性の中で，ますます増加していく費用項目と考えられます。また，固定費としての性格が強いので短期的に変動させられる範囲は限定的であることから，最もきちんと管理すべき費用項目といえます。そこで，「病院経営管理指標」においては，給与費に関してはさらに詳細な指標を設けています。

［人件費比率についての詳細指標］

○各職種別人件費比率

病院では医師，看護師，薬剤師などさまざまな専門家のほか，事務部門などの一般職員などもおり，それぞれに給与体系が異なっている場合が多いため，ひとくくりに給与費を考えるだけではなく職種別に給与費を見ていくことが有用と考えられます。このことから，「病院経営管理指標」では，医師，看護師，その他職員と分けたうえで，さらに常勤・非常勤別に「常勤医師人件費比率」，「非常勤医師人件費比率」，「常勤看護師人件費比率」，「非常勤看護師人件費比率」，「常勤その他職員人件費比率」，「非常勤その他職員人件費比率」の6つの指標を計算しています。「病院会計準則」における給与費は，給料・賞与・賞与引当金繰入額・退職給付費用・法定福利費の5つの区分ですが，これら職種別人件費比率を計算するためには，さらに，給与と賞与について職種別・常勤非常勤別の記録が必要となります。

$$\text{常勤(非常勤)医師・看護師・その他職員人件費比率} = \frac{\text{各職種別・常勤非常勤別給与・賞与}}{\text{医業収益}}$$

○職員1人当たり給与に関する指標

人件費比率が50％を超える病院経営では，職員1人当たり給与を見てみることはそれだけで意味のあることです。そのため，「病院経営管理指標」にも，以下の3つの指標が計算されています。

$$\text{常勤医師1人当たり人件費} = \frac{\text{常勤医師給与・賞与}}{\text{常勤医師数}}$$

$$\text{常勤看護師1人当たり人件費} = \frac{\text{看護師給与・賞与}}{\text{常勤看護師数＋非常勤(常勤換算)看護師数}}$$

$$\text{職員1人当たり人件費} = \frac{\text{給与費}}{\text{常勤職員数＋非常勤(常勤換算)職員数}}$$

1人当たり人件費の評価は支給される給与に直接関係があり，慎重に行う必要があります。この指標はあくまでも粗い目安の1つと考えてください。1人当たり人件費は，給与費における「価格要素」であり，採算性を考えると低いに越したことがないように思われますが，従業者の「質」と「給与」の関係も大切です。また，過去からの病院の歴史なども現在の従業者の体制を作り上げる要素であるとともに，地域性や病院の医療機能も給与に大きく影響することを理解しなければなりません。看護師等の資格者が不足している地域では相対的に1人当たり給与費は高くなりますし，歴史が古い病院では従業者の平均年齢も高めなので同じ結果が出ます。公立病院における人件費比率の高さは，離職率の低さからきていることも事実です。

歴史の長い公立病院と開設から10年未満の民間病院の1人当たり人件費を比較した場合，その結果によって単純に病院の採算性を評価することはできず，それぞれの病院の背景などを理解したうえで評価する必要があることに留意してください。

○職員1人当たり医業収益

「職員1人当たり医業収益」は大雑把に従業者の効率を見る目安です。平成30年度の「病院経営管理指標」までは「収益性」の指標の1つでしたが，令和1年度からは指標として取り上げられていません。平成30年度までの指標における算式は以下の通りです。

$$\text{職員1人当たり医業収益} = \frac{\text{医業収益}}{\text{常勤職員数＋非常勤（常勤換算）職員数}}$$

原則として，給与は医業収益を財源として支払われるため，平均して病院の従業者が年間どれほどの医業収益を上げているかは1つの判断資料となります。

○3つの指標の関係

次に，「人件費比率」，「職員1人当たり人件費」および「職員1人当たり医業収益」の3つの指標の関係を見たいと思います。

$$\text{人件費比率} = \text{給与費} \div \text{医業収益}$$

上記の人件費比率の算式の右辺の給与費と医業収益を職員数で割ると，以下の通り，人件費比率は，職員1人当たり人件費と職員1人当たり医業収益に分解できます。したがって，人件費比率の変動は2つの要因に分解して分析することで，より詳細な分析に

経営管理はコスト意識から

病院の（経営）理念は，「良質な医療を適切に提供する」ことに尽きますが，だからこそ時として「無駄」が生ずるとともに「無駄」の認知によって「ムラ」や「無理」が許容される傾向があります。このため，「認識され許容されるべき無駄」と「明確に認識されていない，垂れ流しの意味のない無駄」が区別されずに経営上のコストとなり，不適切・不経済な病院経営を続ける可能性があります。また，病院は診療所と違い多数の従事者が組織として機能している医療提供主体であるため，「残念ながら自然には個々の努力が全体の成果に適切に反映されない」という経営における「合成の誤謬」，組織における基本的な問題が常に発生します。そして医療従事者の多くが高度の技術を修得した専門家であることは医療の質を確保するためには必要なことである一方，組織を一元的に管理し指揮命令系統を単純化することにより経営を効率化することを困難にします。その意味からは，一般企業よりも病院組織における経営管理は難しいといえるかもしれません。

しかし，自らの経営を再評価し，これからの時代に適合した病院経営に向かって変化するとともに，今ある経営上の「無駄」を排除することが個々の経営体に課せられた責任です。

必要のない「無駄」を排除するには，医療従事者を含めた内部の職員による主体的な関わりが欠かせません。そのためには経営情報が十分に掌握・管理され，分析評価のうえ医療従事者等に伝達されなければなりません。

内部の医療従事者等に対して病院の経営情報を適切かつ正確に伝達するためには，伝達する側すなわち「事務管理部門」の技術力が必要となります。医療技術と同様，「経営情報の収集，管理，分析，評価，伝達」を的確に行うためには「理念だけではなく技術力が不可欠」です。

看護現場においてよく使われる組織管理の標語に「ほう・れん・そう（報告・連絡・相談）」という言葉がありますが，一番組織的運営が可能なはずの事務管理部門において有効な組織構築が行われているでしょうか。このことがなし得なければ「病院の経営管理」を有効に行うことはできません。なぜなら，病院経営の中で経済性を認識していくためには下記の流れが必要だからです。

事務管理部門において，経営管理に対する「意識と知識（スキル）と経験」を十分に習得することが，今の時代の中で求められています。

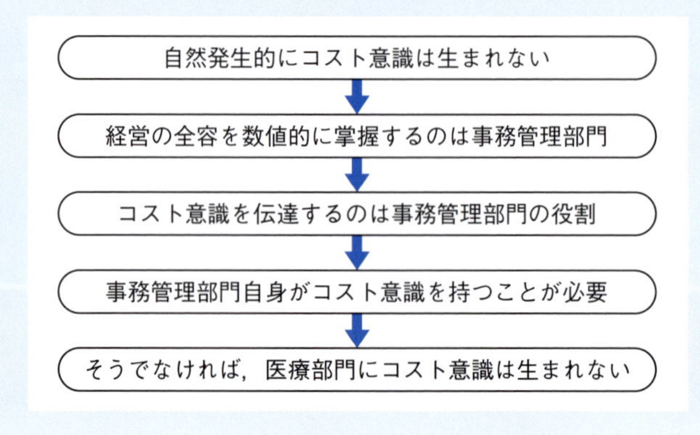

つなげることができます。

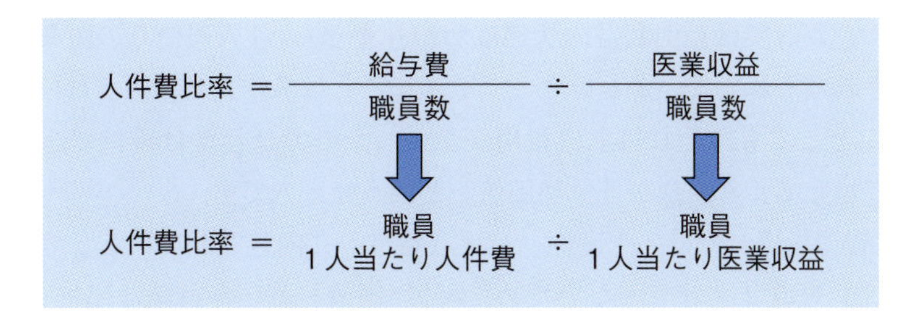

さらに，職員1人当たり医業収益の分子である「医業収益」を「患者数」と「診療単価」に分解すると，「機能性」の指標である「職員1人当たり入院（外来）患者数」と「診療単価」に分解することも可能です。このように指標を分解して考えることで，指標の変化について詳細な分析が可能となるのです。

ここで，先ほどの「人件費比率」の推移のうち，医療法人が開設主体となっている療養型病院と精神科病院の平成22年度から平成27年度の「人件費比率」の変動の中身を見てみたいと思います。表3-20に平成22年度と平成27年度の「職員1人当たり医業収益」，「職員1人当たり人件費」，「人件費比率」を記載しました。そして，本来「職員1人当たり人件費」を「職員1人当たり医業収益」で除した数値が「人件費比率」になりますが，指標の算出方法の特徴から必ずしも整合しませんので，「職員1人当たり人件費」を「職員1人当たり医業収益」で除した数値も「人件費比率（計算値）」として記載しました。

このような分解により，同じく「人件費比率」が低下している療養型病院と精神科病院ですが，療養型病院は「職員1人当たり人件費」が減ることで「人件費比率」が低下しているのに対し，精神科病院では「職員1人当たり人件費」を増やしながら，「職員1人当たり医業収益」をそれ以上に増やすことで「人件費比率」が低下していることがわかります。

表3-20　「人件費比率」の分解

開設主体	病院種別	項目	平成22年度	平成27年度	増減
医療法人	療養型病院	職員1人当たり医業収益	9,395千円	9,111千円	△284千円
		職員1人当たり人件費	5,558千円	5,322千円	△236千円
		人件費比率	59.8%	57.1%	－2.7%
		人件費比率（計算値）	59.2%	58.4%	0.8%
	精神科病院	職員1人当たり医業収益	8,639千円	8,999千円	360千円
		職員1人当たり人件費	5,412千円	5,455千円	43千円
		人件費比率	63.4%	59.0%	－4.4%
		人件費比率（計算値）	62.6%	60.6%	－2.0%

[労働生産性と労働分配率]

「職員1人当たり医業収益」によって確かに従業者の効率がわかります。しかし，医業収益（売上）だけでは差引利益の状態はわかりません。1人当たりの医業収益をたくさん獲得できればそれでよいかというと，そんなことはありません。どれほど多くの収益を実現したとしても，それ以上に費用がかかったのでは経営は維持できないからです。そこで登場してくる概念が「付加価値」という考え方です。

「病院経営管理指標」では「生産性」は「収益性」に内包されていると考え，あらためて「生産性」を取り上げていないため，「付加価値」という言葉は出てきませんが，ここでは，「付加価値」という概念と一般的な経営分析における「生産性」の代表的な指標である「労働生産性」と「労働分配率」について簡単に紹介したいと思います。「付加価値」については京セラの創始者である故稲盛和夫氏が創り出した経営管理手法である「アメーバ経営」の中に取り入れており，さらに「アメーバ経営」では「付加価値」を労働時間で割った「時間当たり採算」を上げることを1つの目標としています。

付加価値とは，売上高ないし生産高から前段階において他企業の手によって作られた価値部分を控除した数値をいいます。つまり，経営体それ自身が新たに加えた価値が付加価値です。付加価値額計算にはいろいろな計算方法がありますが，一般的にこの計算の結果残る項目（付加価値を構成する項目）は，①純利益，②支払利息，③減価償却費・地代・家賃・租税公課，④人件費となります。「病院経営管理指標」が導入される前の平成15年までの「病院経営指標（医療法人病院の決算分析）」では，その算式を単純化して付加価値＝医業収益－（材料費＋経費＋委託費＋減価償却費＋その他の費用）とみなして計算しています（図3-8）。減価償却費については付加価値に含める考え方と含めない考え方があり，「病院経営指標（医療法人病院の決算分析）」では医業収益から控除していることから，減価償却費を付加価値には含めない考え方であったようです。

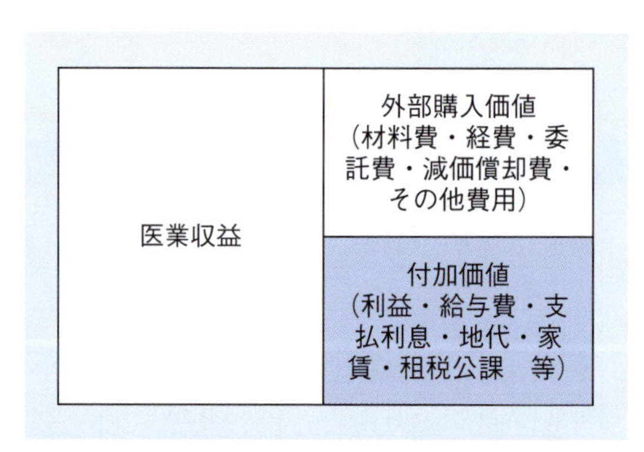

図3-8　「病院経営指標（医療法人病院の決算分析）」付加価値のイメージ

そして，従業者1人当たりの付加価値を出したものを「労働生産性」といい，給与費が付加価値の何割を占めているかを「労働分配率」といいます。

2つの指標の計算式は，以下の通りです。

$$\text{労働生産性} = \frac{\text{付加価値}}{\text{職員数}}$$

$$\text{労働分配率} = \frac{\text{給与費}}{\text{付加価値}}$$

労働生産性を見ることにより，人的資源の側面から見た経営の効率性が判断できます。また，労働分配率を見ることにより，経営体が作り出した経済的な価値のうちどの程度が人件費に使われているのかがわかります。

そしてこの2つの指標は，「職員1人当たり人件費」を付加価値によって分解した指標でもあることから，「職員1人当たり人件費」の詳細な分析のために活用できます。

$$\text{職員1人当たり人件費} = \frac{\text{給与費}}{\text{職員数}} = \frac{\text{給与費}}{\text{付加価値}} \times \frac{\text{付加価値}}{\text{職員数}}$$

iv　委託費比率

「委託費比率」は，医業収益に対する委託費の比率です。委託費とは，外部に委託した業務の対価としての費用であり，病院が行っているさまざまな業務のうちどの程度を外部委託しているかを見る指標です。一般の企業ほどではありませんが，病院でも最近法律上の問題がない範囲で業務を委託する傾向が顕著となっています。

それでは，病院が委託する業務にはどのようなものがあるのでしょうか。一般的には，検体検査業務委託・給食業務委託・寝具委託・医事業務委託・清掃業務委託・各種器械保守委託などです。給食業務の委託や高額医療器械の保守業務の委託には，給食用材料やCTなどの管球取替費用まで含まれているものがあるため，費用の総額を委託費で処理しているかどうかによってもその比率が大きく変動することになります。

例えば，ある病院で病院内の物流について医薬品等の卸業者の機能も含めて一括して委託した結果，医薬品等の購入額も含めて委託業者から請求され，それらを一括して「委託費」として処理したところ，それまで30%であった材料費比率が2～3%まで減少したということがありました。これは極端な例かもしれませんが，給食などについては同様のことが常に起こりえますので，それを考慮した分析が必要となるのです。

国立病院機構に見る利益率と人件費率などの関係

独立行政法人国立病院機構は，国立病院・療養所として整理されてきた病院群を平成16年に1つの法人に統合して設立した法人であり，設立当初から法人全体の決算書とは別に約150の個々の病院ごとの貸借対照表，損益計算書およびキャッシュ・フロー計算書を開示しています。そして，各病院では診療業務以外にも教育研修業務や臨床研究業務を行っていますが，損益計算書においてそれら3つの業務ごとに収益と費用の額が集計されています。

そこで，診療業務として計上されている収益（運営費交付金収益等を含む）と各種費用に基づいて設立初年度の平成16年度と10年経過後の平成25年度の各病院の診療業務収益に対する人件費比率と材料費比率および診療業務収益を診療業務利益率との関係で比較したグラフを作成しました（図A～C）。ここでは，各年度の診療業務利益率の低い病院を左から順番に並べています。

そして，ここで計算している診療業務収益に対する人件費比率と材料費比率の平均値は，「病院経営管理指標」における計算方法と同様に，規模の大きい病院の影響を抑えるため各病院の指標を算出したうえで，その指標の平均値（指標の合計値／病院数）を用いていることから，法人全体の合計値により直接計算したそれぞれの比率とは異なった数値となっています。このような計算方法の違いによって平均値に違いが生じるということも，外部の統計資料を使用する際には理解する必要があります。

これらの結果から，人件費比率は，いずれの年も多くの病院は40～70%の間に位置しており，その平均値は平成16年度59.3%，平成25年度54.6%となっているというのが全体像です。ただし，これを利益との関係で見ると70%程度の人件費比率でも黒字の

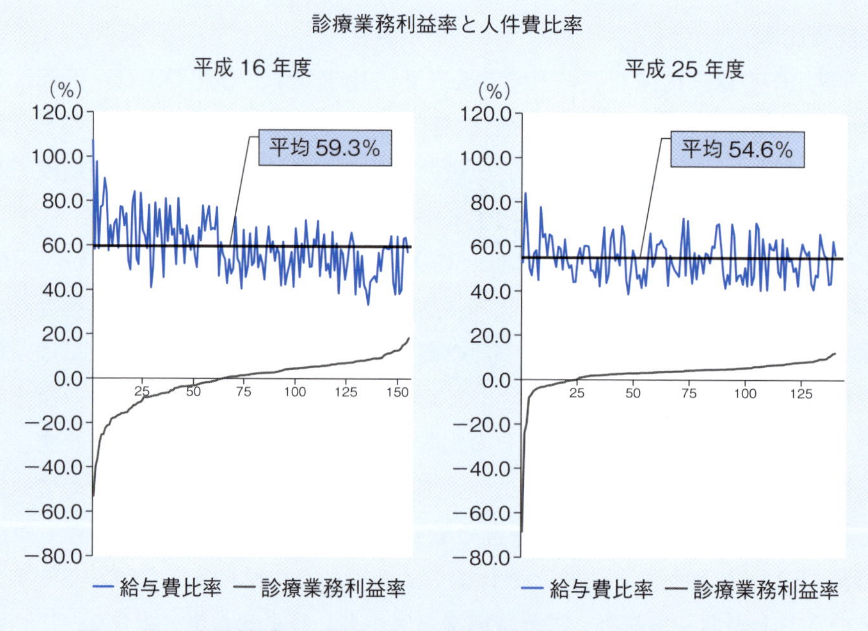

図A　国立病院機構の病院別の診療業務利益率と人件費比率の関係

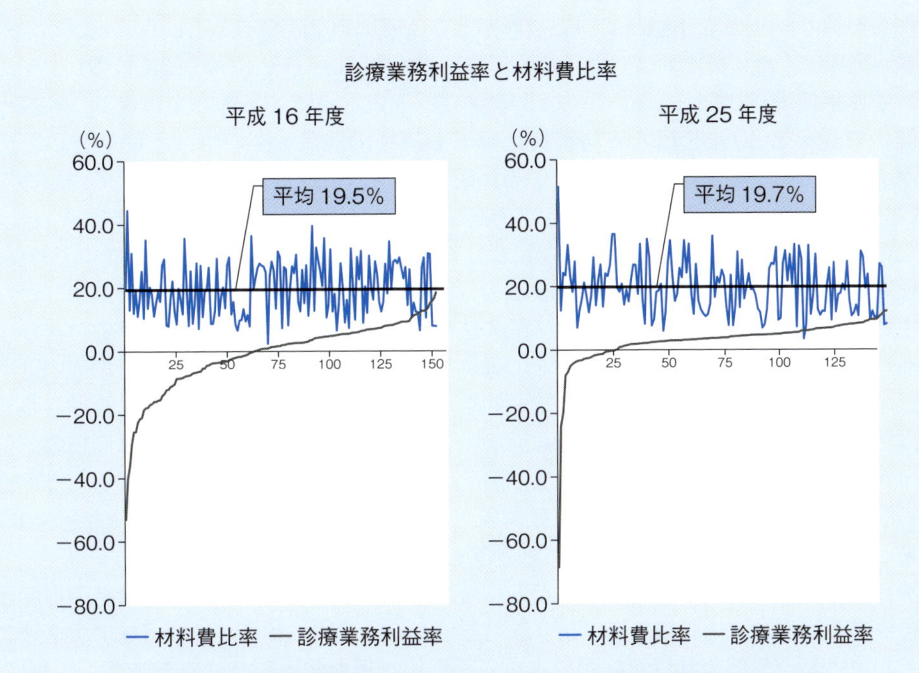

図B　国立病院機構の病院別の診療業務利益率と診療業務収益の関係

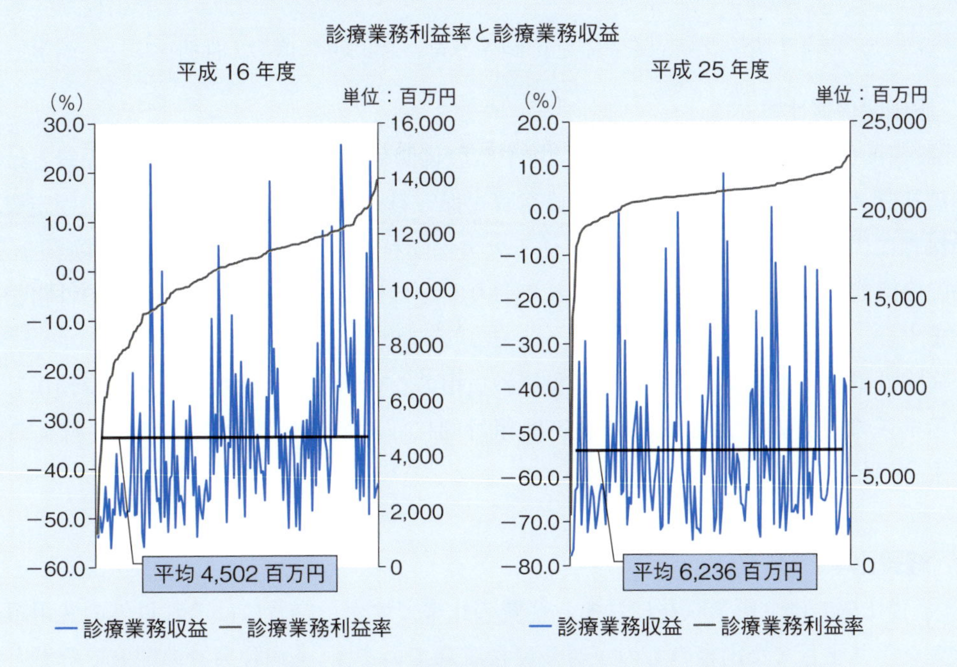

※診療業務収益の平均値は，単純に各病院の損益計算書に計上されている収益の合計額を病院数で除して計算している（法人内部の調整額などを考慮していない）

図C　国立病院機構の病院別の診療業務利益率と材料費比率の関係

病院もあれば，50％を下回っていても赤字となっている病院があるということがわかります。同様に，材料費比率は，いずれの年も多くの病院は10～30％の間に位置し，その平均値は平成16年度19.5％，平成25年度19.7％となっているのが全体像で，利益との関係で見ると30％を超える材料費比率でも黒字の病院もあれば，その半分以下の15％を下回っていても赤字となっている病院があることがわかります。そして，診療業務収益の多寡にかかわらず，黒字と赤字の病院が存在していることもわかります。

このように，黒字病院か赤字病院かにかかわらず各医業費用の比率はさまざまであり，規模もさまざまです。この違いは先ほどの外部委託の利用状況や医薬分業の違いなどから生じるもの以外にも，それぞれの病院の規模や機能，地域性，さらには歴史などから来る特徴のほか，診療方針や経営手法の違いから生じているものもあり，その違いは財務数値などに明確に現れるのです。統一的な診療報酬体系によって画一的に管理される傾向を持つ病院経営では，他病院の経営データや適正な統計資料との比較は自らの“位置”を知るうえで大変重要なことですが，そのためには自病院の特徴を理解したうえで他病院との比較を行わない限り，比較対象と自病院の差について適切な評価が行えず，結果として自病院の“位置”を的確に把握することはできません。

実務の中ではよく，材料費比率はどの程度が妥当であるか，人件費比率はどの程度が妥当であるかといった質問を受けます。もちろん，一般的に超えてはならない水準はあるでしょうし，外部統計資料などによって平均値を把握することはできます。しかし，まずは，自病院の全体的な経営状況もしくは経営指標や経営方針などを把握したうえで，自病院における妥当な水準についても意識する必要があります。

v　設備関係費比率

「設備関係費比率」は，医業収益に対する設備関係費の比率です。設備関係費とは減価償却費・機器賃借料・地代家賃・修繕費・保守料のほか，固定資産税などの固定資産の保有に係る租税公課，施設設備に係る火災保険料，車両に関する税金・保険料など，病院の機能を維持する費用が計上されており，そのほとんどは固定費としての性格を有します。

病院の開設主体によって固定資産税等の負担のない病院や土地などを無償で使用している病院などがあり，それらの病院は相対的に「設備関係費比率」が低く抑えられます。

vi　経費比率

「経費比率」は，医業収益に対する経費の比率ですが，経費にはそれ以外の費用項目と異なりさまざまな内容のものが雑多に含まれています。「病院会計準則」で経費として示されている費用項目は下記の通りであり，変動費的なものと固定費的なものがともに含まれています。ここにあげられている保険料や租税公課には，設備などに関連しないものが計上されます。

①福利厚生費	⑤広告宣伝費	⑨水道光熱費	⑬租税公課
②旅費交通費	⑥消耗品費	⑩保険料	⑭医業貸倒損失
③職員被服費	⑦消耗器具備品費	⑪交際費	⑮貸倒引当金繰入額
④通信費	⑧会議費	⑫諸会費	⑯雑費

vii 減価償却費比率

「減価償却費比率」は，医業収益に対する減価償却費の比率です。医業収益に対する比率はそれほど大きくないことが一般的ですが，設備投資の状況や財政状態と関係するとともに資金流出のない費目であるためキャッシュ・フローとも関連する指標です。

④金利負担率

「金利負担率」は，医業収益に対する支払利息の比率で，算式は以下の通りです。

$$金利負担率 = \frac{支払利息}{医業収益}$$

算式だけですと各種の医業費用の比率と同じですが，その意味するところは若干異なります。医業費用に関する比率は直接「医業収益」を得るために費やした費用である一方，「金利負担率」は医業収益に対する支払利息の割合，つまり1年間の医業収益を獲得するためにどれほどの「財務コスト」が必要であったかを示します。

例えば，「金利負担率」が3%で借入金の調達金利も3%の場合，医業収益＝借入金という関係が成り立つことになります。このように，損益計算書の支払利息は指標の使いようによって財政状態，特に借入金との関係を明らかにすることが可能であり，有利子負債に依存した投資の状況や資金の回収度合い，今後の借入可能額などを見ることができます。

これまでのわが国の金融政策により政策金利は限りなく0に近い水準であったため，病院の令和２年度の「金利負担率」はいずれの病院も1%を下回っており（**表3-21**），そこまで重要性は高くない指標でしたが，今後どこかのタイミングで金利は上昇せざるを得ないと考えられ，その場合，経営分析において「金利負担率」の重要性は高まるものと思われます。

⑤投下資本（総資本）に対する収益性の指標

企業経営においては，株主に対する収益の還元（配当）の必要性があり，投下している資本（主に自己資本）に対してどれだけの利益が獲得できたかは，大変重要な指標と

表3-21 「病院経営管理指標」の金利負担率の推移

開設主体	病院種別	平成17年度	平成22年度	平成27年度	令和2年度
医療法人	一般病院	1.2%	0.9%	0.7%	0.5%
	ケアミックス病院	1.2%	1.1%	0.8%	0.5%
	療養型病院	1.3%	0.9%	0.6%	0.4%
	精神科病院	1.2%	1.0%	0.7%	0.5%
自治体	一般病院	2.9%	2.1%	1.4%	0.9%
日赤	一般病院	0.5%	0.5%	0.2%	0.1%
済生会	一般病院	1.0%	0.7%	0.2%	0.3%
厚生連	一般病院	0.7%	0.5%	0.4%	0.4%

なり，投下した資本に対する収益性が低い事業や投資は実行せず，より収益性の高い事業に資金を投下して成長性を高めています。一方，病院経営においては，投下資本に対する利益率を評価の中心におくことはなく，投下した資本に対する収益性が低いとしても適切な医療のための投資を実行します。しかし，投資の実行の判断のために収益性の指標を利用することはなくとも，病院をより効率的に運営するためには投下資本（総資本）に対する収益性も参考にする必要があります。そこで，「病院経営管理指標」において計算されている，投下資本に関連する「収益性」の指標について説明します。

「総資本対医業利益率」は，事業に投下された総資本（負債＋純資産）に対する1年間で獲得した医業利益の割合を計算するものです。これに対して「総資本回転率」は，事業に投下された総資本すなわち使用総資本が1年間に何回転したかを表す指標で，医業収益に対する総資本の割合で求めます。

そして，「総資本医業利益率」は，図3-9に示す通り総資本回転率と医業利益率に分解することができます。総資本の収益性を表示する総資本医業利益率は資本の回転率と利益率に分解されるわけです。資本の回転が少なくても利益率が高ければ，投下された総資本に対する利益率は高まります。また，逆に，利益率が低くても回転率が大きければやはり投下された資本に対する利益率が高くなることになります。

平成17年度からの5年ごとの「病院経営管理指標」において報告されている医療法人の「医業利益率」，「総資本医業利益率」，「総資本回転率」は表3-22の通りです。

令和2年度は一般病院の「医業利益率」が赤字のため，平成17年度から平成27年度の数値を見てみましょう。一般病院の「医業利益率」は2.9%，3.3%，0.6%と精神科病院の5.0%，4.2%，2.3%を下回っていますが，「総資本医業利益率」では一般病院は2.8%，4.3%，2.2%となっており，精神科病院の3.8%，3.6%，1.4%を平成22年度と平成27年度で上回っています。これは，一般病院の「総資本回転率」が平成22年度と平成27年度は120.2%，118.0%と精神科病院の90.8%，90.5%を約30%上回っている，つまり損益計算書における医業利益率は低いものの，その分同じ投下資本に対して一般病院は精神科病院より収益を約30%多く得た（資本を有効に活用した）ことで，投下資本に対して医業利益をより多く獲得したということを意味します。そして平成17年度

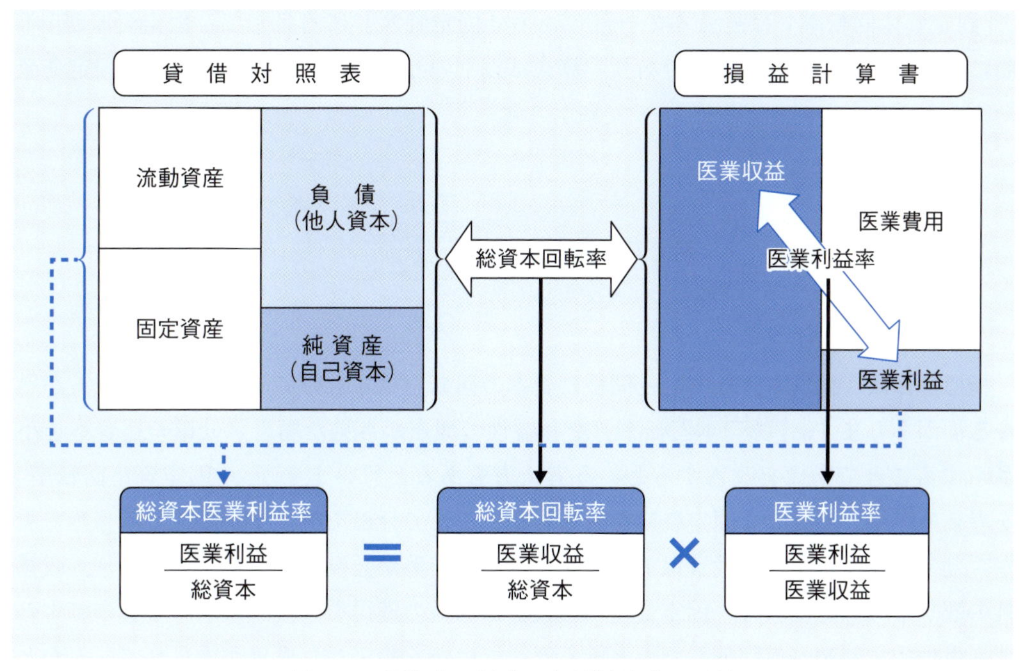

図3-9　総資本に対する収益性比率の計算

表3-22　「病院経営管理指標」の収益性比率の推移

開設主体	病院種別	項目	平成17年度	平成22年度	平成27年度	令和2年度
医療法人	一般病院	医業利益率	2.9%	3.3%	0.6%	−2.8%
		総資本回転率	108.1%	120.2%	118.0%	104.6%
		総資本医業利益率	2.8%	4.3%	2.2%	−3.0%
	ケアミックス病院	医業利益率	3.4%	4.4%	1.7%	0.4%
		償却前医業利益率	98.7%	109.4%	106.8%	96.0%
		総資本医業利益率	3.4%	4.3%	2.5%	0.4%
	療養型病院	医業利益率	6.5%	6.2%	2.7%	2.0%
		償却前医業利益率	92.8%	101.2%	103.8%	99.9%
		総資本医業利益率	5.6%	6.2%	2.4%	2.2%
	精神科病院	医業利益率	5.0%	4.2%	2.3%	0.2%
		償却前医業利益率	85.0%	90.8%	90.5%	79.4%
		総資本医業利益率	3.8%	3.6%	1.4%	−0.2%

※理論的には総資本医業利益率＝医業利益率×総資本回転率となりますが，統計の集計方法により一致しません

も一般病院の「総資本回転率」は108.1％と精神科病院の85.0％より23％上回っていることから，医業利益率の差は2.1％である一方，総資本医業利益率の差は1％まで縮まっているのです。

最後に「総資本回転率」の補助的な指標である「固定資産回転率」について説明します。

「固定資産回転率」は総資本の一部である「固定資産」に着目して，固定資産が1年間に何回転したかを表す指標であり，算式は以下のとおり，医業収益に対する固定資産の割合となります。

$$固定資産回収率 = \frac{医業収益}{固定資産}$$

指標自体は「総資本回転率」と同様に資本の回転を見るものですが，一部考え方が異なる面があります。「総資本回転率」を収益性の観点から見た場合，分母の総資本を小さくすることで指標を改善するという考え方もあると思いますが，「固定資産回転率」を考える際は，不必要な固定資産を購入しないことで分母を小さくすることは当然ですが，効果的な投資を行い投資以上の成果を求める姿勢が必要になります。つまり，収益性の観点から考えた場合，固定資産への投資は収益の獲得を直接的に求めるものですので，単に固定資産が何回転したかという意識ではなく想定した成果が得られているかという意識が必要になります。

⑥ 1床当たり医業収益

平成26年度の「病院経営管理指標」から投下資本（総資本）に対する収益性の指標としてもう1つ，病院独特の指標である「1床当たり医業収益」が追加されています。「1床当たり医業収益」は，許可病床1床に対する医業収益の金額で，算式は以下の通りです。

$$1床当たり医業収益 = \frac{医業収益}{許可病床数}$$

「1床当たり医業収益」は，病床の収益性を大雑把に見る目安です。というのも，分子が医業収益総額になっているため外来収益が増えることでも収益性が改善することから，必ずしも病床の収益性を厳密に捉えることにはならず，どちらかというと病院の規模を許可病床数に置き換えて病院の収益性を判断する指標と考えられます。内部管理目的であれば分子を「入院収益」のみとすることで，より病床の収益性を反映した指標として有用です。

平成17年度からの5年ごとの「病院経営管理指標」において報告されている「1床当たり医業収益」は表3-23の通りで，一般病院の「1床当たり医業収益」が2,000～3,000万円程度であるのに対して，療養型病院は1,000万円，精神科病院は600万円程度であ

表3-23「病院経営管理指標」の「1床当たり医業収益」の推移

開設主体	病院種別	平成27年度	平成30年度	令和2年度
医療法人	一般病院	21,755千円	20,870千円	22,126千円
	ケアミックス病院	12,034千円	13,121千円	12,551千円
	療養型病院	8,957千円	9,854千円	10,600千円
	精神科病院	6,273千円	6,359千円	6,221千円
自治体	一般病院	20,979千円	21,620千円	24,285千円
日赤	一般病院	27,667千円	26,018千円	29,789千円
済生会	一般病院	24,201千円	24,327千円	23,828千円
厚生連	一般病院	24,701千円	20,301千円	27,035千円

ることがわかります。そして，一般病院の中でも令和2年度の収益額が大きい順に，日赤，厚生連，自治体，済生会，医療法人と並んでいます。また，平成27年度から令和2年度の5年間で増収率が高いのは，医療法人が開設主体となっている療養型病院（18%）と自治体が開設主体となっている一般病院（16%）となっています。

4 「安全性」分析で見るもの

「病院経営管理指標」における「安全性」の指標と内容は表3-24の通りです。

「安全性」の指標には，⑥の「償却金利前経常利益率」を除いて指標の計算要素に貸借対照表に関する数値が含まれていますので，ここで貸借対照表というものを経営分析の側面からもう一度見直してみます。貸借対照表は，左側が資産の部で右側が負債・純資産の部ですが，これは見方を変えると左側（資産）サイドが資本の使途，つまり，事業のための資金（資本）の運用状態を表示していると解釈できます。右側（負債・純資産）サイドは資本の源泉がどこから来ているのか，つまり，事業のための資金（資本）の調達状態を表示していることになります。したがって，ある時点の貸借対照表からその経営体や病院がそれまでにどれだけの設備を取得してきたのかなど，設備投資の状況をつかむと同時に，そのための資金調達に際して有利子負債である借入金にどの程度依存してきたのか，あるいは今後どれだけの借入金を返済しなければならないのか，自己資本の形成は行われているのか，行われているとすると総資本に対してどの程度の形成度合いなのかなどがわかります。つまり，その時点の経営体や病院の体力評価ができるということになります。体力は，過去からの積み重ねですから，その意味では過去から現在までの「履歴書」あるいは「カルテ」のようなものです。現在の体力を測定することによってこれからどの程度の負荷に耐えられるのかがわかるため，その意味では将来の事業計画実施に大きく影響を与える要素であるといえます。このことを念頭に置きながら，以下の指標を理解してください。

表3-24　「安全性」の経営指標

指　　標	内　　容
①　自己資本比率	総資本に対する純資産(自己資本)の割合を表す指標
②　固定長期適合率	純資産と固定負債に対する固定資産の割合で，固定的な投資に対する資金調達のバランスを表す指標
③　流動比率	流動負債に対する流動資産の割合で，短期の支払能力を表す指標
④　借入金比率	医業収益に対する長期借入金の割合で，収益規模に対する長期借入金のバランスを表す指標
⑤　償還期間	利益と減価償却費に対する長期借入金の割合で，投資を考慮しない長期借入金の返済可能期間を表す指標
⑥　償却金利前経常利益率	医業収益に対する経常利益，減価償却および支払利息の合計額の割合で設備投資の影響を除いた利益率を表す指標
⑦　1床当たり固定資産額	許可病床数に対する固定資産の金額，つまり1病床に投下している資本を表す指標

①自己資本比率

「自己資本比率」とは，純資産（自己資本）を総資本＝負債＋純資産で割ったものです（図3-10）。この部分が多ければ資本の蓄積が高いことになり，財務の安全性は高まります。自己資本は利息がかかり元金の返済義務を負っている借入金とは全く異なる資本のため，経営の安定性を確保するためには，どうしても一定率の自己資本比率が必要です。極論ですが，設備投資を自己資金で行える自己資本比率が100％の経営体は，資金の回収（正確には返済）という面からは，投資時点で完了していることになります。このことからも，経営の安定性が自己資本の多寡によって決まってくるのは当然のことといえます。

平成17年度からの5年ごとと新型コロナウイルス感染症の流行前の平成30年度の「病院経営管理指標」において報告されている「自己資本比率」は表3-25の通りで，平成27年度までは日赤と自治体が開設主体となっている一般病院は若干低いもののおおむね30～50％が現実の平均的な値となっていました。その後自治体が開設主体となっている一般病院は令和2年度において20％まで落ち込んでおり，日赤が開設主体となっている一般病院は，令和2年度においてはプラスになっていますが平成30年度ではマイナス5.9％と債務超過に陥っていました。そして厚生連については令和2年度においてマイナス27％と，極めて重大な債務超過に陥っています。ここで債務超過であっても病院は存続できるのかという疑問がわくかと思います。結論から言えば債務超過の組織体であってもお金が続く限り組織は継続します。例えば病院の債務が同一法人内の他の組織体からのものであれば，法人全体で資金が十分に確保できており，かつ，法人として病院を継続するという意思を持っている限り病院は存続します。また，外部からの債務であったとしても病院が将来的に改善する見込みがあり，時間がかかったとしても債務の返済を受けられるという確証があれば，債権者は返済を猶予するでしょう。このよう

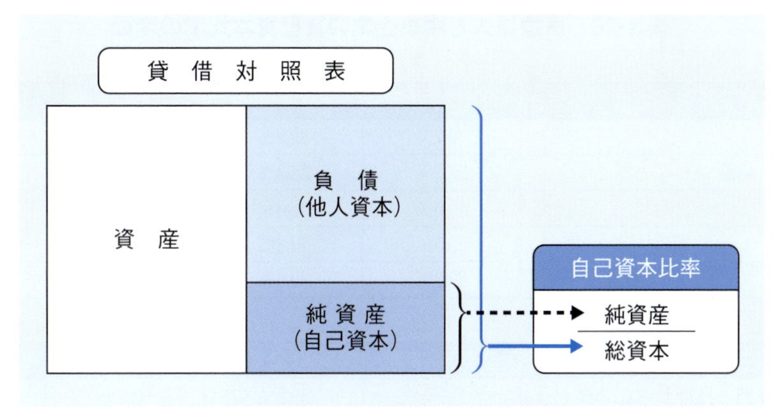

図3-10 自己資本比率の計算

表3-25 自己資本比率

開設主体	病院種別	平成17年度	平成22年度	平成27年度	平成30年度	令和2年度
医療法人	一般病院	40.7%	32.2%	31.8%	35.8%	37.3%
	ケアミックス病院	37.7%	35.3%	41.9%	40.5%	37.8%
	療養型病院	45.6%	48.6%	58.3%	51.7%	46.7%
	精神科病院	50.5%	49.8%	56.3%	50.7%	53.9%
	加重平均	43.0%	39.6%	44.5%	42.4%	42.4%
自治体	一般病院	73.3%	56.4%	25.4%	22.2%	20.7%
日赤	一般病院	33.5%	20.5%	22.5%	－5.9%	6.6%
済生会	一般病院	31.9%	34.8%	46.9%	20.9%	28.4%
厚生連	一般病院	17.2%	29.6%	29.1%	42.0%	－27.0%

な場合，仮に債務超過であっても病院は存続するのです。

さて，自治体が開設主体となっている一般病院の自己資本比率が平成22年度から平成27年度にかけて56.4％から25.4％に半減していますが，これは平成25年度まで地方公営企業の会計では建設改良企業債や他会計長期借入金といったいわゆる「借入資本金」と償却資産にかかる補助金が（自己）資本として扱われていたことが背景にあります。平成26年度からは新たな地方公営企業会計制度が適用され，従来は（自己）資本として扱われていたこれら「借入資本金」や償却資産にかかる補助金が負債として扱われることになったため，自己資本比率が半減しています。

また，日赤が開設主体となっている一般病院の自己資本比率が平成30年度のマイナス5.9％から令和2年度のプラス6.6％に増加していますが，日赤は令和元年度から公益法人会計基準に基づいた会計処理に変更したことから，従来負債として計上していた前受補助金を純資産の部に計上するようになっているため，それらの影響を受けている可能性もありそうです。

ここで病院の自己資本比率に対して，一般企業の自己資本比率はどのようになっているか見てみましょう。資本市場から資金調達をできないという意味で同じ環境下にある

表3-26　医療法人と中小企業の自己資本比率の変動

医療法人

病院種別等	平成17年度	平成22年度	平成27年度	令和2年度
一般病院	40.7%	32.2%	31.8%	37.3%
ケアミックス病院	37.7%	35.3%	41.9%	37.8%
療養型病院	45.6%	48.6%	58.3%	46.7%
精神病院	50.5%	49.8%	56.3%	53.9%
加重平均	43.0%	39.6%	44.5%	42.4%

中小企業

業種別等	平成17年度	平成22年度	平成27年度	令和2年度
学業研究，専門・技術サービス業	—	39.2%	52.2%	56.4%
情報通信業	43.9%	45.2%	59.5%	56.1%
不動産業	14.2%	25.7%	33.3%	32.1%
宿泊，飲食サービス業	7.6%	9.3%	12.3%	20.2%
企業合計	25.8%	32.0%	38.9%	41.4%

※平成17年度に自己資本比率が高い方から2つと低い方から2つの業種のみ掲記
※学術研究，専門・技術サービス業は平成17年に独立掲記されていないため「—」としている

中小企業と医療法人を比較してみます。「病院経営管理指標」と中小企業庁が実施している「中小企業実態基本調査」の平成17年度から令和２年度までの5年ごとの自己資本比率は表3-26の通りとなっています。

医療法人が開設主体となっている一般病院，ケアミックス病院，療養型病院，精神科病院の「自己資本比率」を集計施設数により加重平均した自己資本比率は，平成17年度から令和2年度までそれぞれ43.0%，39.6%，44.5%，42.4%と推移し，中小企業の自己資本比率がそれぞれ25.8%，32.0%，38.9%，41.4%と推移しています。平成17年度においては約17%以上の差が生じていましたが，徐々に差は縮まり令和2年度にはその差は1%まで縮まっています。一般病院にあっては，中小企業の自己資本比率を逆に4%以上下回る状況になっています。配当禁止によって内部留保利益を法人外へ出すことのできない医療法人の自己資本比率は高いといわれていましたが，少なくとも一般病院についてはすでにそのような状況ではなくなっていることがわかります。厳しい指導・監督が行われ公的保険によって守られてきたといっても，平均値としての医療法人でも，内部蓄積が極めて豊富な経営であるとはいえないという結論に達します。個々の医療法人によるばらつきが大きいなどの原因も考えられますが，興味深い結果となっています。

②固定長期適合率

「固定長期適合率」は，固定資産を純資産（自己資本）と固定負債の合計で割った数値です（図3-11）。これは設備投資等の長期的な投資と自己資本と固定負債という長期安定的な資金のバランスを見る指標で，固定資産が自己資本と固定負債で資金的に賄い

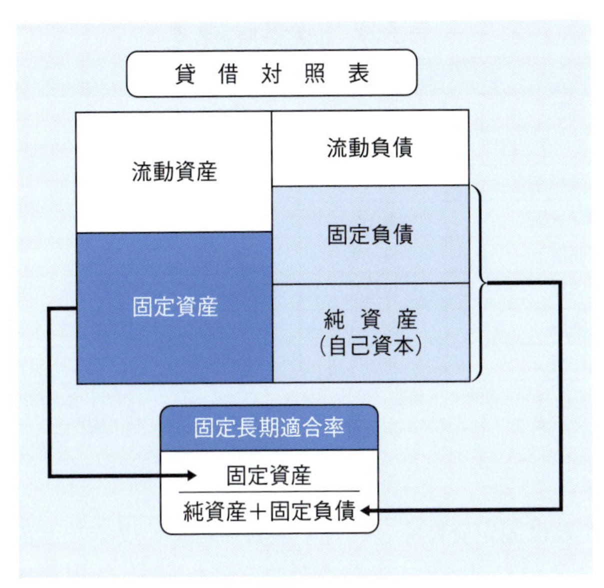

図3-11 固定長期適合率の計算

きれているかどうかを見るものです。病院の土地・建物や医療器械等の固定資産投資の回収は長期間を要するため，長期的な資本である自己資本と固定負債の範囲内で賄われていることが経営の安定性を確保するうえでは必要なことです。したがって，固定長期適合率が100％を超える状態は過大設備投資と考えられます。固定長期適合率は一般的に80％以内が目標といわれています。

次に，固定長期適合率の類似指標としての「固定比率」の説明をします。固定比率は，固定資産を純資産（自己資本）のみで割った数値で，固定資産を自己資本でどの程度賄いきれているかどうかを示す指標です。

$$\text{固定比率} = \frac{\text{固定資産}}{\text{純資産}}$$

固定資産を自己資本ですべて賄えている，つまり，固定的な設備投資等が自己資本の範囲内で行われているということは，財務的に大変安定した状態ということができます。株式を公開している企業等は，多様な資金調達手法を持っていて直接金融の道も広く開かれているため，固定比率を100％以内に抑えることを1つの経営目標とすることができます。しかし，医療法人の場合を考えると配当禁止規定により新たな出資を求めることが難しいため，どうしても金融機関からの借入に依存して資金を調達することになります。このため，固定比率100％を目安とすることは厳しく，200％程度を1つのラインと考えることができます。具体例をあげると，固定長期適合率が100％で固定比率

表3-27　固定長期適合率

開設主体	病院種別	平成17年度	平成22年度	平成27年度	令和2年度
医療法人	一般病院	86.6%	83.2%	77.4%	83.7%
	ケアミックス病院	78.5%	114.2%	75.1%	86.9%
	療養型病院	71.4%	77.0%	68.2%	65.3%
	精神科病院	70.6%	73.6%	72.5%	71.7%
自治体	一般病院	86.0%	86.2%	92.7%	91.2%
日赤	一般病院	92.4%	100.3%	88.4%	83.8%
済生会	一般病院	91.6%	83.5%	81.5%	99.8%
厚生連	一般病院	86.9%	82.1%	72.3%	142.9%

※医療法人が開設主体のケアミックス病院，療養型病院，精神科病院の令和2年度の指標と厚生連が開設主体の一般病院の平成27年度の指標がマイナスの値もしくは著しく小さい値であったことから，病床規模別等でグルーピングされたデータからマイナスのグループを除いて再集計した

が200%の貸借対照表は固定資産をぴったり純資産（自己資本）と固定負債で賄っており，なおかつ，純資産（自己資本）と固定負債が同額ということですから，ちょうど固定的投資に対する自己資本の割合が50%となり，設備投資に対する借入金などの他人資本への依存度が50%ということになります。

平成17年度からの5年ごとの「病院経営管理指標」において報告されている「固定長期適合率」は表3-27の通りで，令和2年度において医療法人が開設主体となっている病院では一般病院とケアミックス病院が80%を超えているもののいずれの病院も90%を下回っていますが，自治体が開設主体となっている一般病院は90%を若干超えています。済生会が開設主体となっている一般病院はほぼ100%となっており，多少厳しい状況になっていることがわかります。さらに厚生連が開設主体となっている一般病院は債務超過になっていることもあり，「固定長期適合率」が140%を超えるという非常に厳しい状況になっていることが，この指標からもわかります。

③流動比率

「流動比率」は，流動資産を流動負債で割った数値です（図3-12）。通常1年以内に支払う必要のある買掛金や短期借入金などの流動負債に対し，支払い原資となる預金や1年以内に回収できる医業未収金などの流動資産がどの程度準備されているかを示す指標です。

短期の支払い能力を評価する数値である「流動比率」は，できれば200%以上となることが望ましいといわれています。流動比率を補完して，よりはっきりと支払い能力を計算する指標に「当座比率」があります。これは当座資産を流動負債で割った比率で，直接的な支払能力を表示します。当座資産は，流動資産の中の現・預金と短期間に現金化できる資産であるため，当座比率が100%を切ると資金繰りがタイト（逼迫）であることがはっきりとわかります。

平成17年度からの5年ごとの「病院経営管理指標」において報告されている「流動比

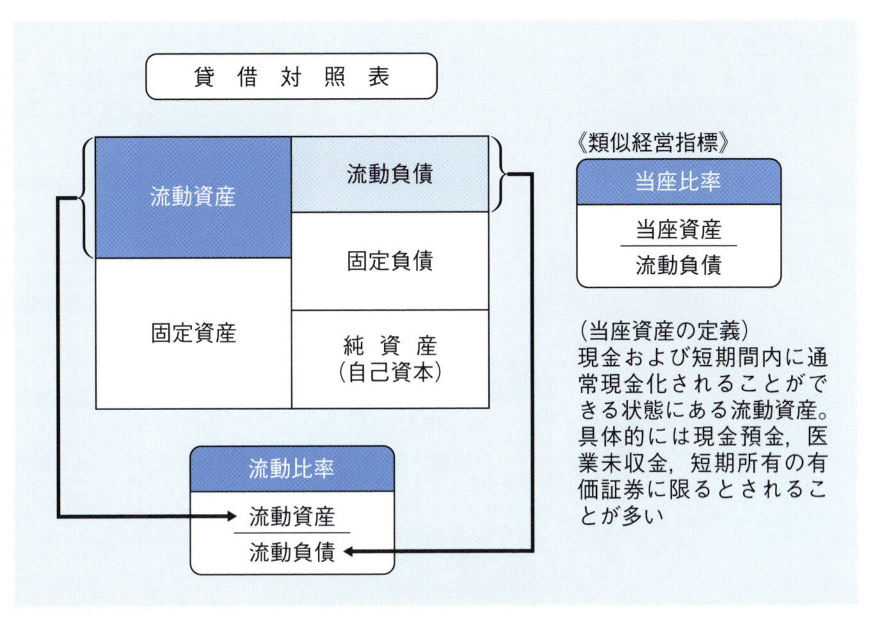

図3-12　流動比率の計算

表3-28　流動比率

開設主体	病院種別	平成17年度	平成22年度	平成27年度	令和2年度
医療法人	一般病院	411.2%	336.3%	327.0%	348.0%
	ケアミックス病院	434.6%	413.8%	374.7%	241.4%
	療養型病院	603.9%	504.0%	533.4%	500.0%
	精神科病院	717.9%	595.7%	476.6%	577.5%
自治体	一般病院	517.6%	491.7%	217.1%	185.2%
日赤	一般病院	272.9%	136.3%	183.8%	229.9%
済生会	一般病院	252.9%	400.3%	246.1%	202.7%
厚生連	一般病院	252.9%	235.6%	253.5%	232.0%

率」は表3-28の通りで，医療法人であっても一般病院と療養型病院および精神科病院の間に大きな開きがあり，急性期医療を担っている一般病院に比べて療養型病院や精神科病院の方が財務安全性に関しては強固な体質を持っていることがわかります。開設主体や病院種別にかかわらず200%を超えているもしくは200%に近い数値になっていることから短期的な支払い能力に問題はないものの，平成17年度に比べると減少傾向にあり病院の経営環境が総合的に厳しくなっていることがわかります。

④借入金比率

「借入金比率」は，算式を正確に表すと「医業収益対長期借入金比率」となり，固定負債に計上されている長期借入金の期末残高を年間医業収益で割ったもので，資金返済のもととなる医業活動の年間収益と借入金残高の関係を明らかにしたものです（図

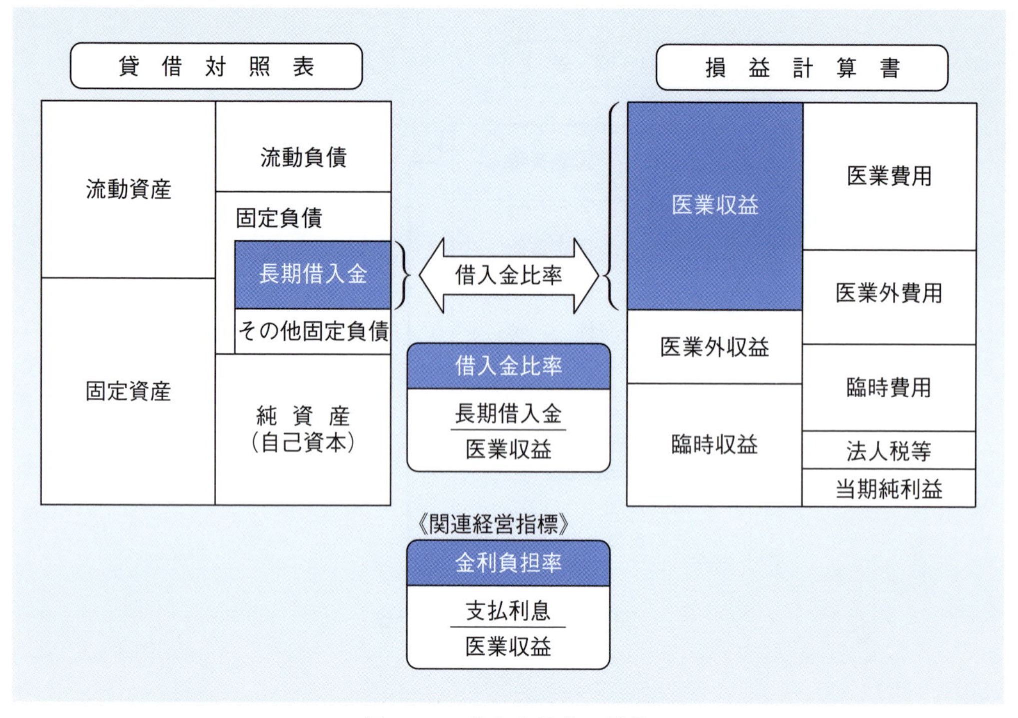

図3-13　借入金比率の計算

3-13)。この数値によって，事業活動との関係での借入金の負担状況がはっきりします。関連指標として「収益性」の指標である「金利負担率」があります。

借入金比率は，低いに越したことはありませんが50%程度までが健全域で，100%を超えると限界・危険領域といわれています。また，病院の最大の資金需要である病院の建て替え時期との関係で評価する必要がある指標です。つまり，数年前に建て替えを済ませている病院と老朽化が激しく数年後には建て替えが必要となる病院では，同じ借入金比率であったとしても意味するところが全く異なることがあります。

平成17年度からの5年ごとの「病院経営管理指標」において報告されている「借入金比率」は表3-29の通りで，令和2年度の指標に関しては自治体が開設主体となっている一般病院を除き50%のラインを下回っており，平均値としては健全域にあるといえます。自治体が開設主体となっている一般病院の「借入金比率」67.9%と少し高い数値となっていますが，「自己資本比率」のところでも触れた通り平成25年度まで（自己）資本として扱われていたいわゆる「借入資本金」が平成26年度からは新たな公営企業会計制度の適用により長期借入金として扱われることになったために，「借入金比率」は平成22年度の42.9%から平成27年度の76.8%に上昇し，その後平成30年度には59.0%まで低下していましたが令和2年度は医業収益の悪化も影響して67.9%まで上昇していると考えられます。

ここで，医療法人が開設主体になっている各病院の借入金比率の推移を見てみたいと

表3-29 借入金比率

開設主体	病院種別	平成17年度	平成22年度	平成27年度	令和2年度
医療法人	一般病院	44.1%	38.9%	50.7%	40.3%
	ケアミックス病院	52.2%	46.7%	53.3%	41.3%
	療養型病院	52.4%	41.8%	51.6%	36.1%
	精神科病院	50.7%	44.0%	46.1%	38.3%
自治体	一般病院	24.1%	42.9%	76.8%	67.9%
日赤	一般病院	42.8%	35.5%	32.5%	38.3%
済生会	一般病院	58.5%	49.1%	39.9%	45.5%
厚生連	一般病院	51.7%	28.7%	29.8%	27.8%

思います。平成17年度から平成22年度の5年間で「借入金比率」はすべての病院種別で低下しており，逆に次の5年間はすべての病院種別で上昇しています。さらにその後の5年間は再び低下しています。これは何を示しているのでしょうか。病院が新たに借入を行う目的は主に設備投資ですから，借入金比率が上昇している時期は積極的に設備投資を行っている時期であり，逆に借入金比率が低下している時期は設備投資を抑制している時期と言えます。そう考えるとそれぞれの時期はどんな時期だったのでしょうか。平成17年度から平成22年度の間の診療報酬改定は平成22年度を含めて3度あり，そのうち平成18年度と平成20年度はマイナス改定でした。特に平成18年度は診療報酬本体もマイナス改定となった年です。したがって，このような状況の中で各病院は設備投資を抑制していたと考えられそうです。もちろん平成22年度の診療報酬改定はプラスでしたので，実は一般病院の指標は平成21年度の37.7%から若干上昇しています。しかし一般的に設備投資の意思決定には時間を要することから他の病院種別も含めて本格的な設備投資は収益改善から少し遅れて実行されていると考えられます。その後の平成24年度の微増のプラス改定と平成26年度の消費税対応を含めたプラス改定の後はマイナス改定が続いており，あくまでも平均値としてではありますが診療報酬の改定方向と「借入金比率」の動き，つまり設備投資の動きが連動しているのは偶然とはいえないように思います。

⑤償還期間

「償還期間」は，長期借入金の期末残高を税引前当期純利益の70%と減価償却費の合計額で割ったもので，キャッシュ・フローに基づいた利益で長期借入金を返済した場合の返済期間を表したものです（**図3-14**）。

税引前当期純利益の70%としているのは，30%の税負担を考慮しているためです。この指標により，仮に投資をゼロとした場合の見込み償還可能期間が明らかになります。

償還期間も先ほどの借入金比率と同様に短いに越したことはありませんが，長期借入

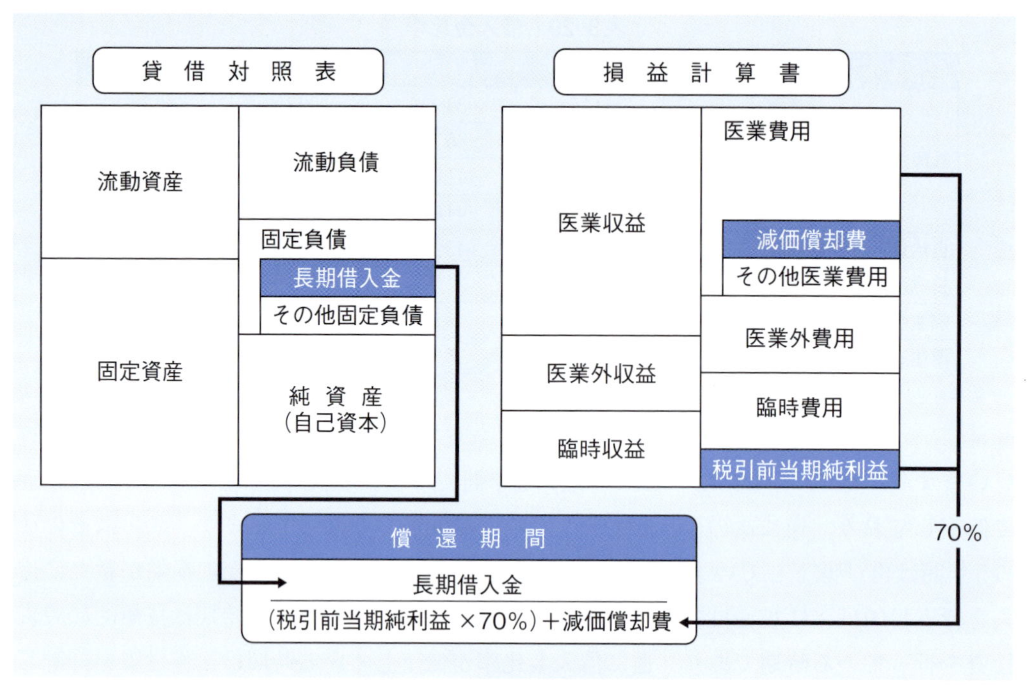

図3-14 償還期間の計算

表3-30 償還期間

開設主体	病院種別	平成17年度	平成22年度	平成27年度	令和2年度
医療法人	一般病院	11.7年	12.3年	11.7年	5.1年
	ケアミックス病院	10.4年	10.8年	12.7年	2.0年
	療養型病院	9.2年	7.7年	10.0年	1.9年
	精神科病院	9.0年	6.4年	8.4年	6.9年
自治体	一般病院	16.7年	7.5年	14.5年	8.9年
日赤	一般病院	14.0年	4.5年	7.1年	2.6年
済生会	一般病院	11.4年	8.7年	5.4年	3.0年
厚生連	一般病院	7.9年	4.5年	6.7年	7.8年

※医療法人が開設主体の一般病院の令和2年度の指標がマイナスの値であったことから，病床規模別でグルーピングされたデータからマイナスのグループを除いて再集計した

金の借入期間が15～20年とすれば，10年程度までは許容される範囲といわれており，ある程度の規模の投資をする際には，投資前の償還期間が2～4年，投資後の償還期間が10年以下であれば安全であり，15年が過剰投資になるかどうかの目安といわれています。

平成17年度からの5年ごとの「病院経営管理指標」において報告されている「償還期間」は表3-30の通りです。平成27年度の時点で自治体が開設主体となっている一般病院の償還期間は長めになっていますが，それ以外は概ね10年のラインにあり，過剰投資にはなっておらず許容範囲にあるといえます。また，自治体，日赤，済生会が開設主体となっている一般病院の「償還期間」が令和2年度で著しく短縮しているのは，「収益性」の指標で見た通り，税引前当期純利益と連動する分母の経常利益が改善したことも原因の1つになっているといえます。

⑥1床当たり固定資産額

「1床当たり固定資産額」は，総資産のうちで土地・建物・医療器械備品などに投下した金額を許可病床数で割ったものです（図3-15）。この場合，固定資産額を取得価額によるのか帳簿価額によるのかにより数値の意味は変わってきます。取得価額を用いた場合には上記の意味となりますが，帳簿価額を用いた場合には，1病床当たりの未償却（未回収）額を表示することになります。「病院経営管理指標」においては帳簿価額によって計算しています。

建物等の建て替え後，相当期間経過している場合には帳簿価額ベースでの1床当たり固定資産額は小さくなりますが，大事なことは実施すべき設備の更新や修繕が適切に行われているかどうかという観点です。実施すべき設備の更新や修繕が行われていない場合，将来的に設備老朽化に対応するためには一般的に多額の更新投資等が必要となるため，仮にその時点における財政状態は良好でも将来の経営に関する不安が残ります。全く逆に1床当たり固定資産額が大き過ぎる病院は，過大設備投資の可能性があります。抽象的ですが，事業資本が血と肉と骨にバランスよく投下されることが一番といえます。

平成17年度からの5年ごと「病院経営管理指標」において報告されている「1床当たり固定資産額」は表3-31の通りです。医療法人が開設主体となっている病院について見ると一般病院の投資額が一番大きく，およそ療養型病院の2倍，精神科病院の3倍程度の投資額になっています。次に一般病院の開設主体別で比較をすると，医療法人の中で最も大きく投資をしている一般病院も済生会や厚生連が開設主体となっている一般病

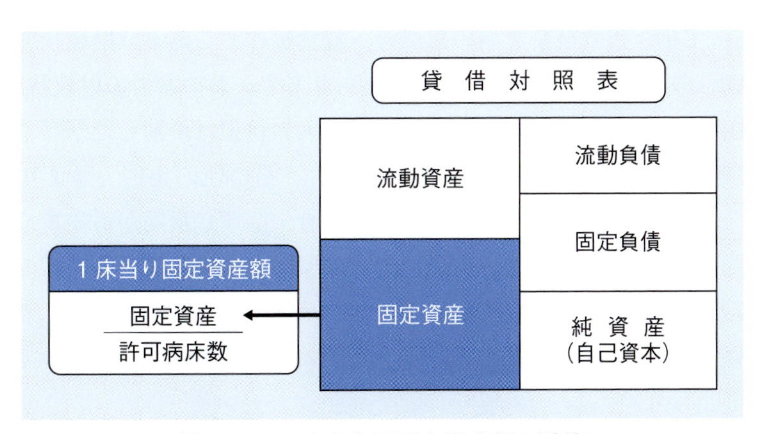

図3-15　1床当たり固定資産額の計算

表3-31　1床当たり固定資産額

開設主体	病院種別	平成17年度	平成22年度	平成27年度	令和2年度
医療法人	一般病院	11,990千円	12,410千円	14,455千円	15,936千円
	ケアミックス病院	7,797千円	8,143千円	8,742千円	9,660千円
	療養型病院	6,324千円	6,553千円	6,867千円	8,197千円
	精神科病院	4,789千円	5,140千円	5,505千円	5,852千円
自治体	一般病院	21,922千円	25,599千円	25,118千円	30,521千円
日赤	一般病院	18,971千円	23,654千円	25,025千円	29,072千円
済生会	一般病院	20,640千円	18,104千円	17,621千円	17,029千円
厚生連	一般病院	17,954千円	15,782千円	18,493千円	17,025千円

院と比べると小さく，自治体や日赤が開設主体となっている一般病院と比べると，その半分程度の投資額になっています。

このように開設主体や病院種別によって投資額に2倍から3倍の違いがありますが，それぞれの投資が収益に結びついているかについては，「1床当たり固定資産額」の指標だけではわかりませんので，「収益性」の指標で取り上げた「1床当たり医業収益」や「固定資産回転率」も同時に確認してください。そして，このように，複数の指標を総合的に確認することで病院の経営状況の理解が深まることを理解してください。

「1床当たり固定資産額」は，外部統計資料や他の病院と比較する際の基本的な指標ですが，病院の土地や建物を自己で所有しているのか，あるいは賃借しているのかによっては大きく異なり，また，開設または創業の時期や時間的な経過によっても異なってきますので，そのことを理解したうえで「1床当たり固定資産額」の指標を活用してください。

最後に，財務体質の良否が競争化した医療市場の中でどのように影響するのかを簡単に解説して「安全性」に関する説明を終わります。

図3-16を見てください。財政状態以外の経営上の要素がすべて同じ病院が同一の医療圏の中にあって生き残り競争を始めた場合，経営破綻する順番は財政状態の脆弱な順番，つまりABCの順番であることを表示してあります。おのおのの財政状態を見ると，A病院は借入金が50億円残っており，B病院は借入の負担は解消したが経営上の余裕資金はなく，C病院は無借金で余裕資金10億円です。その他の条件，つまり建物の新しさや医療スタッフの質，配置等がすべて一緒の場合，必ずC病院が最後まで生き残ることになります。競争は，必ず淘汰を生み，淘汰の原因は提供している医療の質だけではないということを残念ながら表しています。

財務体質も今後の病院経営を考えていくうえで大きな影響因子になるのです。

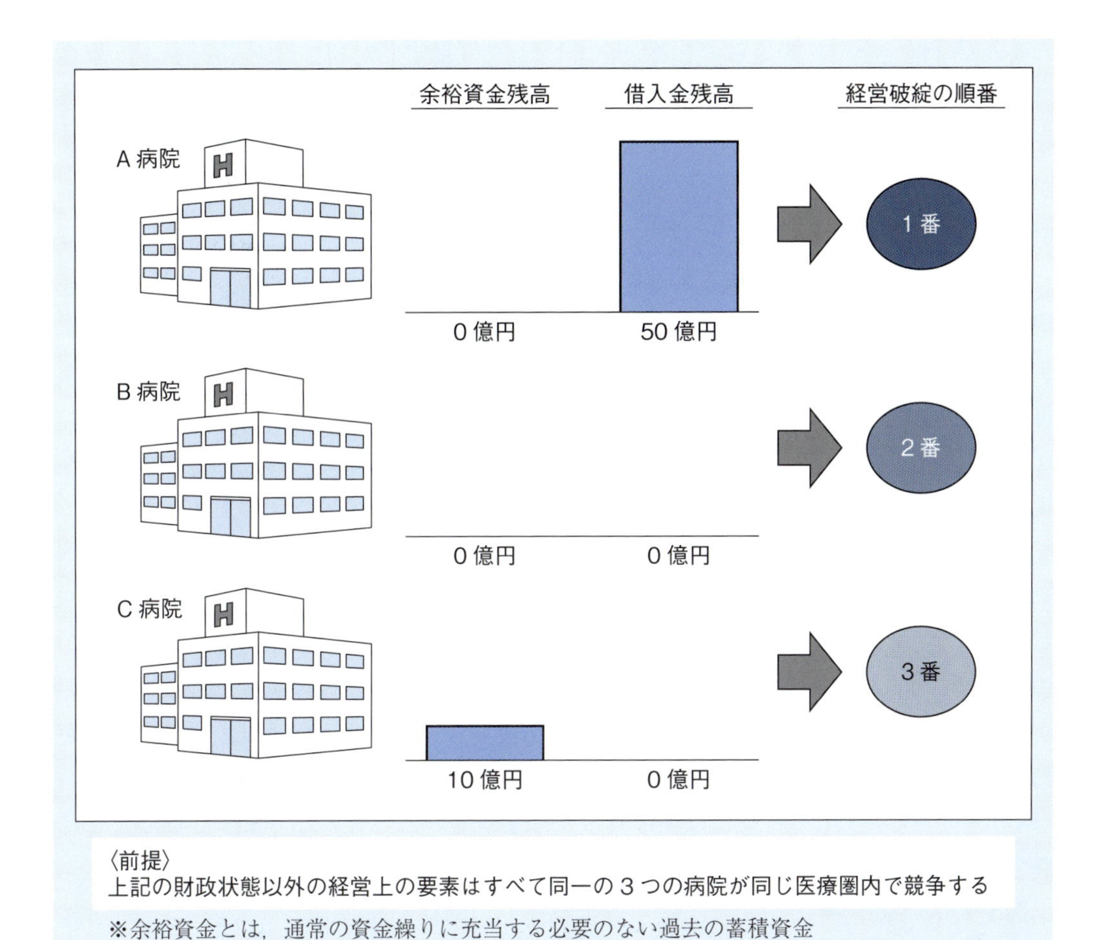

図3-16 競争市場の中の財務体質の重要性

3 資金計画

1 資金計画で見るもの

病院経営分析の中の「安全性」指標を見ると，独立的に事業責任を負っている経営には，現在行っている事業や行おうとしている事業の収益性（採算性）に関する計画を立案するだけでなく，事業活動を円滑に継続していくために資金需要と資金調達を金額的かつ時間的に対応させる必要があることが理解できると思います。経営学の世界では，前者を「利益計画」，後者を「資金計画」と呼び，企業財務の2本柱としています。昔の商人が「勘定合って銭足らず」といいましたが，「勘定」が利益計画で，「銭」が資金計画ということです。どれほどすばらしい利益計画を立てても，必要な資金を調達できなければどうにもなりませんし，調達できたとしても必要な時に調達できなければ意味がありません。資金計画の大切なところは，金額的な問題だけでなく，時間的な問題も解決する必要があるということです。

経営の話をしていると，よく「運転資金」という言葉を耳にします。運転資金とは，病院を例にすると，医業活動を円滑に行うために当面必要な資金ということになります。病院を開設しても保険診療の場合，窓口負担金以外の社会保険や国民健康保険の給付部分は入金するまでに2カ月かかります。しかし，医業収益の5割を占める人件費は遅くとも翌月中には支払わなければなりません。損益計算書の上では，医療サービスを提供した月に入院収益や外来収益を計上しますがお金は入っていないのです。したがって，どうしても最低限必要な資金は用意する必要があります。簡単にいうとこれが運転資金です。2カ月間入金しない診療報酬を病院では「医業未収金」といいます。それに対応する薬の仕入れをツケ（掛け買い）で購入し，2カ月後に支払うと約束しておけば，約束期限までは代金を支払う必要がないため，薬代に関しては運転資金を用意する必要がありません。この未払いの仕入代金を「買掛金」といいます。例えば，医業未収金が2カ月サイトで回収され，買掛金を6カ月サイトで支払うとすると，入金よりも支払いが4カ月遅れるため6カ月後には実は資金がたまっていることになります。このように資金は損益計算と別のところで動いているのです。

図3-17に「勘定＝損益」と「銭＝資金収支」の関係を組み合わせて表示しました。経営体の事業活動の結果を表示する財務諸表で言い表せば，損益計算書が勘定，キャッシュ・フロー計算書が銭に関する情報を提供しています。勘定と銭の関係を見ると，「③勘定がプラスでも銭はマイナス⇒黒字決算なのに資金繰り破綻」という領域があるのに気がつくと思います。この領域がいわゆる「黒字倒産」といわれる領域です。上記の医業未収金と買掛金の支払期限が逆で医業未収金6カ月，買掛金2カ月の約束で取引が行われている場合を想像してください。この状態で売上がどんどん伸びていったら，損益計算書は黒字なのですが一時的に数カ月の間資金繰りはマイナスになります。売上代金は6カ月経たないと入金しないのに，仕入代金は2カ月で払ってしまうのですから当然です。気がつかずに経営していると，ある日突然資金繰りがつかなくなって倒産してしまいます。資金繰りは，金額だけではなくて「時間」が関係してくるので大変なのです。

次に，「②勘定がマイナスで銭はプラス⇒赤字決算でも資金繰りは良好」という領域について説明します。損益計算書で赤字決算をしているのに資金繰りが良好などということがあるのでしょうか。実は，ごく普通にそうなることがあります。建物や医療器械備品などの利用期間が長期に及ぶ固定資産の場合，その使用に対する費用を各会計期間に按分する「減価償却」という会計処理を行います。したがって，資金が出ていかない

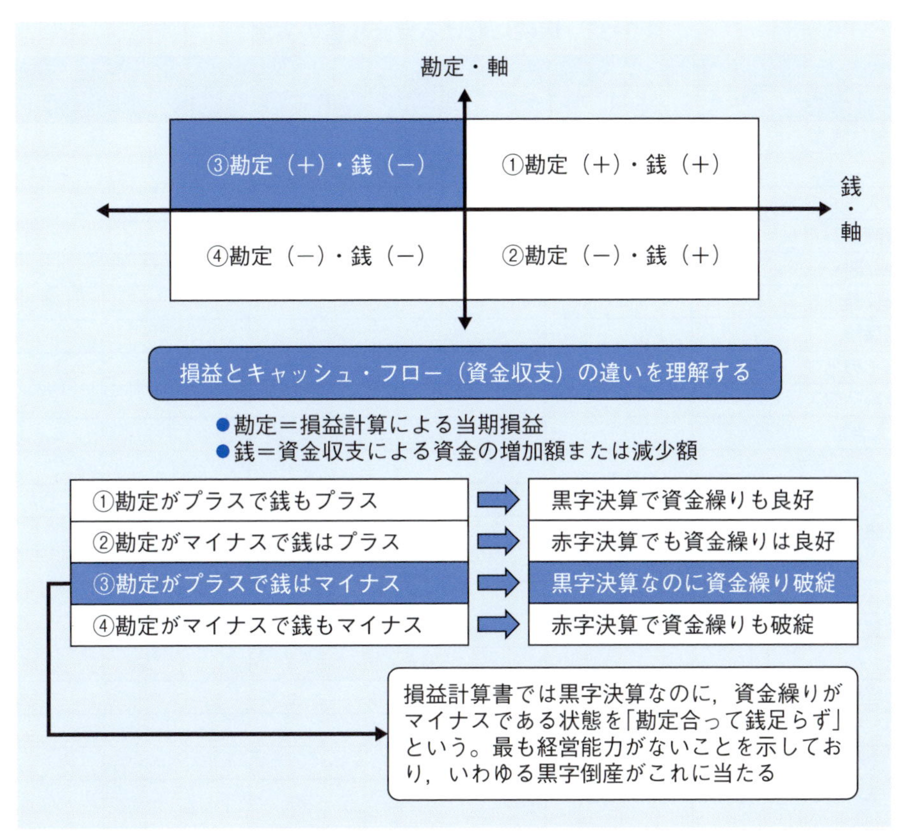

図3-17　「勘定」と「銭」の違い

のに費用が計上されるため，損益計算書では赤字なのに資金繰りはマイナスにならないということが起きます。また，過去の医業活動によって蓄えた預金などがある場合にも，これを取り崩して充当すれば赤字でも資金繰りに問題は生じません。そして，公的病院の赤字補填も同じからくりによって経営破綻を回避していることになります。公的病院の実質赤字がいくらなのかという問題は会計的にも計算が難しいのですが，キャッシュはリアリティそのものなので足りなくなって埋め合わせができなければ経営は破綻します。まさに，理屈ではなくて現実そのものなのです。

2　医療法人の短期資金繰り正常度チェック

勘定と銭，利益計画と資金計画，損益計算書とキャッシュ・フロー計算書の違いと要点を理解したところで，資金の問題で大切な「時間」との関係をもう少し詳しく説明します。医業活動を円滑に行うために当面必要な資金を調達しておくということは，一定期間の支払いに支障を来さないようにするということですが，そのために作成される資料のことを「資金繰表」といいます（表3-32）。資金繰表には予定表と実績表がありま

表3-32　病院における資金繰表の実例

	令和○年○月				
	10日	20日	25日	月末	月計
(A)前繰越残高					
窓口収入					
診療報酬					
社会保険					
国民保険					
労災保険					
自賠その他					
その他振込収入					
(B)収入合計					
給与費					
社会保険					
源泉税・住民税					
買掛金					
地代家賃					
委託料					
その他経費					
法人税，資産税等					
(C)経費支払合計					
(D)＝(B)－(C) 差引					
設備投資					
借入返済					
短期借入					
長期借入					
支払利息					
(E)経費外支出合計					
(F)＝(A)－(D)－(E) 月次収支差額					
法人内資金移動					
調達資金(運転)					
定期預金払戻(＋)					
定期預金払戻(－)					
(G)その他合計					
(H)＝(F)＋(G) 資金残高					

すが，どちらも現実のお金の動きを細かく予定したり，実績を記入したりします。比較的問題のない時には，1カ月単位での作成となりますが，現実に資金繰りを組んでいる事業体は，それぞれの資金移動時期に応じて1カ月をいくつかに分けて作成するのが一

般的です。例えば，給料日が25日で薬品の支払いが月末，その他の経費の支払いが10日と20日の場合には，10日，20日，25日，末日の4つに区分して作成します。資金繰りが厳しい病院で資金が不足すると，支払不能となりすぐに信用問題となりかねないため神経を使う作業となります。

民間の医療法人は，資金の調達チャネルが少なく主に金融機関からの借り入れとなるため，資金不足が予想される場合には，いつ（タイミング），どこから（源泉），どれだけ（必要量），どのような条件（返済条件，利率など）で調達するかを早めに検討・決定することが必要です。

今後，より厳しくなるであろう医療政策下における1～2年程度の短期スパンを前提とした「医療法人における短期資金繰り正常度チェック・シート」で簡単に説明を加えます（図3-18）。

チェックポイント

①支払資金として使用できる現預金残高を年間医業収益の1カ月以上保有しているかどうか⇒年間医業収益が60億円の場合，5億円の預金を保有しているかどうかということです。担保提供している預金は，支払資金として使えませんので除外します。

②借入金残高が年間医業収益の何倍に相当するか⇒長期・短期合計額を使用します。本来長期回収されるべき設備借入金の返済期間が何年で設定されているかが大きなポイントです。企業経営と異なり，10年未満で投資回収することを本来予定していない病院経営で市中からの借り入れのみに依存し，返済条件が10年～15年程度である場合は将来約定通りの返済ができなくなる可能性があります。また，すでにその状態が進行している病院では，長期借入資金の短期借入資金化が起き，財務内容が急速に悪化する可能性があります。

③買掛金等の決済支払サイトは何カ月か，また，支払手形の振り出しをしているかどうか⇒保険診療に収益の大部分を依存している病院の場合，医業未収金は原則として2カ月で入金するため正常な資金繰り状態の場合，仕入サイドの支払いも2カ月とすることが可能です。にもかかわらず，仕入代金の決済を長く設定したり，支払手形を振り出して支払期間が長期化している場合には，そこから発生した余裕資金を短期の運転資金として使ったり，医療器械等の設備購入資金に充てている可能性があります。金融機関からの有利子負債ではなく，無利子の仕入資金であるため一見経済的であるように思えますが，結果としては仕入価格等に反映されているはずで経済的には財務活動と購買活動の混同は合理的といえません。特に，医業収益が減少に転じた場合，入金と支払いの時間的均衡が保たれていないため急速に資金繰りが悪化する可能性をはらんでいます。

④賞与を自己資金で支払っているかどうか⇒金融機関からの借入により賞与を支払う必要のある経営体は，将来経営状態が悪化した際の財務体力に大きな問題があるといえ

医療法人における短期の資金繰り正常度チェック・シート

短期の資金繰りにおけるチェック項目	判断の目安	判断結果
1. 現預金残高：医業収益(事業収益)の何カ月分を保有しているか？	1カ月以上 [ ]	
2. 借入金残高：年間医業収益(事業収益)の何倍にあたるか？ ※長期の設備借入金の平均返済期間が何年かが重要。	1倍以下 [ ]	
3. 買掛金等：決済サイトは何カ月か？ 支払手形の振り出しは？	2カ月以内 [ ]	
4. 賞与資金：自己資金で調達しているかどうか？	YES [ ]	
5. 納税資金：法人税等の納税資金を自己資本で支払っているかどうか？	YES [ ]	
6. 診療報酬債権の資金化方式：採用しているかどうか？ ※採用している場合，どの程度の資金を何のために調達したか。	NO [ ]	
7. 自己資本：自己資本比率は何％か？	35％以上 [ ]	
8. リースへの依存：どの程度のリース債務(未計上含む)があるのか？ リース期間，リース料支払開始時期はどうなっているのか？ (残高としての未返済債務が重要)	なし [ ]	
9. 延払購入債務：設備の割賦購入を行っているかどうか？ 債務残高や支払期間はどうなっているのか？	なし [ ]	
10. 人件費関係動向：採用と退職が正常な範囲かどうか？ 人件費増加要因の認識・管理と退職金財源の確保は？ ※最大費用項目である人件費の予算管理システムが構築されているかどうか ※資金繰りに大きな影響を及ぼす退職金(役員，職員両方)に関する認識と財源確保が行われているかどうか。	正常範囲 [ ]	

評価結果

- 該当件数　0　　　　優　　良
- 該当件数　1 ～ 3　　正常領域
- 該当件数　4 ～ 7　　要 注 意
- 該当件数　8 ～ 10　破綻，破綻直前

図3-18　短期資金繰り正常度のチェック・シート

ます。

⑤納税資金を自己資金で支払っているかどうか⇒金融機関からの借入により納税資金を支払う必要のある経営体は，本来，事業利益によって賄うべき納税資金を何らかの理由で支払えないということであり財務体質としては問題なしとはいえません。

⑥診療報酬債権の資金化を行っているかどうか⇒診療報酬債権の資金化を行っている場合，その資金をどのような資金需要に充当したかが重要です。もし，借入能力を十分に温存しながら設備資金に充当したのであれば当面の健全性に問題はないと思われます。しかし，本来長期の設備資金であるものを最終的にどのように返済する予定なの

かが1つのポイントになります。また，資金の使途が運転資金であったとすると決して健全な資金状態にないことを自覚する必要があります。すでに現状においてかなり脆弱な財務環境にあります。

⑦自己資本比率は何パーセントか⇒「安全性」の指標を参照してください。

⑧どの程度のリース債務残高があるのか⇒ここで注意すべきことは，年間のリース料ではなく，期末時点の未払いのリース債務残高がいくらあるかを聞いている点です。「病院会計準則」に基づいて会計処理を行っていれば，原則として貸借対照表にリース債務残高が計上されますが，計上していない病院も多いと思います。貸借対照表に計上しているか否かにかかわらず，リース債務残高は実質的には借入金と同じ有利子の負債です。病院，特に急性期の病院では医療器械購入に際してリースを活用しているケースが多く，貸借対照表に計上していない場合，貸借対照表からは，本当の財政状態が見えづらくなっています。過度のリース依存は大変危険な債務形成となります。また，リース期間が正常な期間で設定されているか，リース料支払い開始時期が設備使用時期と合っているかも確認すべき項目です。

⑨設備に関する延払購入債務があるかどうか⇒実質的な借入金で，リース債務同様の問題があります。

⑩人件費の総合的な管理や退職金財源の確保が行われているかどうか⇒最大費用項目である人件費の管理が行われていない場合，費用統制が不能となり医業収益を巡る環境変化に全く対応できない状態に陥ります。また，資金繰りに大きな影響を及ぼす退職金に関する予測計算と財源確保が行われているかどうかは重要な資金影響項目です。

4 指標の活用

1 統計資料の具体的な活用方法

ここまで厚生労働省が公表している「病院経営管理指標」を中心に病院の経営指標について説明を加えてきましたが，ここで自病院の経営指標を計算・分析・評価するうえでの具体的な活用方法を説明します。

さまざまな経営指標数値を計算して自病院の経営状況を的確に把握し，経営改善や将来の経営戦略策定に利用することが経営指標分析の目的ですが，自らの病院の経営状態をつかむ方法には大きく分けて2つの方法があります。2つの方法はもちろん相互に関連・補完し合って経営分析を正確なものにしてくれます。1つ目の方法は，自己の経営指標数値の「時系列自己分析」です。「時系列自己分析」とは，自己の経営指標の推移を時系列的に分析して経営数値の変化の趨勢を認識することにより，過去から現在に至る変化の内容や方向性を明らかにする作業です。例えば，自病院の過去10年間の「1日平均入院患者数」や「病床利用率」，「平均在院日数」あるいは「1日平均外来患者数」や「患者1人1日当たり入院収益・外来収益」の推移・変化を見ることは，経営状況を把握するうえでそれ自体大きな意味があります。

時系列的な自己分析には“年”を単位とした年次分析と“月”を単位とした月次分析があり，月次分析は大変動期の現在，日常的な経営管理に大変有効です。

[時系列自己分析]──①年次経営指標分析
　　　　　　　　　└②月次経営指標分析

2つ目の方法は，自己の経営指標数値と他の病院の経営指標数値の「比較分析」です。この場面で，統計処理された全体指標としての「病院経営管理指標」を利用することが有効となります。他の病院との比較は，比較対象の開設主体と施設類型の異同により少なくとも以下の4つの種類が考えられます。

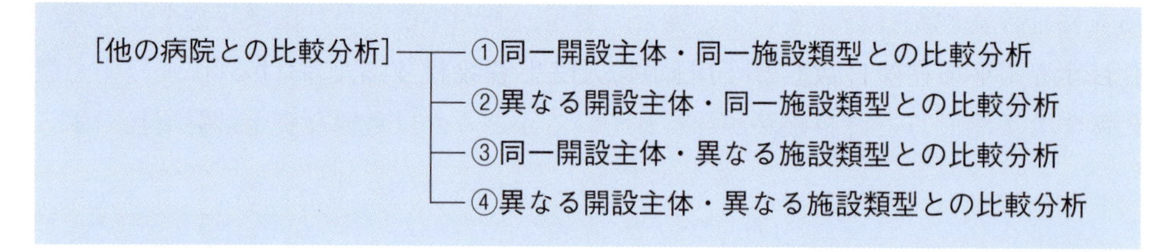

[他の病院との比較分析]
①同一開設主体・同一施設類型との比較分析
②異なる開設主体・同一施設類型との比較分析
③同一開設主体・異なる施設類型との比較分析
④異なる開設主体・異なる施設類型との比較分析

仮に自病院が医療法人開設の一般病院であった場合，①は医療法人開設の他の一般病院との比較，②は自治体開設の一般病院との比較，③は医療法人開設の療養型病院との比較，④は自治体開設の療養型病院との比較が該当します。②～④の比較分析は一見必要のないものと考えられますが，医療提供体制のあり方について抜本的な見直しが行われている現在，機能や開設主体の異なる病院との比較は大きな意味を持つといえます。

例えば，すべての病床を一般病床として運営していた病院がその病床の一部を療養病床に転換しようとする場合には，療養型病院の経営指標を理解することが必要になります。また，医療法人が開設する病院であっても地域の中で急性期型の中核病院的な役割を果たしている場合には，自治体病院等の公的な医療機関と同じ機能を果たしていくことになりますので，異なる開設主体である公的な医療機関の経営指標を見ていく必要があります。

したがって，当事者としては自らの「時系列自己分析」と公表されている統計指標から入手した「他の病院との比較分析（時系列情報を含む）」を統合・比較することによって，自らの病院の現状評価を明確にすることができるようになるのです。

このように，公表されている経営指標の推移を自病院のデータ推移に対応させることにより，医療経営環境の変化に対する適合度合いがはっきりとつかめることになります。自病院の「平均在院日数」の推移が同一施設類型の病院と同じかどうか，違うとすれば変化に対応していないのか，あるいは早めの対応が行われていたのかといった評価が可能となります。また，自病院の医療機能等に対する認識が正しいのかどうかも経営指標の時系列対比によって明らかになります。自らが認識している機能を他の病院との経営指標比較によって評価し，座標軸を確定することも可能になるのです。そして，自らの病院が赤字基調の経営である場合には，「病院経営管理指標」で用意されている「全体・黒字・赤字」に区分された経営指標との比較・検討を行い，指標の背景にある現実・事実が経営体のどこから来るのかについて分析・評価することになります。

以上のように，経営指標は単なる数値ではなく経営の状況を明示する意味のあるセンサーであることを十分に認識することにより，自ずと分析経路が明らかになります。

2 指標間の相関関係に注意する

今回説明した経営指標は多くのものが相互に関連しています。「機能性分析」では，入院における「平均在院日数」と「1日平均入院患者数」，外来における「平均通院日数（平均受診回数）」と「1日平均外来患者数」はともに相互に相反する関係にある指標です。他の先進諸国に比べて，平均在院日数も平均通院日数（平均受診回数）も多過ぎるといわれているわが国の医療は，今後も回数抑制の方向に向かうことになります。平均在院日数が短縮されれば，その分だけ病床利用率が低下します。少子・超高齢社会のもとで平均在院日数を積極的に短縮し，患者1人当たり病床面積を拡大することによりアメニティや医療施設機能を上げこの問題を解決するとしても，病院が持っている潜在的な人的資源の質と量，そして地域における医療需要なども考慮することが必要です。単に診療報酬の高さのみに対応することにも限界があります。また，全国的には毎年確実に減少している病院の1日平均外来患者数に対してどのような方策により対応していくかは，「紹介率」や「逆紹介率」との関係も含めて考える必要があります。

「収益性分析」「安全性分析」の多くの指標は相関関係を持っているとともに，分析を行っていくうえでの補完関係もあります。

例えば，「減価償却費比率」と「1床当たりの固定資産額」は，固定的設備に対するフローとストックそれぞれの面からの評価につながり，資金の源泉と運用という側面からは「1床当たりの固定資産額」と「固定長期適合率」等に関連が生じます。そして，「固定長期適合率」と「固定比率」，「流動比率」，「当座比率」はそれぞれ補完関係にあります。経営指標は，経営の状態を主として財務情報の側面から総合的に捉えるために経験的に生み出された数値であることを常に念頭に置き，経営全体を把握するための道具として使うように心がけてください。

3 外部統計資料を活用する際の留意点

外部統計資料を活用する際の留意点には2つあります。1つは，外部統計資料の指標は「理想値ではない」ということです。そしてもう1つは，主に「収益性」の指標で利用される医業費用は，病院によって「費目の中身が異なる」という点です。

この2つについて，以下に説明します。

①外部統計資料の指標は理想値ではない

さまざまな外部の統計資料は，実際の病院の数値の平均値をとったものなのです。そのため，その数値が理想や目標とは考えないでください。例えば黒字病院であるか赤字病院であるかにかかわらず，各医業費比率はそれぞれの病院ごとにさまざまです。なぜならば，外部委託の利用状況は人件費比率に直接影響を与えますし，医薬分業の違いは材料費比率にも大きく影響を与えますが，外部委託の範囲や医薬分業の状況はそれぞれの病院がそれぞれの状況から判断して決めています。また，それぞれの病院の規模や機能，地域性，歴史などから来る特徴のほか，診療方針や経営手法の違いもあります。そして，それらさまざまな違いが財務数値や経営指標に明確に現れ，その違いがその病院の特徴であり強みなのかもしれません。統一的な診療報酬体系によって画一的に管理される傾向を持つ病院経営では，他病院の経営データや適正な統計資料との比較は自らの“位置”を知るうえで大変重要なことですが，安易に統計数値を目指すようでは，自病院の特徴や強みを消し去ることにもつながりかねません。

あくまでも，病院の経営分析的評価は非財務的情報や社会的情報にそれぞれの病院の個別要素を勘案したうえで，総合的に行いましょう。そして，形式的な経営指標の数値ではなく，その背後にある経営実態を見極めながら注意深くできる限り論理的に評価の結論を出すことが重要です。

例えば，人件費比率の場合にはその病院の開設以来の年数や提供している医療機能・看護体制・平均在院日数などによる影響を理解する必要があります。また，「固定長期適合率」や「借入金比率」の評価をする場合には，なぜそのような数値になってきたのかといった歴史的な展開なども考慮することが大切です。

②病院によって費目の中身が異なる

病院経営分析を行う際に，最も簡単に比較できる指標は「収益性」に関する経営指標です。しかも，1会計期間の経営成績を表示する指標のため一見わかりやすくて気になるところでもあります。特に医業収益に対する「各種医業費用比率」などは収益性分析の基本ともいえますが，ここで理解しておかなくてはならないのが，病院によって同じ費用でも違う「費目」に計上されていることが往々にしてあるということです。例えば，さまざまな業務について積極的に委託業者を利用している場合には，自らの職員が業務を行う場合に比べて「人件費比率」は下がり，その代わり「委託費比率」が上昇することになります。また，給食の委託の場合，材料も含めた一括委託であると，自らの職員が業務を行った場合に「給与費」と「材料費」に計上される費用が委託費に集約されることになります。

そして，収益性分析への最も大きな影響要素は，外来診療について「医薬分業」を行っているかどうかです。「医薬分業」を行い，外来患者の投薬部分を院外処方箋の発行により外部の保険薬局に依頼している場合には，病院では外来の投薬収益がなくなり技術料のみとなります。このため，医業収益全体が大きく減少し，医薬品比率や材料費比率以外の各種医業費比率が高まるといった現象が生じます。

繰り返しになりますが，外部の統計資料の指標は平均値であり，委託の利用割合や医薬分業の状況などが異なる病院が平均されて数値計算されていることについて，理解しておく必要があります。

4 「病院経営管理指標」の活用

ここまで病院の経営分析の必要性や重要性について書いてきましたが，最後に公表統計資料である「病院経営管理指標」の概要について簡単に紹介したいと思います。

「病院経営管理指標」と比較する自病院の指標を計算するために必要となる非財務情報については図2-27に記載した通りですが，「病院経営管理指標」の調査では，それ以外にも病院それ自体に関する情報，例えば開設者，承認等の状況，入院基本料の算定状況などさまざまな情報も収集しており，指標をそれらの病院の機能や種類などにグルーピングした比較表も数多く掲載しています（表3-33）。それぞれのグルーピングの内容や定義については，巻末資料の「令和2年度病院経営管理指標」《抜粋》の「【参考2】グルーピングとその定義」を参照してください（266頁）。

このグルーピングした比較表は自らの“位置”を知るうえで大変有効な資料といえます。医療法人の一般病院について令和2年度の「病院経営管理指標」を見た場合，全体では病床利用率が75.8%，平均在院日数が22.7日，患者1人1日当たり入院収益が5万6,191円となっています（表3-34）。しかし，これらの指標を病院の機能などに分けて集計した結果を見てみると，「3. 病床規模別比較」では病床規模が100床以上199床以下の病院と400床以上の病院とでは平均在院日数は約2.5倍の開きがあり，患者1人1日当たり入院収益は約2.3倍の開きがあることがわかります。また，「4. 機能別比較（1）一般病院」において比較されている「平均在院日数別」では平均在院日数が10日未満の病院と25日以上の病院で比べると病床利用率は約27%の開きがあり，患者1人1日当

表3-33　「令和2年度病院経営管理指標」のグルーピングの種類

指標の集計内容		内　容
1. 病院種別比較	開設者別	開設者別の病院種別比較
2. 開設者別比較	(1) 病院種別	開設者別の病院種別比較
	(2) 病院種別・病床規模別	病院種別・病床規模別の開設者別比較
3. 病床規模別比較	病院種別・開設者別	病院種別・開設者別の病床規模別比較
4. 機能別比較	(1) 一般病院	一般病院について開設者別の機能別比較
	(2) ケアミックス病院	ケアミックス病院について開設者別の機能別比較
	(3) 療養型病院	療養型病院について開設者別の機能別比較
	(4) 精神科病院	精神科病院について開設者別の機能別比較
5. 医薬分業の有無別比較	医薬分業の有無別	開設者別・病院種別ごとの医薬分業有無別比較
6. 地域別比較	(1) 病院種別・全開設者一括	病院種別に全開設者一括の地域別比較
	(2) 病院種別・開設者別	病院種別・開設者別の地域別比較
	(3) 病院種別・医療法人・黒字病院	病院種別に医療法人における黒字病院の地域別比較
	(4) 病院種別・医療法人・赤字病院	病院種別に医療法人における赤字病院の地域別比較
7. 黒字赤字別比較	(1) 開設者別・病院種別	開設者別・病院種別の黒字赤字別比較
	(2) 病院種別・開設者別・病床規模別	病院種別・開設者別・病床規模別の黒字赤字別比較

表3-34　医療法人が開設主体となっている一般病院のグルーピング別指標①

経営管理指標	機能等の区分	病床利用率	平均在院日数	患者1人1日当たり入院収益
全体		75.8%	22.7日	56,191円
病床規模別	100床以上199床以下	78.2%	29.5日	49,537円
	400床以上	63.8%	11.6日	117,953円
平均在院日数別	10日未満	57.8%	5.7日	96,885円
	25日以上	85.2%	44.5日	37,439円
DPC適用区分別	DPC病院Ⅲ群	76.0%	16.7日	67,659円
	DPC準備病院	74.1%	16.3日	53,206円
一般病棟入院基本料別	急性期一般入院料1	74.6%	14.8日	74,268円
	地域一般入院料1	77.2%	48.7日	35,164円

たり入院収益は2.5倍以上の開きとなっていることがわかります。それ以外にも「4. 機能別比較（1）一般病院」において比較されている「DPC適用区分別」や「一般病棟入院基本料別」でも，それぞれの適用の違いによって，これらの指標には開きがあることがわかります。

同様に，今度は時系列に並べて患者1人1日当たり入院収益の推移を見てみると，全体では平成29年度の4万5,935円から令和2年度の5万6,191円に増額し，これは平成29年度の金額に対して122％となっています（表3-35）。しかし，これらの指標を病院の機能などに分けて集計してみると，病床規模が20床以上49床以下の病院では対29年度比で令和2年度は99％である一方，400床以上の病院では186％と非常に大きな開きがあり，同様に平均在院日数が10日未満の病院では170％である一方，10日以上15日未満の病院では110％とここでも非常に大きな開きがあります。

この結果から，自病院との比較などのために指標を利用する場合，単に全体の指標と比較した場合とそれぞれの機能などに分けて比較した場合では自病院の“位置”の見方は変わってくることがわかります。

表3-35 医療法人が開設主体となっている一般病院のグルーピング別指標②

患者1人1日当たり入院収益（開設者が医療法人の一般病院）

（単位：円）

経営管理指標	機能等の区分	平成29年度	平成30年度	令和1年度	令和2年度
全体		45,935	46,380	49,968	56,191
病床規模別	20床以上49床以下	43,580	43,062	47,940	43,271
	50床以上99床以下	42,707	41,029	48,632	51,509
	100床以上199床以下	42,928	42,832	46,545	49,537
	200床以上299床以下	50,322	51,267	51,215	56,555
	300床以上399床以下	64,575	58,263	50,991	55,934
	400床以上	63,361	63,160	67,133	117,953
平均在院日数別	10日未満	56,840	58,949	73,117	96,885
	10日以上15日未満	58,774	58,803	62,499	64,785
	15日以上20日未満	43,929	47,759	46,386	49,359
	20日以上25日未満	36,942	41,937	41,459	46,225
	25日以上	24,393	31,935	35,796	37,439

平成29年度の患者1人1日当たり入院収益（開設者が医療法人の一般病院）を100％とした場合の各年度の増減割合

経営管理指標	機能等の区分	平成29年度	平成30年度	令和1年度	令和2年度
全体		100％	101％	109％	122％
病床規模別	20床以上49床以下	100％	99％	110％	99％
	50床以上99床以下	100％	96％	114％	121％
	100床以上199床以下	100％	100％	108％	115％
	200床以上299床以下	100％	102％	102％	112％
	300床以上399床以下	100％	90％	79％	87％
	400床以上	100％	100％	106％	186％
平均在院日数別	10日未満	100％	104％	129％	170％
	10日以上15日未満	100％	100％	106％	110％
	15日以上20日未満	100％	109％	106％	112％
	20日以上25日未満	100％	114％	112％	125％
	25日以上	100％	131％	147％	153％

例えば，自病院が医療法人の開設する一般病院であり，患者1人1日当たり入院収益が平成29年度は6万3,000円，令和2年度は7万8,000円（対平成29年度比123.8％）であった場合，医療法人が開設する一般病院全体の指標と比べれば「患者1人1日当たり入院収益」の金額は平均額を上回っており，増加率も同程度であるといえます。しかし，自病院の病床規模が500床，平均在院日数は平成29年度から令和2年度まで9日であった場合はどうでしょうか。

同じ規模の病院群である400床以上の病院の「患者1人1日当たり入院収益」の平均は，平成29年度が6万3,361円，令和2年度が11万7,953円であり，増加率は86％となっていることから，自病院の「患者1人1日当たり入院収益」は同規模の病院の平均値と比較して平成29年度，令和2年度のいずれも下回っているとともに，その増加率も下回っており，乖離率が広がっていることがわかります。

同様に，平均在院日数が同程度である10日未満の病院の「患者1人1日当たり入院収益」の平均は，平成29年度が5万6,840円，令和2年度が9万6,885円であり，増加率は70％となっていることから，自病院の「患者1人1日当たり入院収益」は平均在院日数が同程度の病院の平均値と比較して平成29年度は上回っていたものの，令和2年度にかけて増加率が下回り，ついには令和2年度の「患者1人1日当たり入院収益」は同程度の病院の平均値の80％程度まで下回ってしまったことがわかります。

このように，全体の指標と比較した場合に自病院の指標が上回っていることで，一義的には適切に運営されていると判断できる場合であっても，規模や機能が同じような病院群との比較において指標が下回っていることがあります。指標が下回ったことをもって直ちに機能性などに課題があると決める必要はありませんが，このような結果となっている原因を把握し自病院の特徴をつかむことは，今後の医療制度への具体的かつ適切な対応策を検討する際には，非常に重要なこととなります。

そして，指標の対象となっている病院は数も含めて毎年同じ病院が対象となっているわけではなく，また，機能の区分によっては毎年ごく少数の病院により集計されている指標も含まれています。そのため，自病院の比較検討の際には単にある年度のある機能の指標と比較するだけではなく，継続的な比較とさまざまな機能別の指標による多面的な比較が重要です。

最後になりますが，経営分析において算出される数値や公表される統計データ，他病院の数値などとの比較結果は病院経営を行うに当たり重視すべき数値ではありますが，それは答えではありません。その数値結果の背後には常に変化している病院全体の活動があり，その変化や活動をそれぞれの経営者が適切に理解するための手助けとなる道具が経営分析であり，また，病院全体の変化や活動を理解したうえで経営分析の数値結果を解釈することが，それぞれが自ら定めた目指すべき医療機関像に向かって組織を導き，または変革することにつながります。繰り返しになりますが，経営分析はその手法も大事ですが，その後にどのようなアクションをとることができるかが，より重要です。ここにあげられている指標を参考にしながら，それだけにこだわらず医療現場や医事部門，診療情報管理部門，経理部門など病院内の各部署に散在している経営情報を有機的に結合させ，自病院に適した指標を活用して，より良い病院経営を行ってください。そして，ぜひ「組織の目標を定め，構成員が目標に対して効果的な成果を効率的に上げるようにする」ための経営分析を実践してください。

平成17年度から令和2年度までの15年間の数値の推移を紹介しましたが，平成17年は今から17年前になり，今から2040年までと同じような期間となります。現在から平成17年度を捉えると，それはどのように映り，どのようなことがいえるでしょうか。そして2040年から現在を捉えると，それはどのように映り，どのようなことがいえるのでしょうか。

厚生労働省のホームページを見てみよう

今後も，医業経営を取り巻く制度環境が大きく変化していくことは確実です。したがって，年金・医療・介護・少子化対策等を柱とする社会保障制度全般にわたる改革は病院経営に大きな影響を与えるため，変化の方向や内容をタイムリーにつかむことが大切です。

現代は「情報公開とICTの時代」であり，行政当局も，各省庁のホームページでさまざまな情報公開・提供を行っています。

ホームページにアクセスすることは世界中どこからでもいつでも可能ですから，情報収集には大変役に立ちます。そして，厚生労働省のホームページを開いてみると，以下の内容が掲載されています。

・所管の法令，告示・通知等
・報道発表資料
・各種統計調査
・大臣記者会見等
・審議会・研究会等

特に，審議会・研究会等や各種統計調査のページは病院にとっての経営情報の宝庫です。最近は極めてタイムリーに情報が掲載されており，審議会・研究会等のページでは，「社会保障審議会」や「中央社会保険医療協議会」などの議事録や会議資料を適時に見ることができ，各種統計調査のページでは「医療施設調査」，「医療経済実態調査」および「医療費の動向」などの各種調査結果を確認することができます。

また，「医療」分野のページでは，施策情報として「地域医療構想」や「外来機能報告制度」などのページが用意され，関連資料が一覧となっています。そして，医業経営に関しては「医療法人・医業経営のホームページ」が用意されており，そこでは医療法人制度や医療法人税制などのほか，病院経営管理指標や病院会計準則とその適用ガイドラインを見ることができます。

診療報酬に関しては，過去の診療報酬改定の情報も含めて「診療報酬関連情報」のページで確認することもできます。

今後もホームページの内容はますます充実していくことが予想されますので，ぜひ病院経営へ活用することをお勧めします。

参考資料

資料1　病院会計準則［改正版］

（平成16年8月　厚生労働省医政局）

第1章　総　　則

第1　目　　的

病院会計準則は，病院を対象に，会計の基準を定め，病院の財政状態及び運営状況を適正に把握し，病院の経営体質の強化，改善向上に資することを目的とする。

第2　適用の原則

1. 病院会計準則は，病院ごとに作成される財務諸表の作成基準を示したものである。
2. 病院会計準則において定めのない取引及び事象については，開設主体の会計基準及び一般に公正妥当と認められる会計の基準に従うものとする。
3. 病院の開設主体が会計規則を定める場合には，この会計準則に従うものとする。

第3　会計期間

病院の会計期間は1年とし，開設主体が設定する。

第4　会計単位

病院の開設主体は，それぞれの病院を会計単位として財務諸表を作成しなければならない。

第5　財務諸表の範囲

病院の財務諸表は，貸借対照表，損益計算書，キャッシュ・フロー計算書及び附属明細表とする。

第２章　一般原則

第６　真実性の原則

病院の会計は，病院の財政状態及び運営状況に関して，真実な報告を提供するものでなければならない。（注1）

第７　正規の簿記の原則

1. 病院は，病院の財政状態及び運営状況に関するすべての取引及び事象を体系的に記録し，正確な会計帳簿を作成しなければならない。
2. 病院の会計帳簿は，病院の財政状態及び運営状況に関するすべての取引及び事象について，網羅的かつ検証可能な形で作成されなければならない。
3. 病院の財務諸表は，正確な会計帳簿に基づき作成され，相互に整合性を有するものでなければならない。（注2）（注4）

第８　損益取引区別の原則

病院の会計においては，損益取引と資本取引とを明瞭に区別し，病院の財政状態及び運営状況を適正に表示しなければならない。（注3）

第９　明瞭性の原則

病院の開設主体は，財務諸表によって，必要な会計情報を明瞭に表示し，病院の状況に関する判断を誤らせないようにしなければならない。（注4）（注5）（注7）（注8）

第10　継続性の原則

病院の会計においては，その処理の原則及び手続きを毎期継続して適用し，みだりにこれを変更してはならない。（注5）（注6）

第11　保守主義の原則

1. 病院の開設主体は，予測される将来の危険に備えて，慎重な判断に基づく会計処理を行なわなければならない。
2. 病院の開設主体は，過度に保守的な会計処理を行うことにより，病院の財政状態及び運営状況の真実な報告をゆがめてはならない。

第12　重要性の原則

病院の会計においては，会計情報利用者に対して病院の財政状態及び運営状況に関する判断を誤らせないようにするため，取引及び事象の質的，量的重要性を勘案して，記録，集計及び表示を行わなければならない。（注4）（注5）（注7）（注8）

第13　単一性の原則

種々の目的のために異なる形式の財務諸表を作成する必要がある場合，それらの内容は信頼しうる会計記録に基づいて作成されたものであって，政策の考慮のために，事実の真実な表示をゆがめてはならない。

一般原則注解

（注1）真実性の原則について

病院経営の効率化を図るためには，異なる開設主体間の病院会計情報の比較可能性を確保する必要があり，真実な報告が要請される。

（注2）正規の簿記の原則について

キャッシュ・フロー計算書は，病院の財務諸表を構成する書類のひとつであり，基本的には正確な会計帳簿に基づき作成されるべきものである。

（注3）損益取引区別の原則について

病院会計における損益取引とは，収益又は費用として計上される取引を指し，資本取引とはそれ以外に純資産を増加又は減少させる取引をいう。

（注4）重要性の原則の適用について

1. 重要性の乏しいものについては，本来の会計処理によらないで，合理的な範囲で他の簡便な方法によることも，正規の簿記の原則に従った処理として認められる。
2. 重要性の原則は，財務諸表の表示に関しても適用され，本来の財務諸表の表示方法によらないで，合理的な範囲で他の簡便な方法によることも，明瞭性の原則に従った表示として認められる。

（注5）重要な会計方針について

財務諸表には，重要な会計方針を注記しなければならない。会計方針とは，病院が貸借対照表，損益計算書及びキャッシュ・フロー計算書の作成に当たって，その財政状態及び運営状況を正しく示すために使用した会計処理の原則及び手続き並びに表示の方法をいう。会計方針の例としては，次のようなものがある。

① 有価証券の評価基準及び評価方法
② たな卸資産の評価基準及び評価方法
③ 固定資産の減価償却の方法
④ 引当金の計上基準
⑤ 収益及び費用の計上基準
⑥ リース取引の処理方法
⑦ キャッシュ・フロー計算書における資金の範囲
⑧ 消費税等の会計処理方法
⑨ その他重要な会計方針

(注6) 会計方針の変更について

会計方針を変更した場合には，その旨，理由，影響額等について注記しなければならない。会計方針変更の例としては，次のようなものがある。

① 会計処理の原則又は手続きの変更

② 表示方法の変更

(注7) 重要な後発事象について

財務諸表には，貸借対照表，損益計算書及びキャッシュ・フロー計算書を作成する日までに発生した重要な後発事象を注記しなければならない。

後発事象とは，貸借対照表日後に発生した事象で，次期以後の財政状態及び運営状況に影響を及ぼすものをいう。

重要な後発事象を注記として記載することは，当該病院の将来の財政状態及び運営状況を理解するための資料として有用である。

重要な後発事象としては，次のようなものがある。

① 火災・出水等による重大な損害の発生

② 重要な組織の変更

③ 重要な係争事件の発生又は解決

(注8) 追加情報について

土地・建物等の無償使用等を行っている場合，その旨，その内容について注記しなければならない。

第3章　貸借対照表原則

第14　貸借対照表の作成目的

貸借対照表は，貸借対照表日におけるすべての資産，負債及び純資産を記載し，経営者，出資者（開設者），債権者その他の利害関係者に対して病院の財政状態を正しく表示するものでなければならない。(注9)

1. 債務の担保に供している資産等病院の財務内容を判断するために重要な事項は，貸借対照表に注記しなければならない。
2. 貸借対照表の資産の合計金額は，負債と純資産の合計金額に一致しなければならない。

第15　貸借対照表の表示区分

貸借対照表は，資産の部，負債の部及び純資産の部の3区分に分け，さらに資産の部を流動資産及び固定資産に，負債の部を流動負債及び固定負債に区分しなければならない。

第16　資産，負債の表示方法

資産，負債は，適切な区分，配列，分類及び評価の基準に従って記載しなければならない。

第17　総額主義の原則

資産，負債及び純資産は，総額によって記載することを原則とし，資産の項目と負債又は純資産の項目とを相殺することによって，その全部又は一部を貸借対照表から除去してはならない。

第18　貸借対照表の配列

資産及び負債の項目の配列は，流動性配列法によるものとする。

第19　貸借対照表科目の分類

1.　資産及び負債の各科目は，一定の基準に従って明瞭に分類しなければならない。（注10）

2.　資産

資産は，流動資産に属する資産及び固定資産に属する資産に区別しなければならない。仮払金，未決算等の勘定を貸借対照表に記載するには，その性質を示す適当な科目で表示しなければならない。

(1)　現金及び預金，経常的な活動によって生じた未収金等の債権及びその他1年以内に回収可能な債権，売買目的有価証券等，医薬品，診療材料，給食用材料，貯蔵品等のたな卸資産は，流動資産に属するものとする。

前払費用で1年以内に費用となるものは，流動資産に属するものとする。

未収金その他流動資産に属する債権は，医業活動上生じた債権とその他の債権とに区分して表示しなければならない。

(2)　固定資産は，有形固定資産，無形固定資産及びその他の資産に区分しなければならない。

建物，構築物，医療用器械備品，その他の器械備品，車両及び船舶，放射性同位元素，その他の有形固定資産，土地，建設仮勘定等は，有形固定資産に属するものとする。

借地権，ソフトウェア等は，無形固定資産に属するものとする。（注11）（注12）

流動資産に属さない有価証券，長期貸付金並びに有形固定資産及び無形固定資産に属するもの以外の長期資産は，その他の資産に属するものとする。

(3)　債権のうち役員等内部の者に対するものと，他会計に対するものは，特別の科目を設けて区別して表示し，又は注記の方法によりその内容を明瞭に表示しなければならない。

3.　負債

負債は，流動負債に属する負債と固定負債に属する負債とに区別しなければならない。仮受金，未決算等の勘定を貸借対照表に記載するには，その性質を示す適当な科目で表示しなければならない。

(1)　経常的な活動によって生じた買掛金，支払手形等の債務及びその他期限が1年以内に到来する債務は，流動負債に属するものとする。

買掛金，支払手形その他流動負債に属する債務は，医業活動から生じた債務とその他の債務とに区別して表示しなければならない。

引当金のうち，賞与引当金のように，通常1年以内に使用される見込みのものは，流動負債に属するものとする。（注13）

(2) 長期借入金，その他経常的な活動以外の原因から生じた支払手形，未払金のうち，期間が1年を超えるものは，固定負債に属するものとする。

引当金のうち，退職給付引当金のように，通常1年を超えて使用される見込みのものは，固定負債に属するものとする。（注14）

(3) 債務のうち，役員等内部の者に対するものと，他会計に対するものは，特別の科目を設けて区別して表示し，又は注記の方法によりその内容を明瞭に表示しなければならない。

(4) 補助金については，非償却資産の取得に充てられるものを除き，これを負債の部に記載し，補助金の対象とされた業務の進行に応じて収益に計上しなければならない。設備の取得に対して補助金が交付された場合は，当該設備の耐用年数にわたってこれを配分するものとする。（注15）

なお，非償却資産の取得に充てられた補助金については，これを純資産の部に記載するものとする。

4. 純資産

純資産は，資産と負債の差額として病院が有する正味財産である。純資産には，損益計算書との関係を明らかにするため，当期純利益又は当期純損失の金額を記載するものとする。（注9）

第20 資産の貸借対照表価額

貸借対照表に記載する資産の価額は，原則として，当該資産の取得原価を基礎として計上しなければならない。（注16）

第21 無償取得資産の評価

譲与，贈与その他無償で取得した資産については，公正な評価額をもって取得原価とする。

第22 有価証券の評価基準及び評価方法

1. 有価証券については，購入代価に手数料等の付随費用を加算し，これに移動平均法等の方法を適用して算定した取得原価をもって貸借対照表価額とする。
2. 有価証券については，売買目的有価証券，満期保有目的の債券，その他有価証券に区分し，それぞれの区分ごとの評価額をもって貸借対照表価額とする。（注17）（注18）

第23 たな卸資産の評価基準及び評価方法

医薬品，診療材料，給食用材料，貯蔵品等のたな卸資産については，原則として，購入代価に引取費用等の付随費用を加算し，これに移動平均法等あらかじめ定めた方法を適用して算定した取得原価をもって貸借対照表価額とする。ただし，時価が取得原価よりも下落した場合には，時価をもって貸借対照表価額としなければならない。

第24　医業未収金，未収金，貸付金等の貸借対照表価額

1. 医業未収金，未収金，貸付金等その他債権の貸借対照表価額は，債権金額又は取得原価から貸倒引当金を控除した金額とする。なお，貸倒引当金は，資産の控除項目として貸借対照表に計上するものとする。（注10）
2. 貸倒引当金は，債務者の財政状態及び経営成績等に応じて，合理的な基準により算定した見積高をもって計上しなければならない。

第25　有形固定資産の評価

1. 有形固定資産については，その取得原価から減価償却累計額を控除した価額をもって貸借対照表価額とする。有形固定資産の取得原価には，原則として当該資産の引取費用等の付随費用を含める。
2. 現物出資として受け入れた固定資産については，現物出資によって増加した純資産の金額を取得原価とする。
3. 償却済の有形固定資産は，除却されるまで残存価額又は備忘価額で記載する。

第26　無形固定資産の評価

無形固定資産については，当該資産の取得原価から減価償却累計額を控除した未償却残高を貸借対照表価額とする。（注11）

第27　負債の貸借対照表価額

貸借対照表に記載する負債の価額は，原則として，過去の収入額又は合理的な将来の支出見込額を基礎として計上しなければならない。（注16）

1. 買掛金，支払手形，その他金銭債務の貸借対照表価額は，契約に基づく将来の支出額とする。
2. 前受金等の貸借対照表価額は，過去の収入額を基礎とし，次期以降の期間に配分すべき金額とする。
3. 将来の特定の費用等に対応する引当金の貸借対照表価額は，合理的に見積もられた支出見込額とする。
4. 退職給付引当金については，将来の退職給付の総額のうち，貸借対照表日までに発生していると認められる額を算定し，貸借対照表価額とする。なお，退職給付総額には，退職一時金のほか年金給付が含まれる。（注14）

貸借対照表原則注解

（注9）純資産の意義と分類について

非営利を前提とする病院施設の会計においては，資産，負債差額を資本としてではなく，純資産と定義することが適切である。

資産と負債の差額である純資産は，損益計算の結果以外の原因でも増減する。病院は施設会計であるため貸借対照表における純資産の分類は，開設主体の会計の基準，課税上の位置づけ

によって異なることになり，統一的な取り扱いをすることはできない。したがって，開設主体の会計基準の適用にあたっては，必要に応じて勘定科目を分類整理することになる。ただし，当期純利益又は当期純損失を内書し損益計算書とのつながりを明示しなければならない。

（注10）流動資産又は流動負債と固定資産又は固定負債とを区別する基準について

1. 医業未収金（手形債権を含む），前渡金，買掛金，支払手形，預り金等の当該病院の医業活動により発生した債権及び債務は，流動資産又は流動負債に属するものとする。ただし，これらの債権のうち，特別の事情によって1年以内に回収されないことが明らかなものは，固定資産に属するものとする。
2. 貸付金，借入金，当該病院の医業活動外の活動によって発生した未収金，未払金等の債権及び債務で，貸借対照表日の翌日から起算して1年以内に入金又は支払の期限が到来するものは，流動資産又は流動負債に属するものとし，入金又は支払の期限が1年を超えて到来するものは，固定資産又は固定負債に属するものとする。
3. 現金及び預金は，原則として流動資産に属するが，預金については貸借対照表日の翌日から起算して1年以内に期限が到来するものは，流動資産に属するものとし，期限が1年を超えて到来するものは，固定資産に属するものとする。
4. 所有有価証券のうち，売買目的有価証券及び1年内に満期の到来する有価証券は流動資産に属するものとし，それ以外の有価証券は固定資産に属するものとする。
5. 前払費用については，貸借対照表日の翌日から起算して1年以内に費用となるものは，流動資産に属するものとし，1年を超える期間を経て費用となるものは，固定資産に属するものとする。未収収益は流動資産に属するものとし，未払費用及び前受収益は，流動負債に属するものとする。
6. 医薬品，診療材料，給食用材料，貯蔵品等のたな卸資産は，流動資産に属するものとし，病院がその医業目的を達成するために所有し，かつ短期的な費消を予定しない財貨は，固定資産に属するものとする。

（注11）ソフトウェアについて

1. 当該病院が開発し販売するソフトウェアの制作費のうち，研究開発が終了する時点までの原価は期間費用としなければならない。
2. 当該病院が開発し利用するソフトウェアについては，適正な原価を計上した上，その制作費を無形固定資産として計上しなければならない。
3. 医療用器械備品等に組み込まれているソフトウェアの取得に要した費用については，当該医療用器械備品等の取得原価に含める。

（注12）リース資産の会計処理について

リース取引はファイナンス・リース取引とオペレーティング・リース取引に区分し，ファイナンス・リース取引については，通常の売買取引に係る方法に準じて会計処理を行う。

(注13) 引当金について

将来の特定の費用又は損失であって，その発生が当期以前の事象に起因し，発生の可能性が高く，かつ，その金額を合理的に見積ることができる場合には，当期の負担に属する金額を当期の費用又は損失として引当金に繰入れ，当該引当金の残高を貸借対照表の負債の部又は資産の部に記載するものとする。

(注14) 退職給付の総額のうち，貸借対照表日までに発生していると認められる額について

退職給付の総額のうち，貸借対照表日までに発生していると認められる額は，退職給付見込額について全勤務期間で除した額を各期の発生額とする方法その他従業員の勤務の対価を合理的に反映する方法を用いて計算しなければならない。

(注15) 補助金の収益化について

補助金については，非償却資産の取得に充てられるものを除き，これを負債の部に記載し，業務の進行に応じて収益に計上する。収益化を行った補助金は，医業外収益の区分に記載する。

(注16) 外貨建資産及び負債について

1. 外貨建資産及び負債については，原則として，決算時の為替相場による円換算額をもって貸借対照表価額とする。
2. 重要な資産又は負債が外貨建であるときは，その旨を注記しなければならない。

(注17) 有価証券の評価基準について

有価証券については，売買目的有価証券，満期保有目的の債券，その他有価証券に区分し，次のように評価を行う。

1. 売買目的有価証券は，時価で評価し，評価差額は損益計算書に計上する。
2. 満期保有目的の債券は，取得原価をもって貸借対照価額とする。ただし，債券を債券金額より低い価額又は高い価額で取得した場合においては，取得価額と債券金額との差額の性格が金利の調整と認められるときは，償却原価法に基づいて算定された価額をもって貸借対照表価額としなければならない。償却原価法とは，債券を債券金額より低い価額又は高い価額で取得した場合において，当該差額に相当する金額を償還期に至るまで毎期一定の方法で貸借対照表価額に加減する方法をいう。なお，この場合には，当該加減額を受取利息に含めて処理する。
3. その他有価証券は時価で評価し，評価差額は，貸借対照表上，純資産の部に計上するとともに，翌期首に取得原価に洗い替えなければならない。

なお，満期保有目的の債券及びその他有価証券のうち市場価格のあるものについて時価が著しく下落したときは，回復する見込みがあると認められる場合を除き，時価をもって貸借対照表価額とし，評価差額は当期の費用として計上しなければならない。

(注18) 満期保有目的の債券とその他有価証券との区分について

1. その他有価証券とは，売買目的有価証券，満期保有目的の債券以外の有価証券であり，長

期的な時価の変動により利益を得ることを目的として保有する有価証券や，政策的な目的から保有する有価証券が含まれることになる。

2. 余裕資金等の運用として，利息収入を得ることを主たる目的として保有する国債，地方債，政府保証債，その他の債券であって，長期保有の意思をもって取得した債券は，資金繰り等から長期的には売却の可能性が見込まれる債券であっても，満期保有目的の債券に含めるものとする。

（様式例）

貸　借　対　照　表

平成×年×月×日

科　目	金　額	
（資　産　の　部）		
Ⅰ　流　動　資　産		
現金及び預金	×××	
医業未収金	×××	
未収金	×××	
有価証券	×××	
医薬品	×××	
診療材料	×××	
給食用材料	×××	
貯蔵品	×××	
前渡金	×××	
前払費用	×××	
未収収益	×××	
短期貸付金	×××	
役員従業員短期貸付金	×××	
他会計短期貸付金	×××	
その他の流動資産	×××	
貸倒引当金	△×××	
流動資産合計		×××
Ⅱ　固　定　資　産		
1　有形固定資産		
建物	×××	
構築物	×××	
医療用器械備品	×××	
その他の器械備品	×××	
車両及び船舶	×××	
放射性同位元素	×××	
その他の有形固定資産	×××	
土地	×××	
建設仮勘定	×××	
減価償却累計額	△×××	
有形固定資産合計	×××	
2　無形固定資産		
借地権	×××	

科目	金額	
ソフトウェア	×××	
その他の無形固定資産	×××	
無形固定資産合計	×××	
3 その他の資産		
有価証券	×××	
長期貸付金	×××	
役員従業員長期貸付金	×××	
他会計長期貸付金	×××	
長期前払費用	×××	
その他の固定資産	×××	
貸倒引当金	△×××	
その他の資産合計	×××	
固定資産合計		×××
資産合計		×××

科目	金額	
(負債の部)		
Ⅰ 流動負債		
買掛金	×××	
支払手形	×××	
未払金	×××	
短期借入金	×××	
役員従業員短期借入金	×××	
他会計短期借入金	×××	
未払費用	×××	
前受金	×××	
預り金	×××	
従業員預り金	×××	
前受収益	×××	
賞与引当金	×××	
その他の流動負債	×××	
流動負債合計		×××
Ⅱ 固定負債		
長期借入金	×××	
役員従業員長期借入金	×××	
他会計長期借入金	×××	
長期未払金	×××	
退職給付引当金	×××	
長期前受補助金	×××	
その他の固定負債	×××	
固定負債合計		×××
負債合計		×××
(純資産の部)		
Ⅰ 純資産額		×××
(うち，当期純利益又は当期純損失)		(×××)
純資産合計		×××
負債及び純資産合計		×××

第４章　損益計算書原則

第28　損益計算書の作成目的

損益計算書は，病院の運営状況を明らかにするために，一会計期間に属するすべての収益とこれに対応するすべての費用とを記載して当期純利益を表示しなければならない。

第29　収益の定義

収益とは，施設としての病院における医業サービスの提供，医業サービスの提供に伴う財貨の引渡し等の病院の業務に関連して資産の増加又は負債の減少をもたらす経済的便益の増加である。（注19）

第30　費用の定義

費用とは，施設としての病院における医業サービスの提供，医業サービスの提供に伴う財貨の引渡し等の病院の業務に関連して資産の減少又は負債の増加をもたらす経済的便益の減少である。（注19）

第31　損益計算書の区分

損益計算書には，医業損益計算，経常損益計算及び純損益計算の区分を設けなければならない。

1. 医業損益計算の区分は，医業活動から生ずる費用及び収益を記載して，医業利益を計算する。（注20）（注22）
2. 経常損益計算の区分は，医業損益計算の結果を受けて，受取利息，有価証券売却益，運営費補助金収益，施設設備補助金収益，患者外給食収益，支払利息，有価証券売却損，患者外給食用材料費，診療費減免額等，医業活動以外の原因から生ずる収益及び費用であって経常的に発生するものを記載し，経常利益を計算する。
3. 純損益計算の区分は，経常損益計算の結果を受けて，固定資産売却損益，災害損失等の臨時損益を記載し，当期純利益を計算する。

第32　発生主義の原則

すべての費用及び収益は，その支出及び収入に基づいて計上し，その発生した期間に正しく割当てられるように処理しなければならない。ただし，未実現収益は原則として，当期の損益計算に計上してはならない。

前払費用及び前受収益は，これを当期の損益計算から除去し，未払費用及び未収収益は，当期の損益計算に計上しなければならない。（注21）

第33　総額主義の原則

費用及び収益は，原則として，各収益項目とそれに関連する費用項目とを総額によって対応表示しなければならない。費用の項目と収益の項目とを直接に相殺することによってその全部又は一部を損益計算書から除去してはならない。

第34　費用収益対応の原則

費用及び収益は，その発生源泉に従って明瞭に分類し，各収益項目とそれに関連する費用項目とを損益計算書に対応表示しなければならない。

第35　医業利益

医業損益計算は，一会計期間に属する入院診療収益，室料差額収益，外来診療収益等の医業収益から，材料費，給与費，経費等の医業費用を控除して医業利益を表示する。

1. 医業収益は，入院診療収益，室料差額収益，外来診療収益，保健予防活動収益，受託検査・施設利用収益及びその他の医業収益等に区分して表示する。
2. 医業費用は，材料費，給与費，委託費，設備関係費，研究研修費，経費，控除対象外消費税等負担額に区分して表示する。なお，病院の開設主体が本部会計を独立会計単位として設置している場合，本部費として各施設に配賦する内容は医業費用として計上されるものに限定され，項目毎に適切な配賦基準を用いて配賦しなければならない。なお，本部費配賦額を計上する際には，医業費用の区分の末尾に本部費配賦額として表示するとともに，その内容及び配賦基準を附属明細表に記載するものとする。（注22）（注23）
3. 医業収益は，実現主義の原則に従い，医業サービスの提供によって実現したものに限る。

第36　経常損益計算

経常損益計算は，受取利息及び配当金，有価証券売却益，患者外給食収益，運営費補助金収益，施設設備補助金収益等の医業外収益と，支払利息，有価証券売却損，患者外給食用材料費，診療費減免額等の医業外費用とに区分して表示する。

第37　経常利益

経常利益は，医業利益に医業外収益を加え，これから医業外費用を控除して表示する。

第38　純損益計算

純損益計算は，固定資産売却益等の臨時収益と，固定資産売却損，固定資産除却損，資産に係る控除対象外消費税等負担額，災害損失等の臨時費用とに区分して表示する。（注22）

第39　税引前当期純利益

税引前当期純利益は，経常利益に臨時収益を加え，これから臨時費用を控除して表示する。

第40　当期純利益

当期純利益は，税引前当期純利益から当期の負担に属する法人税額等を控除して表示する。当期の負担に属する法人税額等は，税効果を加味して当期純利益が負担すべき額を計上するものとする。（注24）

損益計算書原則注解

（注19）資本取引について

収益または費用に含まれない資本取引には，開設主体外部又は同一開設主体の他の施設からの資金等の授受のうち負債の増加又は減少を伴わない取引，その他有価証券の評価替え等が含まれる。

（注20）医業損益計算について

医業において，診療，看護サービス等の提供と医薬品，診療材料等の提供は，ともに病院の医業サービスを提供するものとして一体的に認識する。このため，材料費，給与費，設備関係費，経費等は医業収益に直接的に対応する医業費用として，これを医業収益から控除し，さらに本部会計を設置している場合には，本部費配賦額を控除して医業利益を表示する。

（注21）経過勘定項目について

1. 前払費用

前払費用は，一定の契約に従い，継続して役務の提供を受ける場合，いまだ提供されていない役務に対し支払われた対価をいう。

すなわち，火災保険料，賃借料等について一定期間分を前払した場合に，当期末までに提供されていない役務に対する対価は，時間の経過とともに次期以降の費用となるものであるから，これを当期の損益計算から除去するとともに貸借対照表の資産の部に計上しなければならない。前払費用はかかる役務提供契約以外の契約等による前払金とは区別しなければならない。

2. 前受収益

前受収益は，一定の契約に従い，継続して役務の提供を行う場合，いまだ提供していない役務に対し支払いを受けた対価をいう。

すなわち，受取利息，賃貸料等について一定期間分を予め前受した場合に，当期末までに提供していない役務に対する対価は時間の経過とともに次期以降の収益となるものであるから，これを当期の損益計算から除去するとともに貸借対照表の負債の部に計上しなければならない。前受収益はかかる役務提供契約以外の契約等による前受金とは区別しなければならない。

3. 未払費用

未払費用は，一定の契約に従い，継続して役務の提供を受ける場合，すでに提供された役務に対して，いまだその対価の支払いが終わらないものをいう。

すなわち，支払利息，賃借料，賞与等について，債務としてはまだ確定していないが当期末までにすでに提供された役務に対する対価は，時間の経過に伴いすでに当期の費用として発生しているものであるから，これを当期の損益計算に計上するとともに貸借対照表の負債の部に計上しなければならない。また，未払費用はかかる役務提供契約以外の契約等による未払金とは区別しなければならない。

4. 未収収益

未収収益は，一定の契約に従い，継続して役務の提供を行う場合，すでに提供した役務に対して，いまだその対価の支払いを受けていないものをいう。

すなわち，受取利息，賃貸料等について，債権としてはまだ確定していないが，当期末までにすでに提供した役務に対する対価は，時間の経過に伴いすでに当期の収益として発生しているものであるから，これを当期の損益計算に計上するとともに貸借対照表の資産の部に計上しなければならない。また，未収収益はかかる役務提供契約以外の契約等による未収金とは区別しなければならない。

（注22）控除対象外消費税等負担額について

消費税等の納付額は，開設主体全体で計算される。病院施設においては開設主体全体で計算された控除対象外消費税等のうち，当該病院の費用等部分から発生した金額を医業費用の控除対象外消費税等負担額とし，当該病院の資産取得部分から発生した金額のうち多額な部分を臨時費用の資産に係る控除対象外消費税等負担額として計上するものとする。

（注23）本部費の配賦について

病院が本部を独立の会計単位として設置するか否かは，各病院の裁量によるが，本部会計を設置している場合には，医業利益を適正に算定するため，医業費用に係る本部費について適切な基準によって配賦を行うことが不可欠である。したがって，この場合には，医業費用の性質に応じて適切な配賦基準を用いて本部費の配賦を行い，その内容を附属明細表に記載しなければならない。

（注24）当期純利益について

開設主体が課税対象法人である場合には，納付すべき税額は，開設主体全体で計算される。したがって，当期の法人税額等として納付すべき額に税効果会計適用によって計算された税金等調整額を加減した金額のうち，当該病院の利益から発生した部分の金額を，法人税，住民税及び事業税負担額として計上するものとする。

（様式例）

損　益　計　算　書

自　平成×年×月×日　　至　平成×年×月×日

科　　目	金　　額		
Ⅰ　医業収益			
1 入院診療収益		×××	
2 室料差額収益		×××	
3 外来診療収益		×××	
4 保健予防活動収益		×××	
5 受託検査・施設利用収益		×××	
6 その他の医業収益		×××	
合計		×××	
7 保険等査定減		×××	×××
Ⅱ　医業費用			
1 材料費			
(1)医薬品費	×××		
(2)診療材料費	×××		
(3)医療消耗器具備品費	×××		
(4)給食用材料費	×××	×××	
2 給与費			
(1)給料	×××		
(2)賞与	×××		
(3)賞与引当金繰入額	×××		
(4)退職給付費用	×××		
(5)法定福利費	×××	×××	
3 委託費			
(1)検査委託費	×××		
(2)給食委託費	×××		
(3)寝具委託費	×××		
(4)医事委託費	×××		
(5)清掃委託費	×××		
(6)保守委託費	×××		
(7)その他の委託費	×××	×××	
4 設備関係費			
(1)減価償却費	×××		
(2)器機賃借料	×××		
(3)地代家賃	×××		
(4)修繕費	×××		
(5)固定資産税等	×××		
(6)器機保守料	×××		
(7)器機設備保険料	×××		
(8)車両関係費	×××	×××	
5 研究研修費			
(1)研究費	×××		
(2)研修費	×××	×××	
6 経費			
(1)福利厚生費	×××		
(2)旅費交通費	×××		

科目			
(3)職員被服費	×××		
(4)通信費	×××		
(5)広告宣伝費	×××		
(6)消耗品費	×××		
(7)消耗器具備品費	×××		
(8)会議費	×××		
(9)水道光熱費	×××		
(10)保険料	×××		
(11)交際費	×××		
(12)諸会費	×××		
(13)租税公課	×××		
(14)医業貸倒損失	×××		
(15)貸倒引当金繰入額	×××		
(16)雑費	×××	×××	
7 控除対象外消費税等負担額		×××	
8 本部費配賦額		×××	×××
医業利益(又は医業損失)			×××
Ⅲ 医業外収益			
1 受取利息及び配当金		×××	
2 有価証券売却益		×××	
3 運営費補助金収益		×××	
4 施設設備補助金収益		×××	
5 患者外給食収益		×××	
6 その他の医業外収益		×××	×××
Ⅳ 医業外費用			
1 支払利息		×××	
2 有価証券売却損		×××	
3 患者外給食用材料費		×××	
4 診療費減免額		×××	
5 医業外貸倒損失		×××	
6 貸倒引当金医業外繰入額		×××	
7 その他の医業外費用		×××	×××
経常利益(又は経常損失)			×××
Ⅴ 臨時収益			
1 固定資産売却益		×××	
2 その他の臨時収益		×××	×××
Ⅵ 臨時費用			
1 固定資産売却損		×××	
2 固定資産除却損		×××	
3 資産に係る控除対象外消費税等負担額		×××	
4 災害損失		×××	
5 その他の臨時費用		×××	×××
税引前当期純利益(又は税引前当期純損失)			×××
法人税，住民税及び事業税負担額			×××
当期純利益(又は当期純損失)			×××

第5章　キャッシュ・フロー計算書原則

第41　キャッシュ・フロー計算書の作成目的

キャッシュ・フロー計算書は，病院の資金の状況を明らかにするために，活動内容に従い，一会計期間に属するすべての資金の収入と支出の内容を記載して，その増減の状況を明らかにしなければならない。

第42　資金の範囲

キャッシュ・フロー計算書が対象とする資金の範囲は，現金及び要求払預金並びに現金同等物（以下「現金等」という。）とする。（注25）（注26）

第43　キャッシュ・フロー計算書の区分

キャッシュ・フロー計算書には，「業務活動によるキャッシュ・フロー」，「投資活動によるキャッシュ・フロー」及び「財務活動によるキャッシュ・フロー」の区分を設けなければならない。（注27）

1. 「業務活動によるキャッシュ・フロー」の区分には，医業損益計算の対象となった取引のほか，投資活動及び財務活動以外の取引によるキャッシュ・フローを記載する。
2. 「投資活動によるキャッシュ・フロー」の区分には，固定資産の取得及び売却，施設設備補助金の受入による収入，現金同等物に含まれない短期投資の取得及び売却等によるキャッシュ・フローを記載する。
3. 「財務活動によるキャッシュ・フロー」の区分には，資金の調達及び返済によるキャッシュ・フローを記載する。

第44　受取利息，受取配当金及び支払利息に係るキャッシュ・フロー

受取利息，受取配当金及び支払利息に係るキャッシュ・フローは，「業務活動によるキャッシュ・フロー」の区分に記載しなければならない。（注28）

第45　表示方法

「業務活動によるキャッシュ・フロー」は次のいずれかの方法により表示しなければならない。（注29）

1. 主要な取引ごとにキャッシュ・フローを総額表示する方法（以下，「直接法」という。）
2. 税引前当期純利益に非資金損益項目，営業活動に係る資産及び負債の増減，「投資活動によるキャッシュ・フロー」及び「財務活動によるキャッシュ・フロー」の区分に含まれる損益項目を加減して表示する方法（以下，「間接法」という。）

第46　総額表示

「投資活動によるキャッシュ・フロー」及び「財務活動によるキャッシュ・フロー」は，主要な取引ごとにキャッシュ・フローを総額表示しなければならない。（注29）（注30）

第47　現金等に係る換算差額

現金等に係る換算差額が発生した場合は，他と区分して表示する。

第48　注記事項

キャッシュ・フロー計算書には，次の事項を注記しなければならない。

1. 資金の範囲に含めた現金等の内容及びその期末残高の貸借対照表科目別の内訳
2. 重要な非資金取引
3. 各表示区分の記載内容を変更した場合には，その内容

キャッシュ・フロー計算書原則注解

（注25）要求払預金について

要求払預金には，例えば，当座預金，普通預金，通知預金及びこれらの預金に相当する郵便貯金が含まれる。

（注26）現金同等物について

現金同等物とは，容易に換金可能であり，かつ，価値の変動について僅少なリスクしか負わない短期投資であり，例えば，取得日から満期日又は償還日までの期間が3ヶ月以内の短期投資である定期預金，譲渡性預金，コマーシャル・ペーパー，売戻し条件付現先，公社債投資信託が含まれる。

（注27）同一開設主体の他の施設（他会計）との取引について

同一開設主体の他の施設（他会計）との取引に係るキャッシュ・フローについては，当該取引の実態に照らして独立した科目により適切な区分に記載しなければならない。

（注28）利息の表示について

利息の受取額及び支払額は，総額で表示するものとする。

（注29）キャッシュ・フロー計算書の様式及び項目について

キャッシュ・フロー計算書の標準的な様式及び各区分における代表的な項目は，様式例（「業務活動によるキャッシュ・フロー」を「直接法」により表示する場合）及び様式例（「業務活動によるキャッシュ・フロー」を「間接法」により表示する場合）のとおりである。

（注30）純額表示について

期間が短く，かつ，回転が早い項目に係るキャッシュ・フローについては，純額で表示することができる。

（様式例）「業務活動によるキャッシュ・フロー」を「直接法」により表示する場合

キャッシュ・フロー計算書

自　平成×年×月×日　　至　平成×年×月×日

区　分	金　額
Ⅰ　**業務活動によるキャッシュ・フロー**	
医業収入	×××
医療材料等の仕入支出	△×××
給与費支出	△×××
委託費支出	△×××
設備関係費支出	△×××
運営費補助金収入	×××
………	×××
小計	×××
利息及び配当金の受取額	×××
利息の支払額	△×××
………	△×××
………	×××
業務活動によるキャッシュ・フロー	×××
Ⅱ　**投資活動によるキャッシュ・フロー**	
有価証券の取得による支出	△×××
有価証券の売却による収入	×××
有形固定資産の取得による支出	△×××
有形固定資産の売却による収入	×××
施設設備補助金の受入れによる収入	×××
貸付けによる支出	△×××
貸付金の回収による収入	×××
………	×××
投資活動によるキャッシュ・フロー	×××
Ⅲ　**財務活動によるキャッシュ・フロー**	
短期借入れによる収入	×××
短期借入金の返済による支出	△×××
長期借入れによる収入	×××
長期借入金の返済による支出	△×××
………	×××
財務活動によるキャッシュ・フロー	×××
Ⅳ　**現金等の増加額（又は減少額）**	×××
Ⅴ　**現金等の期首残高**	×××
Ⅵ　**現金等の期末残高**	×××

（様式例）「業務活動によるキャッシュ・フロー」を「間接法」により表示する場合

キャッシュ・フロー計算書
自　平成×年×月×日　　至　平成×年×月×日

区　分	金　額
Ⅰ　業務活動によるキャッシュ・フロー	
税引前当期純利益	×××
減価償却費	×××
退職給付引当金の増加額	×××
貸倒引当金の増加額	×××
施設設備補助金収益	△×××
受取利息及び配当金	△×××
支払利息	×××
有価証券売却益	△×××
固定資産売却益	△×××
医業債権の増加額	△×××
たな卸資産の増加額	△×××
仕入債務の増加額	×××
………	×××
小計	×××
利息及び配当金の受取額	×××
利息の支払額	△×××
………	△×××
………	×××
業務活動によるキャッシュ・フロー	×××
Ⅱ　投資活動によるキャッシュ・フロー	
有価証券の取得による支出	△×××
有価証券の売却による収入	×××
有形固定資産の取得による支出	△×××
有形固定資産の売却による収入	×××
施設設備補助金の受入れによる収入	×××
貸付けによる支出	△×××
貸付金の回収による収入	×××
………	×××
投資活動によるキャッシュ・フロー	×××
Ⅲ　財務活動によるキャッシュ・フロー	
短期借入れによる収入	×××
短期借入金の返済による支出	△×××
長期借入れによる収入	×××
長期借入金の返済による支出	△×××
………	×××
財務活動によるキャッシュ・フロー	×××
Ⅳ　現金等の増加額（又は減少額）	×××
Ⅴ　現金等の期首残高	×××
Ⅵ　現金等の期末残高	×××

第6章　附属明細表原則

第49　附属明細表の作成目的

附属明細表は，貸借対照表，損益計算書及びキャッシュ・フロー計算書の記載を補足する重要な事項について，その内容，増減状況等を明らかにするものでなければならない。

第50　附属明細表の種類

附属明細表の種類は，次に掲げるとおりとする。

1. 純資産明細表
2. 固定資産明細表
3. 貸付金明細表
4. 借入金明細表
5. 引当金明細表
6. 補助金明細表
7. 資産につき設定している担保権の明細表
8. 給与費明細表
9. 本部費明細表

（様式例）

附 属 明 細 表

1. 純資産明細表

項　目	期首残高	当期増加額	当期減少額	当期純利益又は当期純損失	期末残高
純資産額					

（記載上の注意）

純資産明細表には，純資産の期首残高，当期増加額，当期減少額及び期末残高について記載する。なお，当期における増加額及び減少額は，当期純利益及び当期純損失を区分して記載する。また，当期純利益又は当期純損失以外の増加額及び減少額は，その内容を注記する。

2. 固定資産明細表

資産の種類		期首残高	当期増加額	当期減少額	期末残高	減価償却累計額又は償却累計額		差引期末残高	摘要
							当期償却額		
有形固定資産									
	計								
無形固定資産									
	計								
その他資産									
	計								

（記載上の注意）

固定資産明細表には，有形固定資産，無形固定資産及びその他の資産（長期貸付金を除く。）について資産の種類ごとに期首残高，当期増加額，当期減少額，期末残高，減価償却累計額及び当期償却額，差引期末残高の明細を記載する。

3. 貸付金明細表

（1）長期貸付金明細表

貸付先	期首残高	当期増加額	当期減少額	期末残高（うち1年内返済予定額）
				（　）
				（　）
				（　）
計				（　）

(2)短期貸付金明細表

貸付先	期首残高	期末残高	増減額
1年内返済予定の長期貸付金			
計			

(記載上の注意)
貸付金明細表には，長期貸付金及び短期貸付金に区分し，長期貸付金は貸付先(役員従業員，他会計を含む)ごとに期首残高，当期増加額，当期減少額及び期末残高の明細を，短期貸付金は貸付先ごとに期首残高，期末残高の明細を記載する。

4. 借入金明細表

(1)長期貸入金明細表

借入先	期首残高	当期増加額	当期減少額	期末残高 (うち1年内返済予定額)
				( )
				( )
				( )
計				( )

(2)短期借入金明細表

借入先	期首残高	期末残高	増減額
1年内返済予定の長期貸付金			
計			

(記載上の注意)
借入金明細表には，長期借入金と短期借入金に区分し，長期借入金は借入先(役員従業員，他会計を含む)ごとに期首残高，当期増加額，当期減少額及び期末残高の明細を，短期借入金は借入先(役員従業員，他会計を含む)ごとに期首残高，期末残高の明細を記載する。

5. 引当金明細表

区　分	期首残高	当期増加額	当期減少額		期末残高	摘要
			目的使用	その他		

（記載上の注意）
引当金明細表には，引当金の種類ごとに，期首残高，当期増加額，当期減少額及び期末残高の明細を記載する。目的使用以外の要因による減少額については，その内容及び金額を注記する。

6. 補助金明細表

種　類		交付元	収入総額	当期収益額	負債計上額	補助金交付基準の概要
施設設備						
	小計					
運営費						
	小計					
計						

（記載上の注意）
補助金明細表には，交付の目的が施設設備の取得の補助に係るものと運営費の補助に係るものとに区分し，交付の種類及び交付元ごとに，補助総額，当期収益計上額，負債計上額等の明細を記載する。なお，非償却資産の取得のために交付を受けた補助金はその内容及び金額を注記する。

7. 資産につき設定している担保権明細表

担保に供している資産			担保権によって担保されている債務	
種　類	期末帳簿価額	担保権の種類	内　容	期末残高
計			計	

（記載上の注意）
資産につき設定している担保権の明細表には，担保に供している資産の種類ごとに当期末における帳簿価額，担保権の種類，担保権によって担保されている債務の内容及び残高の明細を記載する。

8. 給与費明細表

	給料	賞与	賞与引当金繰入額	退職給付費用	小計	法定福利費	計
医師							
看護師							
理学療法士又は作業療法士							
医療技術員							
事務員							
技能労務員							
その他							
計							

（記載上の注意）

給与費明細表には，職種ごとに当期における給料，賞与，退職給付費用等の明細を記載する。

9. 本部費明細表

項目	本部費	当病院への配賦額	配賦基準
計			

（記載上の注意）

本部費明細表には，設定された配賦基準を適用する項目ごとに当期における本部費及び当病院への配賦額を記載する。

別表　勘定科目の説明

勘定科目は，日常の会計処理において利用される会計帳簿の記録計算単位である。したがって，最終的に作成される財務諸表の表示科目と必ずしも一致するものではない。なお，経営活動において行う様々な管理目的及び租税計算目的等のために，必要に応じて同一勘定科目をさらに細分類した補助科目を設定することもできる。

資産・負債の部

区　分	勘定科目	説　　明
資産の部		
流動資産		
	現金	現金，他人振出当座小切手，送金小切手，郵便振替小切手，送金為替手形，預金手形(預金小切手)，郵便為替証書，郵便振替貯金払出証書，期限到来公社債利札，官庁支払命令書等の現金と同じ性質をもつ貨幣代用物及び小口現金など
	預金	当座預金，普通預金，通知預金，定期預金，定期積金，郵便貯金，郵便振替貯金，外貨預金，金銭信託その他金融機関に対する各種掛金など。ただし，契約期間が1年を超えるものは「その他の資産」に含める。
	医業未収金	医業収益に対する未収入金(手形債権を含む)
	未収金	医業収益以外の収益に対する未収入金(手形債権を含む)
	有価証券	国債，地方債，株式，社債，証券投資信託の受益証券などのうち時価の変動により利益を得ることを目的とする売買目的有価証券
	医薬品	医薬品(医業費用の医薬品費参照)のたな卸高
	診療材料	診療材料(医業費用の診療材料費参照)のたな卸高
	給食用材料	給食用材料(医業費用の給食用材料費及び医業外給食用材料費参照)のたな卸高
	貯蔵品	(ア)医療消耗器具備品(医業費用の医療消耗器具備品費参照)のたな卸高 (イ)その他の消耗品及び消耗器具備品(医業費用の消耗品費及び消耗器具備品費参照)のたな卸高
	前渡金	諸材料，燃料の購入代金の前渡額，修繕代金の前渡額，その他これに類する前渡額
	前払費用	火災保険料，賃借料，支払利息など時の経過に依存する継続的な役務の享受取引に対する前払分のうち未経過分の金額(ただし，1年を超えて費用化するものは除く)
	未収収益	受取利息，賃貸料など時の経過に依存する継続的な役務提供取引において既に役務の提供は行ったが，会計期末までに法的にその対価の支払請求を行えない分の金額
	短期貸付金	金銭消費貸借契約等に基づき開設主体の外部に対する貸付取引のうち当初の契約において1年以内に受取期限の到来するもの
	役員従業員短期貸付金	役員，従業員に対する貸付金のうち当初の契約において1年以内に受取期限の到来するもの
	他会計短期貸付金	他会計，本部などに対する貸付金のうち当初の契約において1年以内に受取期限の到来するもの
	その他の流動資産	立替金，仮払金など前掲の科目に属さない債権等であって，1年以内に回収可能なもの。ただし，金額の大きいものについては独立の勘定科目を設けて処理することが望ましい。

	貸倒引当金	医業未収金，未収金，短期貸付金などの金銭債権に関する取立不能見込額の引当額
固定資産	（有形固定資産）	
	建物	（ア）診療棟，病棟，管理棟，職員宿舎など病院に属する建物 （イ）電気，空調，冷暖房，昇降機，給排水など建物に附属する設備
	構築物	貯水池，門，塀，舗装道路，緑化施設など建物以外の工作物及び土木設備であって土地に定着したもの
	医療用器械備品	治療，検査，看護など医療用の器械，器具，備品など(ファイナンス・リース契約によるものを含む)
	その他器械備品	その他前掲に属さない器械，器具，備品など(ファイナンス・リース契約によるものを含む)
	車両及び船舶	救急車，検診車，巡回用自動車，乗用車，船舶など(ファイナンス・リース契約によるものを含む)
	放射性同位元素	診療用の放射性同位元素
	その他の有形固定資産	立木竹など前掲の科目に属さないもの。ただし，金額の大きいものについては独立の勘定科目を設けて処理することが望ましい。
	土地	病院事業活動のために使用している土地
	建設仮勘定	有形固定資産の建設，拡張，改造などの工事が完了し稼動するまでに発生する請負前渡金，建設用材料部品の買入代金など
	減価償却累計額	土地及び建設仮勘定以外の有形固定資産について行った減価償却累計額
	（無形固定資産）	
	借地権	建物の所有を目的とする地上権及び賃借権などの借地法上の借地権で対価をもって取得したもの
	ソフトウェア	コンピュータソフトウェアに係る費用で，外部から購入した場合の取得に要した費用ないしは制作費用のうち研究開発費に該当しないもの
	その他の無形固定資産	電話加入権，給湯権，特許権など前掲の科目に属さないもの。ただし，金額の大きいものについては独立の勘定科目を設けて処理することが望ましい。
	（その他の資産）	
	有価証券	国債，地方債，株式，社債，証券投資信託の受益証券などのうち満期保有目的の債券，その他有価証券及び市場価格のない有価証券
	長期貸付金	金銭消費貸借契約等に基づき開設主体の外部に対する貸付取引のうち，当初の契約において1年を超えて受取期限の到来するもの
	役員従業員長期貸付金	役員，従業員に対する貸付金のうち当初の契約において1年を超えて受取期限の到来するもの
	他会計長期貸付金	他会計，本部などに対する貸付金のうち当初の契約において1年を超えて受取期限の到来するもの
	長期前払費用	時の経過に依存する継続的な役務の享受取引に対する前払分で1年を超えて費用化される未経過分の金額
	その他の固定資産	関係団体に対する出資金，差入保証金など前掲の科目に属さないもの。ただし，金額の大きいものについては独立の勘定科目を設けて処理することが望ましい。
	貸倒引当金	長期貸付金などの金銭債権に関する取立不能見込額の引当額
負債の部		
流動負債		

	買掛金	医薬品，診療材料，給食用材料などたな卸資産に対する未払債務
	支払手形	手形上の債務。ただし，金融手形は短期借入金又は長期借入金に含める。又，建物設備等の購入取引によって生じた債務は独立の勘定科目を設けて処理する。
	未払金	器械，備品などの償却資産及び医業費用等に対する未払債務
	短期借入金	公庫，事業団，金融機関などの外部からの借入金で，当初の契約において1年以内に返済期限が到来するもの
	役員従業員短期借入金	役員，従業員からの借入金のうち当初の契約において1年以内に返済期限が到来するもの
	他会計短期借入金	他会計，本部などからの借入金のうち当初の契約において1年以内に返済期限が到来するもの
	未払費用	賃金，支払利息，賃借料など時の経過に依存する継続的な役務給付取引において既に役務の給付は受けたが，会計期末までに法的にその対価の支払債務が確定していない分の金額
	前受金	医業収益の前受額，その他これに類する前受額
	預り金	入院預り金など従業員以外の者からの一時的な預り金
	従業員預り金	源泉徴収税額及び社会保険料などの徴収額等，従業員に関する一時的な預り金
	前受収益	受取利息，賃貸料など時の経過に依存する継続的な役務提供取引に対する前受分のうち未経過分の金額
	賞与引当金	支給対象期間に基づき定期に支給する従業員賞与に係る引当金
	その他の流動負債	仮受金など前掲の科目に属さない債務等であって，1年以内に期限が到来するもの。ただし，金額の大きいものについては独立の勘定科目を設けて処理することが望ましい。
固定負債		
	長期借入金	公庫，事業団，金融機関などの外部からの借入金で，当初の契約において1年を超えて返済期限が到来するもの
	役員従業員長期借入金	役員，従業員からの借入金のうち当初の契約において1年を超えて返済期限が到来するもの
	他会計長期借入金	他会計，本部などからの借入金のうち当初の契約において1年を超えて返済期限が到来するもの
	長期未払金	器械，備品など償却資産に対する未払債務(リース契約による債務を含む)のうち支払期間が1年を超えるもの。
	退職給付引当金	退職給付に係る会計基準に基づき従業員が提供した労働用益に対して将来支払われる退職給付に備えて設定される引当金
	長期前受補助金	償却資産の設備の取得に対して交付された補助金であり，取得した償却資産の毎期の減価償却費に対応する部分を取崩した後の未償却残高対応額。
	その他の固定負債	前掲の科目に属さない債務等であって，期間が1年を超えるもの。ただし，金額の大きいものについては独立の勘定科目を設けて処理することが望ましい。

損益の部

区　分	勘定科目	説　　明
医業収益		
	入院診療収益	入院患者の診療，療養に係る収益（医療保険，公費負担医療，公害医療，労災保険，自動車損害賠償責任保険，自費診療，介護保険等）
	室料差額収益	特定療養費の対象となる特別の療養環境の提供に係る収益
	外来診療収益	外来患者の診療，療養に係る収益（医療保険，公費負担医療，公害医療，労災保険，自動車損害賠償責任保険，自費診療等）
	保健予防活動収益	各種の健康診断，人間ドック，予防接種，妊産婦保健指導等保健予防活動に係る収益
	受託検査・施設利用収益	他の医療機関から検査の委託を受けた場合の検査収益及び医療設備器機を他の医療機関の利用に供した場合の収益
	その他の医業収益	文書料等上記に属さない医業収益（施設介護及び短期入所療養介護以外の介護報酬を含む）
	保険等査定減	社会保険診療報酬支払基金などの審査機関による審査減額
医業費用		
	（材料費）	
	医薬品費	（ア）投薬用薬品の費消額 （イ）注射用薬品（血液，プラズマを含む）の費消額 （ウ）外用薬，検査用試薬，造影剤など前記の項目に属さない薬品の費消額
	診療材料費	カテーテル，縫合糸，酸素，ギブス粉，レントゲンフイルム，など１回ごとに消費する診療材料の費消額
	医療消耗器具備品費	診療，検査，看護，給食などの医療用の器械，器具及び放射性同位元素のうち，固定資産の計上基準額に満たないもの，または１年内に消費するもの
	給食用材料費	患者給食のために使用した食品の費消額
	（給与費）	
	給料	病院で直接業務に従事する役員・従業員に対する給料，手当
	賞与	病院で直接業務に従事する従業員に対する確定済賞与のうち，当該会計期間に係る部分の金額
	賞与引当金繰入額	病院で直接業務に従事する従業員に対する翌会計期間に確定する賞与の当該会計期間に係る部分の見積額
	退職給付費用	病院で直接業務に従事する従業員に対する退職一時金，退職年金等将来の退職給付のうち，当該会計期間の負担に属する金額（役員であることに起因する部分を除く）
	法定福利費	病院で直接業務に従事する役員・従業員に対する健康保険法，厚生年金保険法，雇用保険法，労働者災害補償保険法，各種の組合法などの法令に基づく事業主負担額
	（委託費）	
	検査委託費	外部に委託した検査業務の対価としての費用
	給食委託費	外部に委託した給食業務の対価としての費用
	寝具委託費	外部に委託した寝具整備業務の対価としての費用
	医事委託費	外部に委託した医事業務の対価としての費用
	清掃委託費	外部に委託した清掃業務の対価としての費用
	保守委託費	外部に委託した施設設備に係る保守業務の対価としての費用。ただし，器機保守料に該当するものは除く。
	その他の委託費	外部に委託した上記以外の業務の対価としての費用。ただし，金額の大きいものについては，独立の科目を設ける。

	（設備関係費）	
	減価償却費	固定資産の計画的・規則的な取得原価の配分額
	器機賃借料	固定資産に計上を要しない器機等のリース，レンタル料
	地代家賃	土地，建物などの賃借料
	修繕費	有形固定資産に損傷，摩滅，汚損などが生じたとき，現状回復に要した通常の修繕のための費用
	固定資産税等	固定資産税，都市計画税等の固定資産の保有に係る租税公課。ただし，車両関係費に該当するものを除く。
	器機保守料	器機の保守契約に係る費用
	器機設備保険料	施設設備に係る火災保険料等の費用。ただし，車両関係費に該当するものは除く。
	車両関係費	救急車，検診車，巡回用自動車，乗用車，船舶などの燃料，車両検査，自動車車損害賠償責任保険，自動車税等の費用
	（研究研修費）	
	研究費	研究材料（動物，飼料などを含む），研究図書等の研究活動に係る費用
	研修費	講習会参加に係る会費，旅費交通費，研修会開催のために招聘した講師に対する謝金等職員研修に係る費用
	（経費）	
	福利厚生費	福利施設負担額，厚生費など従業員の福利厚生のために要する法定外福利費 （ア）看護宿舎，食堂，売店など福利施設を利用する場合における事業主負担額 （イ）診療，健康診断などを行った場合の減免額，その他衛生，保健，慰安，修養，教育訓練などに要する費用，団体生命保険料及び慶弔に際して一定の基準により支給される金品などの現物給与。 ただし，金額の大きいものについては，独立の科目を設ける。
	旅費交通費	業務のための出張旅費。ただし，研究，研修のための旅費を除く。
	職員被服費	従業員に支給又は貸与する白衣，予防衣，診察衣，作業衣などの購入，洗濯等の費用
	通信費	電信電話料，インターネット接続料，郵便料金など通信のための費用
	広告宣伝費	機関誌，広報誌などの印刷製本費，電飾広告等の広告宣伝に係る費用
	消耗品費	カルテ，検査伝票，会計伝票などの医療用，事務用の用紙，帳簿，電球，洗剤など1年内に消費するものの費消額。ただし，材料費に属するものを除く。
	消耗器具備品費	事務用その他の器械，器具のうち，固定資産の計上基準額に満たないもの，または1年内に消費するもの
	会議費	運営諸会議など院内管理のための会議の費用
	水道光熱費	電気，ガス，水道，重油などの費用。ただし，車両関係費に該当するものは除く。
	保険料	生命保険料，病院責任賠償保険料など保険契約に基づく費用。ただし，福利厚生費，器機設備保険料，車両関係費に該当するものを除く。
	交際費	接待費及び慶弔など交際に要する費用。
	諸会費	各種団体に対する会費，分担金などの費用
	租税公課	印紙税，登録免許税，事業所税などの租税及び町会費などの公共的課金としての費用。ただし，固定資産税等，車両関係費，法人税・住民税及び事業税負担額，課税仕入れに係る消費税及び地方消費税相当部分に該当するものは除く。

	医業貸倒損失	医業未収金の徴収不能額のうち，貸倒引当金で填補されない部分の金額
	貸倒引当金繰入額	当該会計期間に発生した医業未収金のうち，徴収不能と見積もられる部分の金額
	雑費	振込手数料，院内託児所費，学生に対して学費，教材費などを負担した場合の看護師養成費など経費のうち前記に属さない費用。 ただし，金額の大きいものについては独立の科目を設ける。
	控除対象外消費税等負担額	病院の負担に属する控除対象外の消費税及び地方消費税。ただし，資産に係る控除対象外消費税に該当するものは除く。
	本部費配賦額	本部会計を設けた場合の，一定の配賦基準で配賦された本部の費用
医業外収益		
	受取利息及び配当金	預貯金，公社債の利息，出資金等に係る分配金
	有価証券売却益	売買目的等で所有する有価証券を売却した場合の売却益
	運営費補助金収益	運営に係る補助金，負担金
	施設設備補助金収益	施設設備に係る補助金，負担金のうち，当該会計期間に配分された金額
	患者外給食収益	従業員等患者以外に提供した食事に対する収益
	その他の医業外収益	前記の科目に属さない医業外収益。ただし，金額が大きいものについては，独立の科目を設ける。
医業外費用		
	支払利息	長期借入金，短期借入金の支払利息
	有価証券売却損	売買目的等で所有する有価証券を売却した場合の売却損
	患者外給食用材料費	従業員等患者以外に提供した食事に対する材料費。ただし，給食業務を委託している場合には，患者外給食委託費とする。
	診療費減免額	患者に無料または低額な料金で診療を行う場合の割引額など
	医業外貸倒損失	医業未収金以外の債権の回収不能額のうち，貸倒引当金で填補されない部分の金額
	貸倒引当金医業外繰入額	当該会計期間に発生した医業未収金以外の債権の発生額うち，回収不能と見積もられる部分の金額
	その他の医業外費用	前記の科目に属さない医業外費用。ただし，金額が大きいものについては，独立の科目を設ける。
臨時収益		
	固定資産売却益	固定資産の売却価額がその帳簿価額を超える差額
	その他の臨時収益	前記以外の臨時的に発生した収益。
臨時費用		
	固定資産売却損	固定資産の売却価額がその帳簿価額に不足する差額
	固定資産除却損	固定資産を廃棄した場合の帳簿価額及び撤去費用
	資産に係る控除対象外消費税等負担額	病院の負担に属する控除対象外の消費税及び地方消費税のうち資産取得部分から発生した金額のうち多額な部分
	災害損失	火災，出水等の災害に係る廃棄損と復旧に関する支出の合計額
	その他の臨時費用	前記以外の臨時的に発生した費用
法人税，住民税及び事業税負担額		法人税，住民税及び事業税のうち，当該会計年度の病院の負担に属するものとして計算された金額

資料2

病院経営管理指標及び医療施設における未収金の実態に関する調査研究（抜粋）

目次

Ⅰ．調査の概要

1．調査研究の目的と概要

医療施設を取り巻く諸制度はめまぐるしく変化しており，その時々の変化が医療施設経営に与える影響を継続的に調査研究し，その結果を医療施設等関係機関に情報提供することにより，医療施設の経営改善にかかる自助努力を支援し，もって，医療施設の質的向上とともに健全な経営の安定化を図ることを目的とする。

調査研究の内容は，①病院の開設者，機能や規模，地域性の別に応じた経営状況の実態を計数的に把握・分析し，病院が健全かつ安定的に経営を維持していく上で必要な指標等を検討し明示すること，②病院における未収金の実態調査を行うことである。それぞれの目的は，

①各病院の効果的かつ効率的な経営に資するよう，単年度ごとの客観的係数に基づいた経営実態の把握と，時系列による計数の推移から経営分析ができるようにすること，②未収金が病院経営を圧迫する一つの原因となっているとの指摘があることから，病院における未収金の発生状況やキャッシュレス決済等の導入の状況について分析することである。

本調査では以下を実施した。
(1) 未収金に関する調査
(2) 令和元年度及び令和2年度の病院経営管理指標の作成

2．実施体制

本調査研究は以下の構成による委員会を設置し，本事業に関する意見交換や検討を行い，それを踏まえて調査を実施した。

○企画検討委員会委員（敬称略・50音順）
委員　　　　：石井　孝宜（公認会計士）
委員　　　　：太田　圭洋（一般社団法人日本医療法人協会　副会長，社会医療法人名古屋記念財団　理事長）
委員　　　　：田中　将之（特定非営利活動法人日本医療経営機構　主幹研究員，京都大学超高齢社会デザイン価値創造ユニット　特任講師）
委員（委員長）：松原　由美（早稲田大学人間科学学術院　准教授）

○オブザーバー
厚生労働省医政局医療経営支援課

○事務局

業務管理者　：中山勝巳（株式会社アリス市場調査総合研究所　統括主任研究員）
主担当　　　：馬場明美（株式会社アリス市場調査総合研究所　統括主任研究員）
　　　　　　：半藤麻弥子（株式会社アリス市場調査総合研究所　研究員）
　　　　　　：川崎祥子（株式会社アリス市場調査総合研究所　研究員）

委員会の開催状況は以下のとおりである。企画検討委員会
・第1回企画検討委員会　令和4年1月13日（木）～令和4年1月17日（月）
・第2回企画検討委員会　令和4年3月25日（金）
※企画検討委員会については，調査票の原稿をメールにて委員の先生方に送付し，ご確認いただく形をとった。

3．調査方法

(1) 調査対象

本調査は，「未収金に関する調査票」「財務票」「概況票」から構成されている。「未収金に関する調査票」については，令和3年5月末時点の日本全国の病院を調査対象とし，「財務票」「概況表」（病院経営管理指標等調査）については，全国の病院のうち以下の開設者の開設する病院を対象とし，調査票を配布した。

「財務票」「概況票」調査の対象となる具体的な開設者は以下の通りである。なお，平成25年度調査まで社会保険関係団体にグルーピングしていた社会保険病院，厚生年金病院，船員保険病院は，平成26年に独立行政法人地域医療機能推進機構（以下，JCHO）へ移行したが，本調査では「社会保険関係団体」としてグルーピングしている。（なお，平成26年度及び平成27年度調査では「旧社会保険関係団体」としてグルーピングしている。）

○医療法人

○医療法第7条の2に規定する開設者（自治体）
- 都道府県
- 市町村
- 地方独立行政法人
- 一部事業組合

○医療法第7条の2に規定する開設者（社会保険関係団体）
- 健康保険組合およびその連合会
- 共済組合およびその連合会
- 国民健康保険組合
- JCHO（独立行政法人地域医療機能推進機構）

○医療法第7条の2に規定する開設者（その他公的医療機関）
- 日本赤十字社
- 社会福祉法人恩賜財団済生会
- 社会福祉法人北海道社会事業協会
- 厚生（医療）農業協同組合連合会

(2) 実施期間

令和4年2月4日（金）～令和4年2月22日（火）

(3) 調査実施方法

調査は次の方法で行った。

事務局より調査対象の病院に対し，調査票を郵送。調査対象病院が事務局ホームページより調査票をダウンロードし，入力した調査票を事務局宛にEメールで提出。なお，貸借対照表，損益計算書が送付された場合は，事務局で調査項目に振り分けて転載した。

なお，回収率向上を図るため，公益社団法人日本医師会，4病院団体（一般社団法人日本病院会，一般社団法人日本医療法人協会，公益社団法人全日本病院協会，公益社団法人日本精神科病院協会）および公益社団法人全国自治体病院協議会から会員宛に調査への協力をご依頼いただいた。

(4) 調査票

調査は【未収金に関する調査票】,【財務票】,【概況票】により構成されている。なお,調査項目として設定した内容はそれぞれ下記の通りである。

①【未収金に関する調査票】

令和元年度および令和2年度決算期時点での患者数の状況,令和3年10月と11月の各月における収入(窓口負担金)・実患者数及び未収金の額と未収患者数,患者の支払い環境について記入を求めた。さらに令和3年10月と11月における訪日外国人の診療(受診歴)と訪日外国人に係る未収金の額及び未収患者数について記入を求めた。さらに,新型コロナウイルス感染症への病院の対応状況についても記入を求めた。

②【財務票】

病院会計準則[改訂版](平成16年8月19日医政発第0819001号)に則った令和元年度および令和2年度の貸借対照表及び損益計算書について記入を求めた。

③【概況票】

施設の概況,従事者の状況,患者数の状況,外来患者の医薬分業の状況,外部評価の実施状況,未収金の状況について記入を求めた。

(5) 集計方法等

指標の算出に当たっては,規模の大きい病院の影響を抑えるため,まず各病院の指標を算出した上で,その指標の平均値を用いた(指標の合計値/病院数)。一方,財務および非財務の実数については,項目ごとに実数の合計値を病院数で除した数値(実数の合計値/病院数)を用いた。また,調査対象病院で算出していない等の理由により,一部の項目については集計しない個票を含み,明らかに合理性がないと思われる項目については集計から除外した。

上記の理由により,記載されている指標と実数から算出する指標とは一致しない。

また,一部の指標が算出されない,あるいは指標間で不整合が生じている場合があるほか,一部の指標では集計対象に含まれるが,他の指標では集計対象に含まれないケースがあり,同種のグルーピングでの病院数の合計値が一致していないことがある。

各指標の算式はP.264〜P.265,グルーピングとその定義はP.266に示した。

n数が少ない項目については,回答病院のデータの影響を受けやすいため,年度推移の変動が大きくなっているものがある。

(6) 本調査における用語の定義（略）

4．調査票の回収結果

未収金に関する調査票においては，有効回答数は1,035件（回答率12.6%）であった。

病院経営管理指標等調査においては，病院種別，開設者別，病床規模別に分析が必要となるため，それら3項目についてすべて記載があり，かつ合理性のある（貸方借方が一致している，等）病院を対象に集計を行った。令和元年度決算分については，437病院（医療法人250病院，自治体病院119病院，社会保険関係団体15病院，その他公的病院53病院）で有効回答率は6.3%となった。

令和2年度決算分については，436病院（医療法人254病院，自治体病院120病院，社会保険関係団体15病院，その他公的病院47病院）で有効回答率は6.2%となった。

指標算出に当っては，可能な限り集計対象を増やすことを目的に，調査票の一部の項目が未記入（給与費の医師・看護師及びその他の常勤・非常勤別の内訳，患者数関連統計について未記入等）の個票も有効回答とした。

図表Ⅰ-1　調査票の配布数と有効数（未収金に関する調査）

グループ	開設者	配布数	有効回答数	有効回答率
国	厚生労働省 独立行政法人国立病院機構 国立大学法人 独立行政法人労働者安全機構 国立高度専門医療研究センター 独立行政法人地域医療機能推進機構 その他の国の機関	321	61	19.0%
公的医療機関	都道府県 市町村 地方独立行政法人 日本赤十字社 社会福祉法人恩賜財団済生会 北海道社会事業協会 全国厚生農業協同組合連合会 国民健康保険団体連合会	1,193	240	20.1%
社会保険団体	健康保険組合及びその連合会 共済組合及びその連合会 国民健康保険組合	48	5	10.4%
その他の法人	公益法人 医療法人 私立学校法人 社会福祉法人 医療生協 会社 その他	6,513	712	10.9%
個人		141	10	7.1%
無回答		—	7	—
合計		8,216	1,035	12.6%

※注：ここでの有効回答数は問1～問9までの設問の内，1問以上に回答し，かつ窓口負担金の記載がある等，合理性のある回答であった調査客体の数に等しい。

図表Ⅰ-2　調査票の配布数と有効数（病院経営管理指標等調査）

グループ	開設者	配布数	令和元年度		令和2年度	
			有効回答数	有効回答率	有効回答数	有効回答率
医療法人		5,685	250	4.4%	254	4.5%
自治体	都道府県 市町村 地方独立行政法人 一部事業組合	912	119	13.0%	120	13.2%
社会保険関係団体	健康保険組合およびその連合会 共済組合およびその連合会 国民健康保険組合 JCHO（独立行政法人地域医療機能推進機構）	105	15	14.3%	15	14.3%
その他公的	日本赤十字社 社会福祉法人恩賜財団済生会 社会福祉法人北海道社会事業協会 厚生（医療）農業協同組合連合会	281	53	18.9%	47	16.7%
合計		6,983	437	6.3%	436	6.2%

※注：病院種別，開設者別，病床規模別に分析が必要となるため，それら3項目についてすべて記載があり，かつ合理性のある（貸方借方が一致している等）回答であった調査客体の数に等しい。

Ⅲ．病院経営管理指標に関する調査研究結果

1．令和元年度及び令和2年度病院経営指標データからみた病院経営の概況

(1) 回答病院の概況

本調査の集計対象病院について病院種別でみると，一般病院が最も多く，令和元年度は246病院（56.3%），令和2年度は236病院（54.1%）と半数以上を占めた。ケアミックス病院が令和元年度98病院（22.4%）令和2年度104病院（23.9%），精神科病院が令和元年度60病院（13.7%），令和2年度62病院（14.2%）で続き，療養型病院が令和元年度は33病院（7.6%），令和2年度34病院（7.8%）という結果となった。

開設者別でみると，医療法人が最も多く，令和元年度は250病院（57.2%），令和2年度254病院（58.3%）と半数以上を占めた。自治体が令和元年度119病院（27.2%）令和2年度120病院（27.5%），その他公的が令和元年度53病院（12.1%），令和2年度47病院（10.8%）で続き，社会保険関係団体が令和元年度は15病院（3.4%），令和2年度15病院（3.4%）という結果となった。また，病床の種類は精神病床，感染症病床，結核病床及び療養病床と，その他病床である一般病床の5つに分類される。厚生労働省の医療施設調査等では精神科病院（精神病床のみを病院）以外の病院を一般病院としているが，本調査では病床割合により以下のように分類した。

・一般病院：一般病床が全体の80%以上を占める病院
・療養型病院：療養病床が全体の80%以上を占める病院
・精神科病院：精神病床が全体の80%以上を占める病院
・ケアミックス病院：上記以外の病院

図表Ⅲ-1(1)　病院種別・開設者別病院数（令和元年度）

	一般病院	ケアミックス病院	療養型病院	精神科病院	合計	構成割合
医療法人	86	77	32	55	250	57.2
自治体	97	17	1	4	119	27.2
社会保険関係団体	15	—	—	—	15	3.4
その他公的	48	4	—	1	53	12.1
合計	246	98	33	60	437	100.0
構成割合	56.3	22.4	7.6	13.7	100.0	

図表Ⅲ-1(2)　病院種別・開設者別病院数（令和2年度）

	一般病院	ケアミックス病院	療養型病院	精神科病院	合計	構成割合
医療法人	83	81	33	57	254	58.3
自治体	96	19	1	4	120	27.5
社会保険関係団体	15	—	—	—	15	3.4
その他公的	42	4	—	1	47	10.8
総計	236	104	34	62	436	100.0
構成割合	54.1	23.9	7.8	14.2	100.0	

※N＝0は「—」とし，Nが5以下のものについてはグレーで網掛けしている

(2) 平均病床数

平均病床数を開設者別でみると，一般病院は令和元年度は医療法人立が162.1床，令和2年度は165.6床と，160床程度であったが，自治体立，社会保険関係団体立，その他公的立においては令和元年度，令和2年度ともに350～400床前後の病床数であり，医療法人立とその他との間で，病床規模に差がみられる結果となった。

図表Ⅲ-2(1)　病院種別・開設者別平均病床数（令和元年度，稼働病床数）

	一般病院	ケアミックス	療養型病院	精神科病院	病院種別平均
医療法人	162.1	178.7	105.0	240.4	177.1
自治体	367.2	195.4	100.0	282.8	337.6
社会保険関係団体	352.6	—	—	—	352.6
その他公的	387.5	210.5	—	379.0	374.0
開設者別平均	298.6	182.9	104.8	245.5	

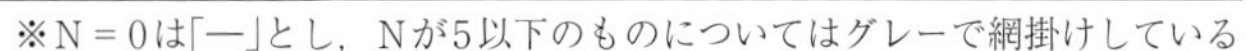
※N＝0は「—」とし，Nが5以下のものについてはグレーで網掛けしている

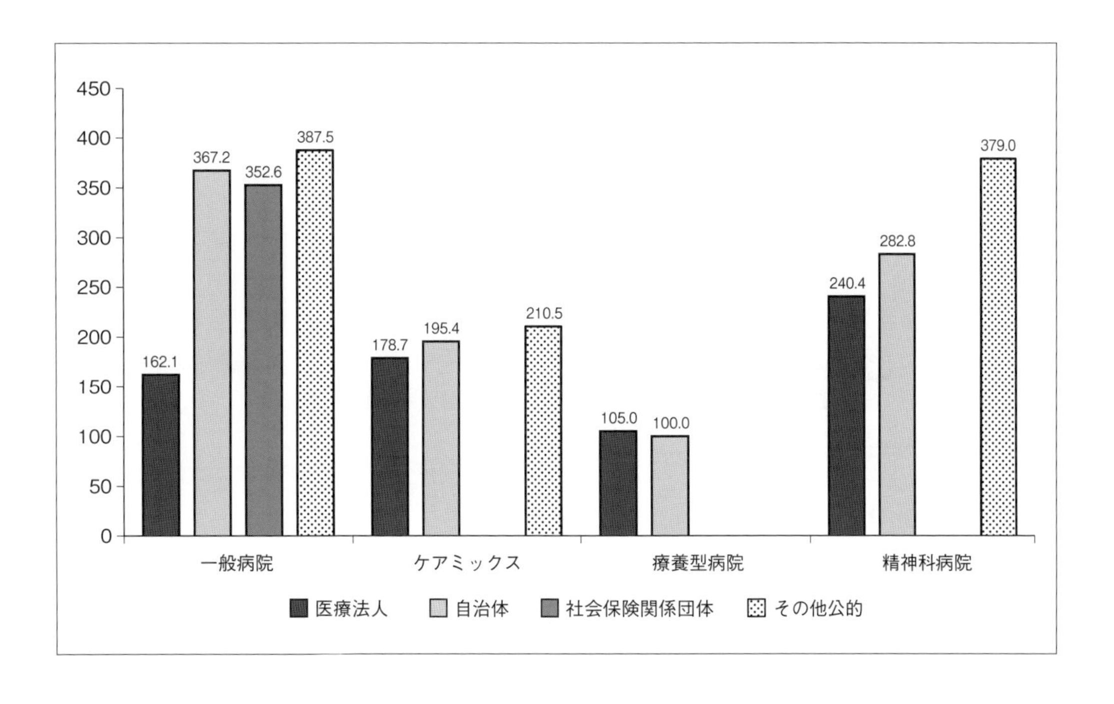

図表Ⅲ-2(2)　病院種別・開設者別平均病床数（令和2年度，稼働病床数）

	一般病院	ケアミックス	療養型病院	精神科病院	開設者別平均
医療法人	165.6	186.4	92.6	257.7	183.4
自治体	378.9	176.2	100.0	282.8	341.3
社会保険関係団体	371.2	—	—	—	371.2
その他公的	401.2	212.5	—	379.0	384.6
開設者別平均	307.4	185.5	92.8	261.3	

※N＝0は「—」とし，Nが5以下のものについてはグレーで網掛けしている

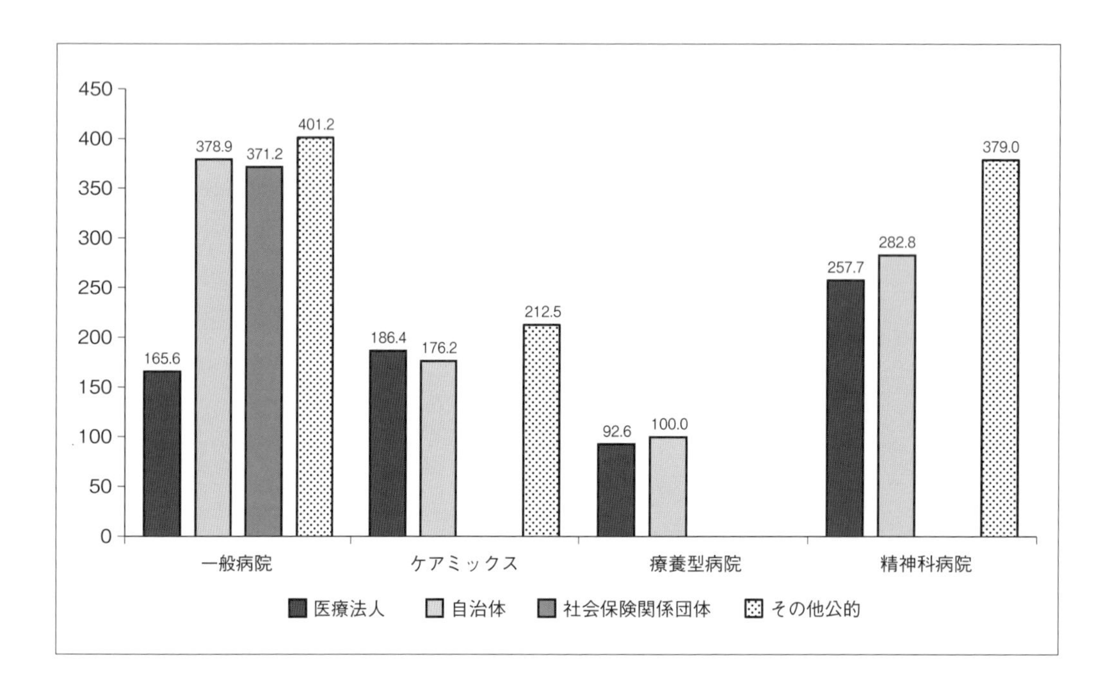

(3) 黒字病院比率

令和元年度において経常損益が黒字となった病院の比率は，医療法人立病院は64.0%，自治体立病院は40.3%，社会保険関係団体立病院は80.0%，その他公的立病院は62.3%であった（**図表Ⅲ-3(1)**）。

なお，自治体立病院は一般会計からの繰入金が医業外収益として扱われるため，医業本体の経営状況は経常損益よりも医業損益の方が実態を把握しやすいといえる。

令和元年度において医業損益が黒字となった病院の比率は医療法人立病院が53.8%，自治体立病院が8.4%，社会保険関係団体立病院が53.3%，その他公的立病院が43.4%となった（**図表Ⅲ-3(2)**）。

続いて，令和2年度において経常損益が黒字となった病院の比率は，医療法人立病院は70.9%，自治体立病院は64.2%，社会保険関係団体立病院は93.3%，その他公的立病院は87.2%であった（**図表Ⅲ-4(1)**）。

令和2年度において医業損益が黒字となった病院の比率は医療法人立病院が52.0%，自治体立病院が5.8%，社会保険関係団体立病院が26.7%，その他公的立病院が38.3%となった（**図表Ⅲ-4(2)**）。

図表Ⅲ-3(1)　病院種別・開設者別黒字病院（令和元年度，経常損益）

	一般病院		ケアミックス病院		療養型病院		精神科病院		合計	
	黒字	回答数	黒字	回答数	黒字	回答数	黒字	回答数	黒字	回答数
医療法人	54.7	86	59.7	77	78.1	32	76.4	55	64.0	250
自治体	42.3	97	17.6	17	100.0	1	75.0	4	40.3	119
社会保険関係団体	80.0	15	—	0	—	0	—	0	80.0	15
その他公的	64.6	48	25.0	4	—	0	100.0	1	62.3	53
合計	53.3	246	51.0	98	78.8	33	76.7	60	57.9	437

※N＝0は「—」とし，Nが5以下のものについてはグレーで網掛けしている

図表Ⅲ-3(2)　病院種別・開設者別黒字病院（令和元年度，医業損益）

	一般病院		ケアミックス病院		療養型病院		精神科病院		合計	
	黒字	回答数	黒字	回答数	黒字	回答数	黒字	回答数	黒字	回答数
医療法人	44.1	86	55.0	77	75.8	32	55.4	55	53.8	250
自治体	8.2	97	0.0	17	0.0	1	50.0	4	8.4	119
社会保険関係団体	53.3	15	—	0	—	0	—	0	53.3	15
その他公的	45.8	48	0.0	4	—	0	100.0	1	43.4	53
合計	32.1	246	44.9	98	75.8	33	56.7	60	41.6	437

※N＝0は「—」とし，Nが5以下のものについてはグレーで網掛けしている

図表Ⅲ-4(1)　病院種別・開設者別黒字病院（令和2年度，経常損益）

	一般病院		ケアミックス病院		療養型病院		精神科病院		合計	
	黒字	回答数	黒字	回答数	黒字	回答数	黒字	回答数	黒字	回答数
医療法人	65.1	83	75.3	81	75.8	33	70.2	57	70.9	254
自治体	67.7	96	42.1	19	100.0	1	75.0	4	64.2	120
社会保険関係団体	93.3	15	—	0	—	0	—	0	93.3	15
その他公的	88.1	42	75.0	4	—	0	100.0	1	87.2	47
合計	72.0	236	69.2	104	76.5	71	71.0	62	71.6	436

※N＝0は「—」とし，Nが5以下のものについてはグレーで網掛けしている

図表Ⅲ-4(2)　病院種別・開設者別黒字病院（令和2年度，医業損益）

	一般病院		ケアミックス病院		療養型病院		精神科病院		合計	
	黒字	回答数	黒字	回答数	黒字	回答数	黒字	回答数	黒字	回答数
医療法人	37.3	83	59.3	81	69.7	33	52.6	57	52.0	254
自治体	5.2	96	0.0	19	0.0	1	50.0	4	5.8	120
社会保険関係団体	26.7	15	—	0	—	0	—	0	26.7	15
その他公的	40.5	42	0.0	4	—	0	100.0	1	38.3	47
合計	24.2	236	46.2	104	67.6	34	53.2	62	36.9	436

※N＝0は「—」とし，Nが5以下のものについてはグレーで網掛けしている

(4) 一般病院間比較

我が国の病院における病床構成は，精神病床21.6％，感染症病床0.1％，結核病床0.3％，療養病床18.9％，一般病床59.2％[1]であり，一般病床は最も数が多い病床となっている。本調査においても一般病床数が過半数を超えており，同様の状況であるといえる。医療法第7条第2項において，一般病床は精神病床，感染症病床，結核病床，療養病床以外の病床と定義されていることからも，その機能が不明確であることから，主に一般病床から構成される一般病院についてもまたその機能が曖昧であると考えられる。

そこで，一般病院を機能別に分類し，その機能別にどのような経営状況にあるかを下記の指標を用いて確認した。

①入院患者1人1日当たり入院収益（以下，入院単価）
②平均在院日数
③一般病棟入院基本料

なお，N（回答病院数）が1の場合，回答機関が特定される可能性があるため，0の場合も含め記載を省略している。

①入院単価別比較

医療法人と自治体の一般病院について入院単価別に算出した指標を，令和元年度は，**図表Ⅲ-5**，**図表Ⅲ-6**，令和2年度は**図表Ⅲ-11**と**図表Ⅲ-12**にそれぞれ示した。

平均在院日数の傾向については，医療法人立，自治体立ともに入院単価が上がるにつれて短くなっていた。また，令和元年度と令和2年度における医療法人立と自治体立の医師1人あたり入院患者数，看護師1人あたり入院患者数，職員1人あたり入院患者数については，入院単価があがるにつれて減少する傾向がみられた。

②平均在院日数別比較

医療法人立と自治体立の一般病院について，平均在院日数別に算出した指標を令和元年のものは，**図表Ⅲ-7**，**図表Ⅲ-8**，令和2年のものは**図表Ⅲ-13**と**図表Ⅲ-14**にそれぞれ示した。

令和元年度と令和2年度における医療法人と自治体の1床あたり医業収益の傾向については，平均在院日数が上がるにつれて減少する傾向がみられた。

③一般病棟入院基本料別比較

医療法人立と自治体立の一般病院について，平均在院日数別に算出した指標を令和元年度は，**図表Ⅲ-9**，**図表Ⅲ-10**，令和2年度は**図表Ⅲ-15**と**図表Ⅲ-16**にそれぞれ示した。

令和元年度と令和2年度における医療法人立と自治体立の職員1人当たり人件費については，入院基本料に関わらずおおよそ600万円台～800万円台で推移していた。

---

[1] 厚生労働省　医療施設動態調査（令和3年12月末概数）より作成

令和元年度　図表Ⅲ-5　入院単価別比較（医療法人・一般病院）

		3万円未満	3万円以上 5万円未満	5万円以上 7万円未満	7万円以上
病院数		8	43	25	10
収益性					
医業利益率	(%)	-6.4	-0.8	-2.4	2.5
総資本医業利益率	(%)	-4.0	-1.2	-1.9	3.0
経常利益率	(%)	-0.3	0.0	-0.5	3.2
償却前医業利益率	(%)	-3.2	3.8	2.3	7.3
病床利用率	(%)	72.2	82.1	78.2	74.6
固定費比率	(%)	69.9	68.1	65.3	56.0
材料費比率	(%)	14.6	15.6	21.5	26.3
医薬品比率	(%)	8.1	8.2	10.1	8.9
人件費率	(%)	62.1	59.4	55.6	48.0
委託費比率	(%)	4.7	6.2	5.3	5.2
設備関係費比率	(%)	7.9	8.7	9.7	8.1
減価償却費比率	(%)	3.2	4.6	4.7	4.8
経費比率	(%)	9.8	8.4	7.4	6.1
金利負担率	(%)	0.8	0.4	0.6	0.3
資本費比率	(%)	4.0	5.0	5.3	5.1
総資本回転率	(%)	114.5	108.7	123.6	116.0
固定資産回転率	(%)	209.3	193.3	191.5	207.9
常勤医師人件費比率	(%)	7.8	9.7	10.6	14.5
非常勤医師人件費比率	(%)	2.8	3.4	4.5	1.5
常勤看護師人件費比率	(%)	19.1	17.1	16.0	11.8
非常勤看護師人件費比率	(%)	0.1	0.6	0.8	0.2
常勤その他人件費比率	(%)	15.7	17.6	15.3	12.8
非常勤その他人件費比率	(%)	0.0	0.5	0.9	1.0
常勤医師1人当たり人件費	(千円)	14,003	19,445	17,858	18,651
常勤看護師1人当たり人件費	(千円)	6,336	5,283	5,108	4,762
職員1人当たり人件費	(千円)	5,749	6,598	7,086	7,285
1床あたり医業収益	(千円)	11,663	19,921	25,684	33,590
安全性					
自己資本比率	(%)	-0.2	36.1	25.7	46.2
固定長期適合率	(%)	142.0	81.6	61.0	75.3
借入金比率	(%)	64.2	40.4	38.4	28.5
償還期間	(年)	3.3	-7.7	6.9	6.0
流動比率	(%)	690.1	309.1	171.7	256.8
1床あたり固定資産額	(千円)	7,831	14,693	21,652	19,860
償却金利前経常利益率	(%)	-0.0	0.0	0.0	0.1
機能性					
平均在院日数	(日)	58.0	27.8	14.0	11.7
外来/入院比	(倍)	2.2	1.8	2.3	3.0
1床あたり1日平均外来患者数	(人)	1.4	1.4	1.5	1.5
患者1人1日当たり入院収益	(円)	23,794	39,715	58,197	94,423
患者1人1日当たり入院収益(室料差額除く)	(円)	23,362	38,799	56,990	92,797
外来患者1人1日当たり外来収益	(円)	7,786	44,655	14,161	19,519
医師1人当たり入院患者数	(人)	7.3	6.6	4.0	3.7
医師1人当たり外来患者数	(人)	12.8	10.3	8.3	7.8
看護師1人当たり入院患者数	(人)	1.3	1.2	0.9	0.8
看護師1人当たり外来患者数	(人)	2.3	1.9	1.8	1.8
職員1人当たり入院患者数	(人)	0.6	0.5	0.4	0.3
職員1人当たり外来患者数	(人)	1.1	0.8	0.8	0.7
紹介率	(%)	15.2	30.8	46.3	24.4
逆紹介率	(%)	40.0	62.5	64.7	36.8

令和元年度　図表Ⅲ-6　入院単価別比較（自治体・一般病院）

		3万円未満	3万円以上 5万円未満	5万円以上 7万円未満	7万円以上
病院数		2	33	41	21
収益性					
医業利益率	(%)	-26.0	-12.2	-9.6	-11.8
総資本医業利益率	(%)	-22.6	-8.4	-6.8	-6.1
経常利益率	(%)	-4.8	-1.3	-2.0	-0.7
償却前医業利益率	(%)	-16.5	-4.3	-2.1	-2.7
病床利用率	(%)	87.7	77.7	77.1	73.3
固定費比率	(%)	77.5	76.0	66.4	61.9
材料費比率	(%)	26.5	18.2	26.4	32.3
医薬品比率	(%)	20.3	10.2	16.1	19.3
人件費率	(%)	66.5	65.6	56.9	50.8
委託費比率	(%)	14.6	10.0	9.6	8.7
設備関係費比率	(%)	11.0	10.4	9.4	11.1
減価償却費比率	(%)	9.5	7.9	7.6	9.1
経費比率	(%)	7.1	5.8	4.5	4.7
金利負担率	(%)	0.1	1.0	0.9	0.9
資本費比率	(%)	9.6	8.9	8.5	10.1
総資本回転率	(%)	81.3	83.7	80.7	62.1
固定資産回転率	(%)	105.1	163.5	126.7	97.3
常勤医師人件費比率	(%)	8.0	11.6	10.4	9.3
非常勤医師人件費比率	(%)	5.7	2.6	2.3	1.2
常勤看護師人件費比率	(%)	20.5	21.3	18.0	15.4
非常勤看護師人件費比率	(%)	2.3	0.9	0.9	0.3
常勤その他人件費比率	(%)	15.5	14.2	8.9	6.2
非常勤その他人件費比率	(%)	2.3	2.4	2.4	1.7
常勤医師1人当たり人件費	(千円)	18,675	16,941	13,540	11,808
常勤看護師1人当たり人件費	(千円)	4,980	5,115	4,975	4,400
職員1人当たり人件費	(千円)	7,339	7,689	8,161	7,949
1床あたり医業収益	(千円)	18,556	17,866	26,482	34,437
安全性					
自己資本比率	(%)	20.4	22.6	19.8	22.1
固定長期適合率	(%)	125.6	102.5	91.9	81.4
借入金比率	(%)	56.4	52.1	64.7	88.9
償還期間	(年)	-2.1	10.2	20.3	6.6
流動比率	(%)	61.2	179.6	163.7	261.7
1床あたり固定資産額	(千円)	20,652	22,792	29,324	46,215
償却金利前経常利益率	(%)	0.0	0.1	0.1	0.1
機能性					
平均在院日数	(日)	25.8	17.7	12.3	10.7
外来/入院比	(倍)	2.3	1.8	1.6	41.5
1床あたり1日平均外来患者数	(人)	1.9	1.3	1.2	1.3
患者1人1日当たり入院収益	(円)	27,037	41,739	59,225	122,417
患者1人1日当たり入院収益(室料差額除く)	(円)	26,648	41,047	58,413	120,544
外来患者1人1日当たり外来収益	(円)	13,380	12,055	22,029	21,885
医師1人当たり入院患者数	(人)	5.2	5.2	3.3	2.5
医師1人当たり外来患者数	(人)	12.0	9.0	5.5	4.4
看護師1人当たり入院患者数	(人)	1.0	0.9	0.8	0.6
看護師1人当たり外来患者数	(人)	2.3	1.7	1.3	1.1
職員1人当たり入院患者数	(人)	0.5	0.5	0.4	0.3
職員1人当たり外来患者数	(人)	1.1	0.8	0.7	0.6
紹介率	(%)	13.9	45.8	78.4	90.2
逆紹介率	(%)	—	95.4	81.9	80.7

令和元年度　図表Ⅲ-7　平均在院日数別比較（医療法人・一般病院）

		10日未満	10日以上 15日未満	15日以上 20日未満	20日以上 25日未満	25日以上
病院数		10	20	23	12	21
収益性						
医業利益率	(%)	0.2	−0.3	−3.2	0.8	−2.6
総資本医業利益率	(%)	0.2	−1.0	−2.7	1.0	−1.6
経常利益率	(%)	0.8	0.3	−0.9	1.5	0.2
償却前医業利益率	(%)	4.0	4.1	2.2	4.6	1.8
病床利用率	(%)	60.5	79.3	77.2	83.3	87.9
固定費比率	(%)	58.0	63.0	66.6	68.2	71.0
材料費比率	(%)	21.8	22.1	19.3	16.1	13.7
医薬品比率	(%)	13.1	10.5	8.7	5.9	6.9
人件費率	(%)	49.3	54.6	57.0	59.8	62.2
委託費比率	(%)	6.4	5.6	5.5	4.9	6.1
設備関係費比率	(%)	8.6	8.4	9.7	8.4	8.8
減価償却費比率	(%)	3.8	4.3	5.5	3.8	4.4
経費比率	(%)	9.6	5.9	8.8	7.6	8.4
金利負担率	(%)	0.3	0.5	0.5	0.4	0.5
資本費比率	(%)	4.2	4.8	6.0	4.3	4.9
総資本回転率	(%)	106.5	127.2	118.2	122.4	97.4
固定資産回転率	(%)	202.2	201.7	216.5	207.9	158.1
常勤医師人件費比率	(%)	14.2	11.6	9.9	8.6	8.9
非常勤医師人件費比率	(%)	3.6	3.6	4.0	4.2	2.2
常勤看護師人件費比率	(%)	13.0	16.5	18.5	15.6	16.0
非常勤看護師人件費比率	(%)	0.5	0.7	0.4	0.8	0.4
常勤その他人件費比率	(%)	11.1	13.9	16.3	16.8	20.3
非常勤その他人件費比率	(%)	0.6	1.0	0.5	0.9	0.2
常勤医師1人当たり人件費	(千円)	20,889	17,582	17,557	20,668	17,480
常勤看護師1人当たり人件費	(千円)	4,700	5,214	5,958	4,867	5,069
職員1人当たり人件費	(千円)	7,683	7,057	6,504	6,719	6,267
1床あたり医業収益	(千円)	27,711	27,511	21,711	21,392	16,407
安全性						
自己資本比率	(%)	53.7	36.7	24.9	31.9	20.4
固定長期適合率	(%)	77.0	62.6	67.0	74.6	117.3
借入金比率	(%)	20.9	24.7	51.5	45.5	50.5
償還期間	(年)	−4.9	6.1	−2.4	−5.6	−1.0
流動比率	(%)	329.8	173.1	239.9	467.3	370.9
1床あたり固定資産額	(千円)	14,895	17,855	21,682	12,347	13,402
償却金利前経常利益率	(%)	0.0	0.1	0.0	0.1	0.0
機能性						
平均在院日数	(日)	5.7	12.6	17.5	22.1	54.7
外来/入院比	(倍)	4.6	2.1	2.1	1.7	1.3
1床あたり1日平均外来患者数	(人)	2.1	1.6	1.4	1.4	1.1
患者1人1日当たり入院収益	(円)	73,117	62,499	46,386	41,459	35,796
患者1人1日当たり入院収益(室料差額除く)	(円)	71,885	60,917	45,386	40,707	35,165
外来患者1人1日当たり外来収益	(円)	17,818	15,551	12,444	128,541	10,179
医師1人当たり入院患者数	(人)	3.5	3.5	5.1	7.0	8.3
医師1人当たり外来患者数	(人)	13.2	7.6	8.9	11.3	9.8
看護師1人当たり入院患者数	(人)	0.7	0.8	1.0	1.2	1.4
看護師1人当たり外来患者数	(人)	2.7	1.8	1.8	1.9	1.8
職員1人当たり入院患者数	(人)	0.3	0.4	0.4	0.5	0.6
職員1人当たり外来患者数	(人)	1.3	0.8	0.8	0.8	0.7
紹介率	(%)	21.1	40.6	41.2	16.9	31.5
逆紹介率	(%)	69.3	68.8	48.9	99.3	46.7

令和元年度　図表Ⅲ-8　平均在院日数別比較（自治体・一般病院）

		10日未満	10日以上 15日未満	15日以上 20日未満	20日以上 25日未満	25日以上
病院数		8	64	14	7	4
収益性						
医業利益率	(%)	-12.1	-11.4	-11.1	-11.0	-9.4
総資本医業利益率	(%)	-6.9	-7.4	-8.2	-8.0	-7.4
経常利益率	(%)	-4.5	-1.4	-0.8	-3.3	2.6
償却前医業利益率	(%)	-3.2	-3.2	-3.6	-2.4	-3.4
病床利用率	(%)	64.5	77.4	76.6	82.5	80.0
固定費比率	(%)	69.8	67.3	71.5	72.6	76.7
材料費比率	(%)	25.7	26.8	22.2	19.5	11.6
医薬品比率	(%)	14.0	16.0	13.3	12.8	7.2
人件費率	(%)	58.9	57.1	61.8	61.9	69.1
委託費比率	(%)	9.1	9.6	8.1	12.0	12.0
設備関係費比率	(%)	10.9	10.2	9.7	10.7	7.6
減価償却費比率	(%)	9.0	8.1	7.5	8.6	6.0
経費比率	(%)	4.1	4.6	6.4	5.8	7.6
金利負担率	(%)	1.0	0.9	0.9	1.3	0.6
資本費比率	(%)	10.0	9.1	8.4	9.9	6.6
総資本回転率	(%)	60.1	79.5	85.8	64.7	79.7
固定資産回転率	(%)	81.3	135.5	169.0	90.8	129.6
常勤医師人件費比率	(%)	9.0	11.0	11.1	9.0	6.7
非常勤医師人件費比率	(%)	1.7	2.3	2.0	2.9	2.6
常勤看護師人件費比率	(%)	15.3	18.7	19.2	21.0	18.0
非常勤看護師人件費比率	(%)	0.5	0.7	0.9	1.7	1.6
常勤その他人件費比率	(%)	6.9	9.3	11.0	13.2	24.6
非常勤その他人件費比率	(%)	2.6	2.1	3.0	2.0	1.0
常勤医師1人当たり人件費	(千円)	11,594	14,074	16,145	18,402	12,792
常勤看護師1人当たり人件費	(千円)	4,276	5,067	4,663	4,973	4,145
職員1人当たり人件費	(千円)	8,488	8,054	7,426	8,009	6,624
1床あたり医業収益	(千円)	30,579	27,286	19,304	16,749	14,284
安全性						
自己資本比率	(%)	16.0	20.1	23.6	28.6	29.9
固定長期適合率	(%)	90.5	95.7	86.6	101.3	83.8
借入金比率	(%)	78.1	71.0	44.1	58.8	39.5
償還期間	(年)	8.1	16.0	11.3	5.7	3.8
流動比率	(%)	148.9	189.6	196.7	186.6	217.4
1床あたり固定資産額	(千円)	40,103	33,362	20,326	22,680	16,730
償却金利前経常利益率	(%)	0.1	0.1	0.1	0.1	0.1
機能性						
平均在院日数	(日)	7.1	12.5	17.4	21.2	29.3
外来/入院比	(倍)	106.5	1.7	1.5	1.9	1.6
1床あたり1日平均外来患者数	(人)	1.5	1.3	1.0	1.4	1.1
患者1人1日当たり入院収益	(円)	185,733	61,326	46,623	33,620	32,908
患者1人1日当たり入院収益(室料差額除く)	(円)	182,870	60,429	45,910	33,101	32,328
外来患者1人1日当たり外来収益	(円)	16,941	20,309	15,848	12,283	11,046
医師1人当たり入院患者数	(人)	2.7	3.2	4.9	7.3	5.7
医師1人当たり外来患者数	(人)	6.1	5.6	7.1	13.3	8.9
看護師1人当たり入院患者数	(人)	0.6	0.8	0.9	1.0	1.1
看護師1人当たり外来患者数	(人)	1.4	1.3	1.3	1.9	1.7
職員1人当たり入院患者数	(人)	0.3	0.4	0.5	0.6	0.5
職員1人当たり外来患者数	(人)	0.7	0.7	0.7	1.1	0.7
紹介率	(%)	79.9	76.3	53.1	27.7	41.7
逆紹介率	(%)	79.9	83.4	90.3	—	—

令和元年度　図表Ⅲ-9　一般病棟入院基本料別比較（医療法人・一般病院）

		急性期一般入院料							地域一般入院料		
		1	2	3	4	5	6	7	1	2	3
病院数		35	1	0	13	4	3	4	3	0	3
収益性											
医業利益率	(%)	-1.1			-2.9	-1.0	0.6	-0.2	-7.8		
総資本医業利益率	(%)	-1.7			1.7	-0.8	-0.9	-0.2	-2.6		-10.1
経常利益率	(%)	-0.4			2.7	0.1	0.4	0.9	0.2		-7.4
償却前医業利益率	(%)	3.7			6.2	2.2	3.1	3.1	3.4		-4.5
病床利用率	(%)	81.4			82.2	74.2	80.7	43.9	79.5		81.2
固定費比率	(%)	64.8			63.9	67.9	67.8	65.5	67.9		77.6
材料費比率	(%)	21.2			16.1	19.1	16.9	11.2	15.8		14.9
医薬品比率	(%)	9.1			7.1	10.0	11.9	7.0	10.1		4.7
人件費率	(%)	55.9			56.0	57.4	59.4	57.3	60.2		66.8
委託費比率	(%)	5.6			6.0	5.1	8.1	5.8	8.0		7.1
設備関係費比率	(%)	8.9			7.9	10.4	8.3	8.2	7.7		10.8
減価償却費比率	(%)	4.8			4.7	5.1	4.1	2.5	3.6		3.3
経費比率	(%)	7.1			9.1	7.7	5.4	13.3	6.1		6.8
金利負担率	(%)	0.4			0.3	0.7	0.2	0.5	0.6		1.1
資本費比率	(%)	5.3			5.0	5.7	4.3	3.0	4.2		4.3
総資本回転率	(%)	132.6			101.1	105.5	84.9	89.0	146.0		122.8
固定資産回転率	(%)	229.6			180.2	161.2	170.6	153.1	215.2		175.4
常勤医師人件費比率	(%)	11.4			8.0	9.4	13.5	20.9	13.3		6.2
非常勤医師人件費比率	(%)	3.4			3.5	5.0	3.8	6.8	1.8		2.5
常勤看護師人件費比率	(%)	16.7			16.9	16.5	17.4	12.3	19.2		12.1
非常勤看護師人件費比率	(%)	0.7			0.2	0.9	0.9	0.0	0.4		0.0
常勤その他人件費比率	(%)	15.4			15.5	17.5	15.4	9.2	17.4		16.9
非常勤その他人件費比率	(%)	0.8			0.3	0.7	0.7	1.0	0.6		0.2
常勤医師1人当たり人件費	(千円)	18,446			17,851	20,294	24,496	11,302	27,249		13,548
常勤看護師1人当たり人件費	(千円)	5,024			5,442	5,370	5,586	3,945	6,642		4,820
職員1人当たり人件費	(千円)	6,993			6,266	6,554	7,528	7,683	7,498		6,517
1床あたり医業収益	(千円)	26,914			19,930	21,112	21,761	17,917	18,353		21,235
安全性											
自己資本比率	(%)	30.5			55.9	19.5	59.9	47.9	16.9		-111.9
固定長期適合率	(%)	77.4			72.8	46.4	56.5	96.6	95.3		279.3
借入金比率	(%)	34.7			28.9	46.2	36.9	17.6	48.6		129.0
償還期間	(年)	4.7			4.5	-17.0	1.2	-18.2	-21.3		3.7
流動比率	(%)	169.7			420.5	152.3	584.9	185.6	376.9		237.4
1床あたり固定資産額	(千円)	19,154			14,532	18,898	13,688	11,246	11,233		16,080
償却金利前経常利益率	(%)	0.0			0.1	0.0	0.0	0.0	0.0		-0.0
機能性											
平均在院日数	(日)	15.1			27.2	20.0	11.1	4.0	20.2		33.5
外来/入院比	(倍)	1.9			1.8	2.4	2.8	7.7	1.8		1.2
1床あたり1日平均外来患者数	(人)	1.4			1.4	1.6	2.3	2.2	1.5		1.0
患者1人1日当たり入院収益	(円)	62,070			39,455	44,763	33,998	82,110	38,271		40,418
患者1人1日当たり入院収益(室料差額除く)	(円)	60,747			38,658	43,493	32,666	81,982	37,530		39,765
外来患者1人1日当たり外来収益	(円)	16,035			11,169	13,607	11,521	5,335	10,024		478,237
医師1人当たり入院患者数	(人)	4.3			7.4	5.1	5.3	3.3	7.7		6.6
医師1人当たり外来患者数	(人)	7.1			10.4	11.0	14.8	17.8	13.8		7.0
看護師1人当たり入院患者数	(人)	0.9			1.2	1.0	1.0	0.7	1.3		1.3
看護師1人当たり外来患者数	(人)	1.6			1.8	2.2	2.7	3.3	2.4		1.5
職員1人当たり入院患者数	(人)	0.4			0.5	0.4	0.5	0.3	0.6		0.6
職員1人当たり外来患者数	(人)	0.7			0.7	0.9	1.4	1.7	1.0		0.6
紹介率	(%)	41.2			49.7	21.1	11.7	15.9	0.0		40.1
逆紹介率	(%)	60.4			54.8	49.3	88.0	55.4	—		—

令和元年度　図表Ⅲ-10　一般病棟入院基本料別比較（自治体・一般病院）

		急性期一般入院料							地域一般入院料		
		1	2	3	4	5	6	7	1	2	3
病院数		72	2		13	2	2		1		
収益性											
医業利益率	(%)	-10.0	-11.5		-13.3	-8.5	-11.2				
総資本医業利益率	(%)	-6.8	-12.8		-6.8	-4.2	-6.9				
経常利益率	(%)	-1.7	-2.9		-0.4	-5.2	1.7				
償却前医業利益率	(%)	-2.1	-5.2		-4.1	1.0	-3.9				
病床利用率	(%)	76.6	77.9		78.4	80.5	74.4				
固定費比率	(%)	66.9	79.4		76.5	74.5	73.7				
材料費比率	(%)	26.4	13.7		17.7	15.1	15.7				
医薬品比率	(%)	15.4	7.3		10.1	9.7	9.1				
人件費率	(%)	57.0	71.8		65.0	62.2	64.7				
委託費比率	(%)	9.1	13.0		11.0	12.2	12.8				
設備関係費比率	(%)	10.0	7.6		11.5	12.3	9.0				
減価償却費比率	(%)	7.9	6.2		9.2	9.5	7.3				
経費比率	(%)	4.6	4.9		5.8	6.4	7.4				
金利負担率	(%)	0.9	1.4		0.8	2.5	0.6				
資本費比率	(%)	8.7	7.7		10.0	12.0	8.0				
総資本回転率	(%)	81.9	99.7		60.9	52.9	57.5				
固定資産回転率	(%)	146.8	122.3		93.1	68.4	74.1				
常勤医師人件費比率	(%)	10.9	8.6		10.2	8.5	11.5				
非常勤医師人件費比率	(%)	2.3	3.8		2.1	1.9	4.7				
常勤看護師人件費比率	(%)	18.8	18.8		19.7	24.8	23.2				
非常勤看護師人件費比率	(%)	0.8	1.5		1.0	1.5	0.9				
常勤その他人件費比率	(%)	9.1	21.5		16.0	12.3	10.1				
非常勤その他人件費比率	(%)	2.2	4.5		2.4	0.9	2.2				
常勤医師1人当たり人件費	(千円)	14,351	8,914		16,508	20,886	17,306				
常勤看護師1人当たり人件費	(千円)	5,049	4,396		4,999	4,736	5,530				
職員1人当たり人件費	(千円)	7,955	7,966		7,834	6,951	8,194				
1床あたり医業収益	(千円)	27,081	18,028		17,702	12,518	17,425				
安全性											
自己資本比率	(%)	20.4	2.8		23.9	45.8	31.6				
固定長期適合率	(%)	88.4	125.5		108.6	96.9	87.5				
借入金比率	(%)	66.8	24.1		75.1	62.1	28.3				
償還期間	(年)	14.7	18.6		10.6	6.8	6.6				
流動比率	(%)	195.7	73.2		199.5	200.6	302.8				
1床あたり固定資産額	(千円)	30,992	16,957		27,851	19,114	24,724				
償却金利前経常利益率	(%)	0.1	0.0		0.1	0.1	0.1				
機能性											
平均在院日数	(日)	12.3	20.7		20.6	21.0	17.5				
外来/入院比	(倍)	13.3	1.6		1.7	1.8	2.6				
1床あたり1日平均外来患者数	(人)	1.2	1.1		1.3	1.1	2.0				
患者1人1日当たり入院収益	(円)	75,059	41,386		39,794	30,595	33,411				
患者1人1日当たり入院収益(室料差額除く)	(円)	73,961	40,617		39,162	30,379	32,672				
外来患者1人1日当たり外来収益	(円)	19,484	12,552		11,769	10,953	10,801				
医師1人当たり入院患者数	(人)	3.3	4.3		5.5	9.8	4.8				
医師1人当たり外来患者数	(人)	5.6	6.6		9.3	17.5	11.9				
看護師1人当たり入院患者数	(人)	0.7	1.0		1.0	0.9	1.0				
看護師1人当たり外来患者数	(人)	1.3	1.5		1.7	1.6	2.7				
職員1人当たり入院患者数	(人)	0.4	0.5		0.5	0.5	0.5				
職員1人当たり外来患者数	(人)	0.7	0.7		0.9	1.0	1.4				
紹介率	(%)	74.7	41.1		48.2	16.9	63.8				
逆紹介率	(%)	84.8	—		98.3	—	—				

令和2年度　図表Ⅲ-11　入院単価別比較（医療法人・一般病院）

		3万円未満	3万円以上 5万円未満	5万円以上 7万円未満	7万円以上
病院数		8	36	28	11
収益性					
医業利益率	(%)	-4.4	-1.5	-4.8	-0.6
総資本医業利益率	(%)	-2.9	-2.1	-5.4	-0.3
経常利益率	(%)	-1.7	1.7	1.0	3.1
償却前医業利益率	(%)	0.3	2.9	0.0	4.6
病床利用率	(%)	74.1	80.5	72.6	70.9
固定費比率	(%)	70.1	69.7	67.8	58.6
材料費比率	(%)	12.2	14.9	20.6	28.0
医薬品比率	(%)	5.7	7.4	9.8	9.6
人件費率	(%)	63.0	60.7	56.8	49.9
委託費比率	(%)	5.7	6.1	5.4	5.3
設備関係費比率	(%)	7.1	9.0	11.0	8.7
減価償却費比率	(%)	4.7	4.5	4.8	5.2
経費比率	(%)	10.3	7.8	7.9	5.0
金利負担率	(%)	0.6	0.3	0.5	0.5
資本費比率	(%)	5.3	4.8	5.3	5.7
総資本回転率	(%)	70.6	108.0	111.4	101.3
固定資産回転率	(%)	148.9	206.7	204.6	181.7
常勤医師人件費比率	(%)	12.5	10.6	12.2	15.0
非常勤医師人件費比率	(%)	3.3	3.8	4.3	1.7
常勤看護師人件費比率	(%)	21.3	18.1	15.5	12.4
非常勤看護師人件費比率	(%)	0.2	0.5	0.8	0.2
常勤その他人件費比率	(%)	18.0	18.9	14.2	13.3
非常勤その他人件費比率	(%)	0.4	0.6	0.8	0.5
常勤医師1人当たり人件費	(千円)	16,066	19,522	17,517	21,073
常勤看護師1人当たり人件費	(千円)	7,437	5,560	4,726	4,788
職員1人当たり人件費	(千円)	6,050	6,566	6,844	7,257
1床あたり医業収益	(千円)	11,693	19,257	24,349	33,445
安全性					
自己資本比率	(%)	51.5	36.2	37.1	31.0
固定長期適合率	(%)	61.6	109.1	50.7	100.9
借入金比率	(%)	36.0	38.0	43.5	42.6
償還期間	(年)	-80.7	4.2	1.9	-15.2
流動比率	(%)	686.1	318.9	324.6	256.8
1床あたり固定資産額	(千円)	11,706	13,171	18,250	22,172
償却金利前経常利益率	(%)	0.0	0.1	0.1	0.1
機能性					
平均在院日数	(日)	42.2	29.1	13.3	11.8
外来/入院比	(倍)	2.3	1.9	2.3	3.1
1床あたり1日平均外来患者数	(人)	1.2	1.4	1.3	0.9
患者1人1日当たり入院収益	(円)	25,161	41,509	59,586	118,167
患者1人1日当たり入院収益(室料差額除く)	(円)	24,559	40,724	57,869	116,272
外来患者1人1日当たり外来収益	(円)	8,830	10,984	15,282	22,546
医師1人当たり入院患者数	(人)	6.3	6.1	3.7	3.2
医師1人当たり外来患者数	(人)	10.2	9.6	7.2	4.5
看護師1人当たり入院患者数	(人)	1.5	1.2	0.8	0.8
看護師1人当たり外来患者数	(人)	2.2	2.1	1.7	1.1
職員1人当たり入院患者数	(人)	0.7	0.5	0.3	0.3
職員1人当たり外来患者数	(人)	1.1	0.8	0.7	0.4
紹介率	(%)	19.8	34.4	41.1	39.6
逆紹介率	(%)	38.8	44.9	73.6	64.9

令和2年度　図表Ⅲ-12　入院単価別比較（自治体・一般病院）

		3万円未満	3万円以上 5万円未満	5万円以上 7万円未満	7万円以上
病院数		1	26	38	31
収益性					
医業利益率	(%)		-19.0	-19.7	-15.6
総資本医業利益率	(%)		-13.9	-12.5	-8.8
経常利益率	(%)		2.4	1.5	3.8
償却前医業利益率	(%)		-11.0	-11.8	-6.5
病床利用率	(%)		69.6	65.9	66.4
固定費比率	(%)		80.3	74.8	66.9
材料費比率	(%)		18.5	25.8	31.1
医薬品比率	(%)		10.0	15.7	18.4
人件費率	(%)		69.6	64.8	55.3
委託費比率	(%)		11.1	11.3	9.5
設備関係費比率	(%)		10.7	10.0	11.5
減価償却費比率	(%)		8.1	7.9	9.2
経費比率	(%)		7.1	4.5	4.5
金利負担率	(%)		1.0	0.8	0.9
資本費比率	(%)		9.1	8.7	10.0
総資本回転率	(%)		85.6	69.1	65.2
固定資産回転率	(%)		383.9	102.0	125.8
常勤医師人件費比率	(%)		13.1	12.8	11.9
非常勤医師人件費比率	(%)		2.9	2.6	1.6
常勤看護師人件費比率	(%)		21.5	19.6	16.8
非常勤看護師人件費比率	(%)		1.5	1.2	0.5
常勤その他人件費比率	(%)		14.9	9.8	7.6
非常勤その他人件費比率	(%)		2.6	2.7	1.6
常勤医師1人当たり人件費	(千円)		16,755	14,300	12,461
常勤看護師1人当たり人件費	(千円)		4,980	4,868	4,728
職員1人当たり人件費	(千円)		7,750	8,160	8,271
1床あたり医業収益	(千円)		17,344	23,014	31,762
安全性					
自己資本比率	(%)		19.7	19.6	22.8
固定長期適合率	(%)		99.9	93.1	79.0
借入金比率	(%)		47.0	71.9	82.0
償還期間	(年)		5.0	13.8	6.4
流動比率	(%)		154.1	148.9	260.3
1床あたり固定資産額	(千円)		21,456	29,243	40,183
償却金利前経常利益率	(%)		0.1	0.1	0.1
機能性					
平均在院日数	(日)		19.2	12.4	11.0
外来/入院比	(倍)		1.9	1.9	26.0
1床あたり1日平均外来患者数	(人)		1.2	1.1	1.1
患者1人1日当たり入院収益	(円)		42,408	58,930	111,383
患者1人1日当たり入院収益(室料差額除く)	(円)		41,770	58,103	109,892
外来患者1人1日当たり外来収益	(円)		12,630	18,081	28,637
医師1人当たり入院患者数	(人)		4.7	2.9	2.3
医師1人当たり外来患者数	(人)		8.6	5.4	3.9
看護師1人当たり入院患者数	(人)		0.9	0.7	0.6
看護師1人当たり外来患者数	(人)		1.6	1.3	1.0
職員1人当たり入院患者数	(人)		0.4	0.4	0.3
職員1人当たり外来患者数	(人)		0.8	0.6	0.5
紹介率	(%)		48.6	73.3	92.5
逆紹介率	(%)		75.8	78.7	83.7

令和２年度　図表Ⅲ-13　平均在院日数別比較（医療法人・一般病院）

		10日未満	10日以上 15日未満	15日以上 20日未満	20日以上 25日未満	25日以上
病院数		12	20	16	12	23
収益性						
医業利益率	(%)	-3.1	-4.7	-3.9	0.2	-1.7
総資本医業利益率	(%)	-3.8	-4.3	-5.4	-0.3	-1.4
経常利益率	(%)	0.5	2.0	-0.5	4.1	0.9
償却前医業利益率	(%)	0.8	0.5	0.7	5.0	2.9
病床利用率	(%)	57.8	72.9	72.3	84.4	85.2
固定費比率	(%)	62.7	64.6	68.8	69.1	71.3
材料費比率	(%)	20.3	24.4	18.5	15.5	13.1
医薬品比率	(%)	10.5	12.1	7.4	5.0	6.3
人件費率	(%)	51.3	55.4	60.0	58.7	62.6
委託費比率	(%)	6.2	5.3	6.0	5.1	6.0
設備関係費比率	(%)	11.4	9.2	8.8	10.4	8.7
減価償却費比率	(%)	3.9	5.2	4.6	4.8	4.6
経費比率	(%)	8.6	6.7	8.3	7.3	7.9
金利負担率	(%)	0.4	0.5	0.5	0.4	0.5
資本費比率	(%)	4.3	5.7	5.1	5.2	5.1
総資本回転率	(%)	107.5	107.0	128.9	86.9	93.5
固定資産回転率	(%)	240.9	178.3	251.0	161.2	171.8
常勤医師人件費比率	(%)	13.3	13.9	10.8	9.8	11.3
非常勤医師人件費比率	(%)	3.5	3.0	5.7	3.6	2.9
常勤看護師人件費比率	(%)	12.6	16.1	18.0	17.5	18.3
非常勤看護師人件費比率	(%)	0.5	0.6	0.7	0.5	0.4
常勤その他人件費比率	(%)	10.4	13.8	16.6	19.1	20.5
非常勤その他人件費比率	(%)	0.5	0.6	0.6	0.7	0.6
常勤医師１人当たり人件費	(千円)	16,701	18,881	18,347	19,403	19,657
常勤看護師１人当たり人件費	(千円)	4,489	5,187	5,406	5,269	5,957
職員１人当たり人件費	(千円)	7,232	6,792	6,722	6,636	6,382
１床あたり医業収益	(千円)	26,828	26,816	21,927	19,949	16,869
安全性						
自己資本比率	(%)	48.3	36.8	27.6	45.9	34.3
固定長期適合率	(%)	62.8	47.2	166.6	72.2	74.7
借入金比率	(%)	28.8	47.0	30.1	47.2	43.9
償還期間	(年)	-1.0	-5.9	12.2	5.9	-32.4
流動比率	(%)	509.5	238.7	289.3	365.9	390.3
１床あたり固定資産額	(千円)	13,384	22,406	13,179	16,005	13,524
償却金利前経常利益率	(%)	0.0	0.1	0.0	0.1	0.1
機能性						
平均在院日数	(日)	5.7	12.6	17.4	22.0	44.5
外来／入院比	(倍)	5.0	1.7	2.6	1.6	1.4
１床あたり１日平均外来患者数	(人)	1.5	1.1	1.6	1.3	1.1
患者１人１日当たり入院収益	(円)	96,885	64,785	49,359	46,225	37,439
患者１人１日当たり入院収益(室料差額除く)	(円)	93,869	63,445	48,416	45,644	36,702
外来患者１人１日当たり外来収益	(円)	19,398	18,261	11,949	10,318	9,955
医師１人当たり入院患者数	(人)	2.9	3.2	4.3	6.5	7.1
医師１人当たり外来患者数	(人)	8.9	5.2	9.2	9.5	8.9
看護師１人当たり入院患者数	(人)	0.7	0.8	0.9	1.4	1.4
看護師１人当たり外来患者数	(人)	2.2	1.2	1.9	2.2	1.8
職員１人当たり入院患者数	(人)	0.3	0.3	0.4	0.5	0.6
職員１人当たり外来患者数	(人)	0.9	0.5	0.8	0.7	0.7
紹介率	(%)	22.5	51.5	30.5	41.2	29.6
逆紹介率	(%)	86.9	76.5	39.3	43.7	44.0

令和2年度　図表Ⅲ-14　平均在院日数別比較（自治体・一般病院）

		10日未満	10日以上 15日未満	15日以上 20日未満	20日以上 25日未満	25日以上
病院数		10	56	20	6	4
収益性						
医業利益率	(%)	-16.7	-18.3	-22.1	-11.4	-14.3
総資本医業利益率	(%)	-8.8	-10.5	-18.3	-9.8	-10.7
経常利益率	(%)	2.0	2.9	2.0	3.1	-1.2
償却前医業利益率	(%)	-7.8	-9.7	-13.9	-4.4	-7.3
病床利用率	(%)	59.7	66.7	70.6	68.6	74.8
固定費比率	(%)	70.3	71.6	80.4	76.2	76.7
材料費比率	(%)	28.1	27.9	22.6	18.8	12.6
医薬品比率	(%)	16.3	16.8	13.0	10.1	7.4
人件費率	(%)	59.3	60.8	69.6	65.5	68.4
委託費比率	(%)	9.7	10.9	10.4	8.3	15.5
設備関係費比率	(%)	11.0	10.7	10.8	10.8	8.3
減価償却費比率	(%)	8.9	8.6	8.2	7.0	6.9
経費比率	(%)	4.0	4.8	6.2	6.0	8.5
金利負担率	(%)	1.0	0.9	0.9	0.5	0.9
資本費比率	(%)	10.0	9.4	9.1	7.6	7.8
総資本回転率	(%)	54.5	69.7	86.2	89.9	66.7
固定資産回転率	(%)	82.9	175.1	165.0	589.9	106.3
常勤医師人件費比率	(%)	9.0	12.9	13.3	17.2	6.2
非常勤医師人件費比率	(%)	1.5	2.5	2.7	2.4	1.4
常勤看護師人件費比率	(%)	14.6	19.1	21.9	17.5	20.7
非常勤看護師人件費比率	(%)	0.6	0.9	1.3	1.3	2.6
常勤その他人件費比率	(%)	6.6	9.5	12.1	11.7	24.2
非常勤その他人件費比率	(%)	2.6	2.2	2.7	2.7	1.8
常勤医師1人当たり人件費	(千円)	10,499	14,110	16,596	17,482	14,342
常勤看護師1人当たり人件費	(千円)	3,928	5,017	5,182	4,008	4,582
職員1人当たり人件費	(千円)	8,478	8,159	8,078	7,606	6,737
1床あたり医業収益	(千円)	31,904	25,984	19,585	16,769	16,224
安全性						
自己資本比率	(%)	17.5	22.9	11.5	24.8	37.4
固定長期適合率	(%)	85.3	86.8	112.6	77.6	82.5
借入金比率	(%)	85.1	75.0	52.3	36.0	51.9
償還期間	(年)	10.8	10.5	5.0	7.2	3.8
流動比率	(%)	197.2	197.4	132.8	196.1	229.7
1床あたり固定資産額	(千円)	42,936	34,438	19,119	16,602	22,541
償却金利前経常利益率	(%)	0.1	0.1	0.1	0.1	0.1
機能性						
平均在院日数	(日)	7.6	12.2	16.4	20.9	30.0
外来/入院比	(倍)	77.5	1.8	1.7	1.6	1.7
1床あたり1日平均外来患者数	(人)	1.4	1.1	1.2	1.0	1.3
患者1人1日当たり入院収益	(円)	170,730	66,861	49,270	40,322	36,158
患者1人1日当たり入院収益(室料差額除く)	(円)	168,194	66,026	48,424	39,847	35,545
外来患者1人1日当たり外来収益	(円)	21,119	22,614	15,576	14,254	11,183
医師1人当たり入院患者数	(人)	2.2	2.7	3.7	5.9	5.8
医師1人当たり外来患者数	(人)	5.1	5.0	6.4	9.7	10.1
看護師1人当たり入院患者数	(人)	0.5	0.7	0.8	0.9	1.0
看護師1人当たり外来患者数	(人)	1.2	1.2	1.4	1.4	1.6
職員1人当たり入院患者数	(人)	0.3	0.3	0.4	0.4	0.5
職員1人当たり外来患者数	(人)	0.6	0.6	0.7	0.7	0.8
紹介率	(%)	83.4	81.2	56.4	53.5	33.3
逆紹介率	(%)	73.2	81.7	76.1	66.2	—

令和2年度　図表Ⅲ-15　一般病棟入院基本料別比較（医療法人・一般病院）

		急性期一般入院料							地域一般入院料		
		1	2	3	4	5	6	7	1	2	3
病院数		36	3	0	15	8	2	4	3	1	3
収益性											
医業利益率	(%)	-3.5	-8.3		0.0	-3.0	-4.1	-9.4	3.5		-0.6
総資本医業利益率	(%)	-4.0	-7.3		-0.1	-5.1	-2.8	-5.1	3.1		-1.6
経常利益率	(%)	2.2	-2.6		2.8	-1.3	-1.6	-4.4	5.8		3.8
償却前医業利益率	(%)	1.5	-0.1		4.1	0.7	2.7	-5.5	8.1		1.7
病床利用率	(%)	74.6	76.0		78.4	66.5	87.2	56.2	77.2		79.2
固定費比率	(%)	67.2	70.8		64.5	67.4	80.8	72.5	70.3		58.7
材料費比率	(%)	21.1	20.9		18.1	17.6	8.9	13.0	12.6		17.8
医薬品比率	(%)	8.9	8.9		8.5	10.2	5.0	6.0	5.0		10.0
人件費率	(%)	58.0	58.4		56.4	54.6	71.6	62.8	63.1		51.0
委託費比率	(%)	5.7	4.9		6.2	5.6	7.6	7.1	5.0		6.4
設備関係費比率	(%)	9.2	12.3		8.1	12.8	9.2	9.7	7.2		7.7
減価償却費比率	(%)	5.0	8.2		4.0	3.8	6.8	3.9	4.7		2.3
経費比率	(%)	7.0	6.7		7.9	8.3	3.0	11.0	8.5		11.3
金利負担率	(%)	0.5	0.6		0.3	0.6	0.3	0.3	1.2		0.1
資本費比率	(%)	5.4	8.8		4.3	4.3	7.1	4.2	5.9		2.4
総資本回転率	(%)	111.4	99.3		93.3	146.9	86.0	54.5	97.7		100.7
固定資産回転率	(%)	208.4	119.8		182.2	285.2	134.8	170.2	158.4		254.9
常勤医師人件費比率	(%)	14.3	13.4		9.4	8.0	14.0	12.0	14.9		7.4
非常勤医師人件費比率	(%)	3.3	5.6		3.8	4.7	2.0	5.5	2.2		4.4
常勤看護師人件費比率	(%)	16.1	14.0		17.6	14.6	18.3	21.4	18.1		18.9
非常勤看護師人件費比率	(%)	0.6	1.4		0.4	0.6	0.6	0.1	0.4		0.1
常勤その他人件費比率	(%)	15.1	16.2		16.8	14.6	27.7	15.2	19.5		13.6
非常勤その他人件費比率	(%)	0.7	0.8		0.4	0.3	0.1	0.5	0.8		0.1
常勤医師1人当たり人件費	(千円)	19,223	24,657		20,034	16,424	15,756	16,385	22,043		11,675
常勤看護師1人当たり人件費	(千円)	4,734	4,907		5,540	4,356	4,730	6,342	7,795		8,155
職員1人当たり人件費	(千円)	6,926	6,760		6,554	6,232	6,679	6,943	7,490		5,763
1床あたり医業収益	(千円)	26,452	21,950		20,081	19,986	17,245	16,482	16,747		14,015
安全性											
自己資本比率	(%)	32.8	-1.5		57.9	23.4	66.8	73.6	-4.6		67.3
固定長期適合率	(%)	98.6	102.9		69.9	78.0	69.0	46.5	76.9		50.0
借入金比率	(%)	39.0	59.7		28.4	40.3	33.5	22.5	79.3		10.3
償還期間	(年)	-2.2	10.4		-36.7	6.2	11.1	-10.2	10.1		10.9
流動比率	(%)	208.3	81.6		426.5	212.3	696.8	999.1	420.1		857.4
1床あたり固定資産額	(千円)	19,287	19,390		14,895	8,663	13,045	9,978	12,720		5,347
償却金利前経常利益率	(%)	0.1	0.1		0.1	0.0	0.1	-0.0	0.1		0.1
機能性											
平均在院日数	(日)	14.8	16.6		27.7	16.9	19.6	11.4	48.7		28.6
外来/入院比	(倍)	2.3	1.6		1.9	3.2	2.5	3.9	1.7		1.4
1床あたり1日平均外来患者数	(人)	1.2	1.2		1.3	1.7	2.2	1.6	1.4		0.9
患者1人1日当たり入院収益	(円)	74,268	53,688		42,624	45,461	30,867	46,396	35,164		37,182
患者1人1日当たり入院収益(室料差額除く)	(円)	72,879	52,987		41,892	42,083	30,493	45,890	34,648		36,185
外来患者1人1日当たり外来収益	(円)	16,783	13,772		12,978	12,641	6,701	9,781	7,179		11,915
医師1人当たり入院患者数	(人)	3.8	4.0		6.9	3.8	5.3	3.7	7.0		6.7
医師1人当たり外来患者数	(人)	6.1	6.5		9.1	10.3	13.2	13.0	11.7		9.1
看護師1人当たり入院患者数	(人)	0.8	1.0		1.2	0.8	1.1	0.8	1.6		1.3
看護師1人当たり外来患者数	(人)	1.3	1.6		1.6	2.4	2.8	2.7	2.6		1.8
職員1人当たり入院患者数	(人)	0.3	0.4		0.5	0.3	0.5	0.4	0.6		0.6
職員1人当たり外来患者数	(人)	0.6	0.6		0.7	1.0	1.2	1.3	1.0		0.8
紹介率	(%)	44.1	59.8		44.3	11.2	7.8	14.6	0.6		50.3
逆紹介率	(%)	63.5	83.4		55.0	7.9	23.8	62.6	−		−

令和2年度　図表Ⅲ-16　一般病棟入院基本料別比較（自治体・一般病院）

		急性期一般入院料							地域一般入院料		
		1	2	3	4	5	6	7	1	2	3
病院数		72	3	0	12	0	3	0	1	0	0
収益性											
医業利益率	(%)	-17.5	-11.8		-20.9		-13.0				
総資本医業利益率	(%)	-11.1	-15.8		-13.7		-6.3				
経常利益率	(%)	2.7	1.2		2.0		5.5				
償却前医業利益率	(%)	-9.1	-8.0		-11.7		-5.3				
病床利用率	(%)	66.5	79.7		69.9		59.1				
固定費比率	(%)	72.1	78.8		81.7		76.3				
材料費比率	(%)	27.2	15.7		18.7		15.5				
医薬品比率	(%)	15.9	6.6		10.2		9.1				
人件費率	(%)	61.4	71.5		70.0		66.1				
委託費比率	(%)	10.4	11.1		12.4		11.7				
設備関係費比率	(%)	10.8	7.3		11.7		10.2				
減価償却費比率	(%)	8.4	3.8		9.3		7.6				
経費比率	(%)	4.7	5.2		6.4		8.0				
金利負担率	(%)	0.9	0.9		1.0		0.6				
資本費比率	(%)	9.3	4.7		10.2		8.2				
総資本回転率	(%)	72.8	139.9		63.1		52.6				
固定資産回転率	(%)	176.9	1,097.2		95.6		76.2				
常勤医師人件費比率	(%)	12.8	23.9		11.2		10.6				
非常勤医師人件費比率	(%)	2.4	4.6		1.8		3.8				
常勤看護師人件費比率	(%)	19.3	12.2		22.3		24.8				
非常勤看護師人件費比率	(%)	1.0	1.9		1.5		1.2				
常勤その他人件費比率	(%)	9.6	15.4		15.9		11.3				
非常勤その他人件費比率	(%)	2.3	1.4		2.9		2.0				
常勤医師1人当たり人件費	(千円)	14,138	10,207		17,723		18,771				
常勤看護師1人当たり人件費	(千円)	5,023	3,005		5,207		5,336				
職員1人当たり人件費	(千円)	8,145	7,684		8,013		7,539				
1床あたり医業収益	(千円)	25,953	19,996		16,918		14,980				
安全性											
自己資本比率	(%)	21.2	10.4		16.4		39.9				
固定長期適合率	(%)	85.3	81.7		115.6		84.1				
借入金比率	(%)	68.3	19.0		81.9		28.6				
償還期間	(年)	8.8	10.3		6.6		3.5				
流動比率	(%)	197.9	99.8		166.6		267.8				
1床あたり固定資産額	(千円)	31,114	12,869		23,808		22,061				
償却金利前経常利益率	(%)	0.1	0.1		0.1		0.2				
機能性											
平均在院日数	(日)	12.1	21.3		20.5		19.2				
外来/入院比	(倍)	12.3	1.4		1.7		2.5				
1床あたり1日平均外来患者数	(人)	1.2	1.1		1.2		1.4				
患者1人1日当たり入院収益	(円)	79,979	45,318		42,895		33,338				
患者1人1日当たり入院収益(室料差額除く)	(円)	78,894	44,726		42,272		32,854				
外来患者1人1日当たり外来収益	(円)	21,099	12,269		12,247		13,348				
医師1人当たり入院患者数	(人)	2.7	4.2		5.1		5.6				
医師1人当たり外来患者数	(人)	5.0	5.6		8.8		12.9				
看護師1人当たり入院患者数	(人)	0.7	0.9		0.9		0.8				
看護師1人当たり外来患者数	(人)	1.2	1.3		1.5		2.0				
職員1人当たり入院患者数	(人)	0.3	0.4		0.5		0.4				
職員1人当たり外来患者数	(人)	0.6	0.6		0.8		1.1				
紹介率	(%)	78.0	53.4		52.6		54.0				
逆紹介率	(%)	82.5	66.2		74.7		−				

(5) 病床規模別比較

① 令和元年度の傾向

図表Ⅲ-17は令和元年度の開設者別・病院種別の病床規模を示し，**図表Ⅲ-18**は図表Ⅲ-17をグラフにしたものである。医療法人は100～199床が最も多く，社会保険関係団体は300～399床が最も多いが，他は400床以上の割合が最も多かった。

図表-21は令和元年度の開設者別・病院種別・病床規模別の経常利益率を示した。開設者別・病院種別・病床規模別に関わらず概ね－2%台～9%台の範囲であった。

② 令和 2 年度の傾向

図表Ⅲ-19は令和元年度の開設者別・病院種別の病床規模を示し，**図表Ⅲ-20**は図表Ⅲ-19をグラフにしたものである。医療法人は100～199床が最も多いが，他は400床以上の割合が最も多かった。

図表-22は令和2年度の開設者別・病院種別・病床規模別の経常利益率を示した。開設者別・病院種別・病床規模別に関わらず－1%台～6%台の範囲であった。

令和元年　図表Ⅲ-17　病床別規模別比較（病院数）

	一般病院	ケアミックス病院	療養型病院	精神科病院	総計	（割合）
医療法人	86	77	32	55	250	57.2%
20～49床	14	2	4	2	22	8.8%
50～99床	23	9	15	4	51	20.4%
100～199床	24	46	12	18	100	40.0%
200～299床	12	12	—	15	39	15.6%
300～399床	6	6	—	8	20	8.0%
400床～	7	2	1	8	18	7.2%
自治体	97	17	1	4	119	27.2%
20～49床	4	—	—	—	4	3.4%
50～99床	5	5	—	—	10	8.4%
100～199床	14	7	1	1	23	19.3%
200～299床	12	2	—	2	16	13.4%
300～399床	22	2	—	—	24	20.2%
400床～	40	1	—	1	42	35.3%
社会保険関係団体	15	—	—	—	15	3.4%
20～49床	0	0	0	0	0	0.0%
50～99床	0	0	0	0	0	0.0%
100～199床	1	—	—	—	1	6.7%
200～299床	5	—	—	—	5	33.3%
300～399床	5	—	—	—	5	33.3%
400床～	4	—	—	—	4	26.7%
その他公的	48	4	—	1	53	12.1%
20～49床	0	0	0	0	0	0.0%
50～99床	2	—	—	—	2	3.8%
100～199床	8	1	—	—	9	17.0%
200～299床	6	3	—	—	9	17.0%
300～399床	10	—	—	1	11	20.8%
400床～	22	—	—	—	22	41.5%
合計	246	98	33	60	437	100.0%

※N＝0は「—」とし，Nが5以下のものについてはグレーで網掛けしている

令和元年度　図表Ⅲ-18　病床別規模別比較（病院数）

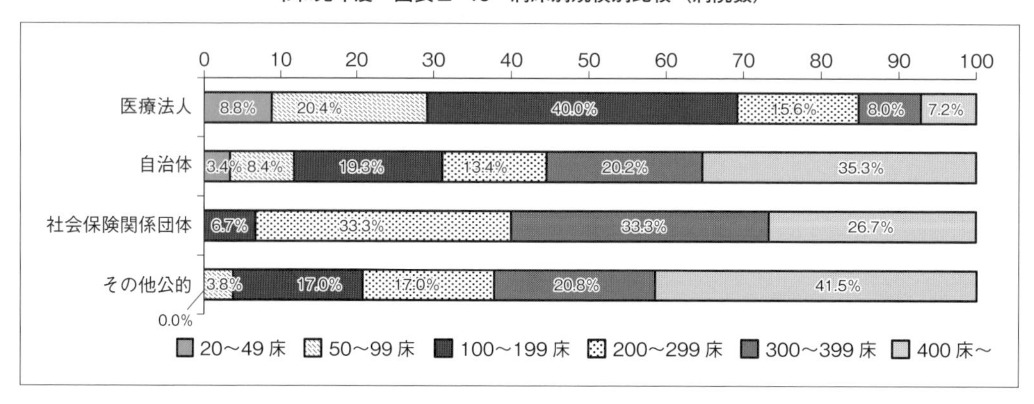

令和2年度　図表Ⅲ-19　病床別規模別比較（病院数）

	一般病院	ケアミックス病院	療養型病院	精神科病院	総計	(割合)
医療法人	83	81	33	57	254	58.3%
20～49床	16	1	5	1	23	9.1%
50～99床	22	10	13	3	48	18.9%
100～199床	19	47	15	18	99	39.0%
200～299床	14	13	—	17	44	17.3%
300～399床	5	6	—	9	20	7.9%
400床～	7	4	—	9	20	7.9%
自治体	96	19	1	4	120	27.5%
20～49床	2	2	—	—	4	3.3%
50～99床	3	5	—	—	8	6.7%
100～199床	16	7	1	1	25	20.8%
200～299床	12	2	—	2	16	13.3%
300～399床	22	2	—	—	24	20.0%
400床～	41	1	—	1	43	35.8%
社会保険関係団体	15	—	—	—	15	3.4%
20～49床	—	—	—	—	—	0.0%
50～99床	—	—	—	—	—	0.0%
100～199床	1	—	—	—	1	6.7%
200～299床	4	—	—	—	4	26.7%
300～399床	5	—	—	—	5	33.3%
400床～	5	—	—	—	5	33.3%
その他公的	42	4	—	1	47	10.8%
20～49床	1	—	—	—	1	2.1%
50～99床	1	—	—	—	1	2.1%
100～199床	5	1	—	—	6	12.8%
200～299床	5	3	—	—	8	17.0%
300～399床	9	—	—	1	10	21.3%
400床～	21	—	—	—	21	44.7%
合計	236	104	34	62	436	100.0%

※N＝0は「—」とし，Nが5以下のものについてはグレーで網掛けしている

令和2年度　図表Ⅲ-20　病床別規模別比較（病院数）

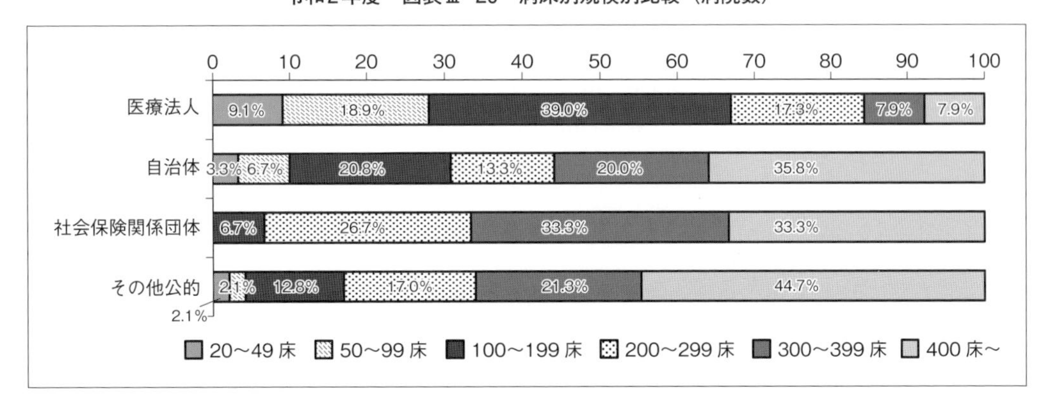

令和元年度　図表Ⅲ-21　病床規模別経常利益率

	一般病院	ケアミックス病院	療養型病院	精神科病院	総計
全開設者	-0.4	0.0	5.0	2.2	0.5
20～49床	0.8	0.0	6.2	1.8	1.7
50～99床	-0.1	-1.5	4.1	-2.9	0.4
100～199床	0.1	0.5	5.5	1.3	1.0
200～299床	-0.3	0.2	—	1.6	0.3
300～399床	-1.0	-1.2	—	2.5	-0.5
400床～	-0.7	1.0	9.1	7.2	0.3
医療法人	0.2	1.0	5.1	2.2	1.5
20～49床	0.4	0.0	6.2	1.8	1.6
50～99床	0.1	-1.7	4.1	-2.9	0.8
100～199床	1.4	1.2	5.7	1.1	1.8
200～299床	-0.5	2.5	—	2.0	1.4
300～399床	-2.8	0.6	—	2.3	0.3
400床～	-0.4	2.3	9.1	7.7	4.0
自治体	-1.6	-3.5	2.7	1.4	-1.7
20～49床	2.1	—	—	—	2.1
50～99床	-1.9	-1.3	—	—	-1.6
100～199床	-0.7	-3.7	2.7	4.4	-1.3
200～299床	-1.7	-5.8	—	-1.3	-2.1
300～399床	-2.0	-6.8	—	—	-2.4
400床～	-1.9	-1.7	—	3.9	-1.8
社会保険関係団体	1.3	—	—	—	1.3
20～49床	2.1	—	—	—	0.0
50～99床	-1.9	-1.3	—	—	0.0
100～199床	-0.7	-3.7	2.7	4.4	2.4
200～299床	-1.7	-5.8	—	-1.3	1.9
300～399床	-2.0	-6.8	—	—	1.9
400床～	-1.9	-1.7	—	3.9	-0.4
その他公的	0.4	-5.0	—	3.4	0.0
20～49床	1.7	—	—	—	1.7
50～99床	-2.3	-4.4	—	—	-2.6
100～199床	1.2	-5.2	—	—	-0.9
200～299床	-0.2	—	—	3.4	0.1
300～399床	1.3	—	—	—	1.3
400床～	-0.4	0.0	5.0	2.2	0.5

※N＝0は「—」とし，Nが5以下のものについてはグレーで網掛けしている

令和2年度　図表Ⅲ-22　病床別規模別経常利益率

	一般病院	ケアミックス病院	療養型病院	精神科病院	総計
全開設者	2.8	2.7	3.8	3.0	2.9
20～49床	1.3	6.3	-1.9	1.0	1.3
50～99床	0.1	0.6	2.8	-1.1	0.8
100～199床	1.5	2.0	6.3	1.6	2.3
200～299床	3.0	4.6	—	3.8	3.6
300～399床	3.5	3.9	—	3.0	3.5
400床～	4.2	5.8	—	6.0	4.4
医療法人	1.3	3.1	3.8	2.9	2.6
20～49床	0.9	10.5	-1.9	1.0	0.7
50～99床	-0.1	1.3	2.8	-1.1	0.9
100～199床	2.1	2.4	6.6	1.2	2.8
200～299床	1.4	5.6	—	3.8	3.6
300～399床	0.8	2.6	—	3.0	2.3
400床～	4.4	6.6	—	6.2	5.6
自治体	2.5	0.9	1.9	3.5	2.2
20～49床	3.6	4.3	—	—	3.9
50～99床	-0.1	-1.0	—	—	-0.6
100～199床	1.5	-1.1	1.9	3.7	0.8
200～299床	4.0	4.0	—	3.1	3.9
300～399床	1.9	5.5	—	—	2.2
400床～	2.8	2.7	—	4.0	2.8
社会保険関係団体	4.2	—	—	—	4.2
20～49床	—	—	—	—	—
50～99床	—	—	—	—	—
100～199床	2.8	—	—	—	2.8
200～299床	1.7	—	—	—	1.7
300～399床	7.6	—	—	—	7.6
400床～	2.9	—	—	—	2.9
その他公的	5.3	2.4	—	3.3	5.0
20～49床	3.6	—	—	—	3.6
50～99床	4.4	—	—	—	4.4
100～199床	-1.0	6.4	—	—	0.2
200～299床	6.3	1.1	—	—	4.3
300～399床	5.2	—	—	3.3	5.0
400床～	6.8	—	—	—	6.8

※N＝0は「—」とし，Nが5以下のものについてはグレーで網掛けしている

(6) 一般病院における病床規模別比較

1) 令和元年度の傾向について

医療法人立では，人件費比率は100～199床が最も高く，材料費比率，医薬品費比率は400床以上，減価償却費比率は300～399床が最も高い結果となった。金利負担率においては，病床規模による影響ははっきりとはみられなかった。

自治体立では，人件費比率は200～199床が最も高く，材料費比率，医薬品費比率は400床以上，減価償却費比率は300～399床が最も高い結果となった。金利負担率においては，病床規模による影響ははっきりとはみられなかった。

2) 令和2年度の傾向について

医療法人立と自治体立では，医療法人立の人件費比率は300～399床が最も高く，自治体立の人件費比率は20～49床が最も高い結果となった。材料費比率，医薬品比率は400床以上が最も高い結果となった。医療法人立の減価償却費比率は200～299床が最も高く，自治体立の減価償却費比率は300～399床が最も高い結果となった。金利負担率においては，病床規模による影響はみられなかった。

令和元年度　図表Ⅲ-23　一般病院における開設者別病床規模別比較

	人件費比率	材料費比率	医薬品費比率	減価償却費比率	金利負担率
医療法人	57.2	18.5	8.8	4.5	0.5
20～49床	55.2	14.8	10.1	3.8	0.6
50～99床	56.1	20.2	9.1	4.3	0.5
100～199床	59.8	16.9	7.4	4.4	0.4
200～299床	57.9	19.6	7.9	5.5	0.6
300～399床	59.4	18.0	7.4	5.9	0.3
400床～	52.8	23.9	13.1	4.4	0.5
自治体	58.8	24.9	14.9	8.1	0.9
20～49床	60.6	20.3	11.9	6.1	0.6
50～99床	66.9	23.0	15.2	6.6	1.0
100～199床	65.6	16.0	9.0	7.3	1.2
200～299床	66.3	19.8	10.8	7.6	1.0
300～399床	58.0	25.8	16.2	9.1	0.9
400床～	53.3	29.8	17.7	8.3	0.9
社会保険関係団体	50.0	27.9	16.6	5.6	0.1
20～49床	—	—	—	—	—
50～99床	—	—	—	—	—
100～199床	51.5	28.0	16.5	3.7	0.0
200～299床	50.8	25.5	15.6	6.2	0.0
300～399床	47.6	30.1	18.7	4.7	0.0
400床～	51.8	28.0	15.1	6.2	0.2
その他公的	52.7	26.4	16.6	5.9	0.3
20～49床	—	—	—	—	—
50～99床	61.5	12.5	9.0	5.7	0.6
100～199床	60.9	19.0	11.7	6.0	0.6
200～299床	52.8	23.5	11.8	5.6	0.1
300～399床	53.8	25.5	17.4	6.4	0.3
400床～	48.5	31.5	20.0	5.7	0.2
総計	56.5	23.1	13.2	6.2	0.6

※N＝0は「—」とし，Nが5以下のものについてはグレーで網掛けしている

令和2年度　図表Ⅲ-24　一般病院における開設者別病床規模別比較

	人件費比率	材料費比率	医薬品費比率	減価償却費比率	金利負担率
医療法人	58.2	18.3	8.3	4.7	0.5
20～49床	54.6	14.3	8.4	4.2	0.4
50～99床	57.6	19.9	9.1	4.2	0.4
100～199床	60.4	16.5	6.6	4.5	0.4
200～299床	60.2	20.0	7.5	6.0	0.6
300～399床	61.4	18.2	6.5	5.7	0.5
400床～	55.7	23.8	13.3	4.6	0.5
自治体	63.1	25.6	15.1	8.4	0.9
20～49床	75.8	20.0	11.7	6.9	1.4
50～99床	71.7	24.3	15.7	9.0	0.9
100～199床	69.5	18.2	10.2	7.5	0.9
200～299床	71.8	20.5	10.9	8.1	0.9
300～399床	62.8	25.7	15.7	9.3	0.8
400床～	57.0	30.3	18.1	8.3	0.8
社会保険関係団体	52.9	27.7	16.2	6.0	0.1
20～49床	—	—	—	—	—
50～99床	—	—	—	—	—
100～199床	54.3	22.3	12.3	11.6	0.0
200～299床	53.3	26.5	16.0	6.5	0.0
300～399床	50.5	28.9	17.9	4.9	0.0
400床～	54.6	28.7	15.4	5.5	0.1
その他公的	53.1	27.2	16.5	5.9	0.3
20～49床	52.3	31.6	17.2	9.6	0.9
50～99床	66.2	6.8	2.9	6.7	0.8
100～199床	59.6	21.7	14.0	5.5	0.8
200～299床	53.3	23.7	11.1	5.6	0.1
300～399床	57.8	25.0	15.0	6.1	0.2
400床～	49.0	31.0	19.8	5.7	0.1
総計	58.9	23.4	13.1	6.5	0.6

※N＝0は「—」とし，Nが5以下のものについてはグレーで網掛けしている

2．平成28年度から令和２年度までの推移

本項では，平成28年度から令和2年度までの5か年の各指標を開設主体別にグラフ化し，病院種別による比較及び経年の変化を示した。

この分析結果の読み取りについては，下記の点に留意されたい。

- 集計対象件数が少ない年度や指標は，各年度の結果が大きく変動すること
- 各年度によって，調査票の回答病院数が異なるため，集計対象件数が相違すること
- n（回答病院数）が1の場合は病院が特定される可能性があることから，非表示としていること
- 図表に記載のn（回答病院数）は令和2年度の数値であること

※本項の過去データは厚生労働省ホームページ「病院経営管理指標」の各年度の調査結果から取得した。

(1) 黒字病院比率（経常利益）

【医療法人立】

療養型病院および精神科病院は平成30年度と比較して，令和元年度および令和2年度ともに減少している。その他については令和元年度に一度減少し，令和2年度に増加している。

【自治体立】

精神科病院は平成30年度と比較して，令和元年度に増加し，令和2年度は横ばいとなっている。その他については令和元年度に一度減少し，令和2年度に増加している。

【社会保険関係団体立】

一般病院は平成30年度と比較して，令和元年度はほぼ横ばい，令和2年度は増加している。

【その他公的立】

各病院とも令和元年度に一度減少したものの，令和2年度には増加している。

(2) 利益率とその原因分析指標

経常利益率，医業利益率のほか，人件費比率，材料費比率，医薬品費比率について確認した。また，その他の指標の推移として，資本費比率，1床あたり固定資産額，1床あたり医業収益，病床利用率についても併せてグラフ化した。

①経常利益率

【医療法人立】

療養型病院は平成30年度と比較して，令和元年度は増加し，令和2年度は減少している。その他については令和元年度に一度減少し，令和2年度に増加している。

【自治体立】
どれも平成30年度と比較して，令和元年度は減少しているが，令和2年度は増加している。

【社会保険関係団体立】
一般病院は平成30年度と比較して，令和元年度，令和2年度ともに増加している。

【その他公的立】
一般病院は平成30年度と比較して，令和元年度，令和2年度ともに増加している。
ケアミックス病院は令和元年度に一度減少したものの，令和2年度には増加している。

②医業利益率

【医療法人立】
療養型病院は平成30年度と比較して，令和元年度は増加，令和2年度は減少している。一般病院および精神科病院は令和元年度および令和2年度ともに減少している。ケアミックス病院は令和元年度に一度減少したものの，令和2年度には増加している。

【自治体立】
一般病院は平成30年度と比較して，令和元年度，令和2年度ともに減少している。ケアミックス病院と精神科病院は令和元年度は減少し，令和2年度はほぼ横ばいとなっている。

【社会保険関係団体立】
一般病院は平成30年度と比較して，令和元年度，令和2年度ともに減少している。

【その他公的立】
ケアミックス病院は平成30年度と比較して，令和元年度，令和2年度ともに減少している。一般病院は令和元年度は増加しているが，令和2年度は減少している。

③人件費比率

【医療法人立】
一般病院は平成30年度と比較して，令和元年度，令和2年度ともに増加している。その他は令和元年度に減少しているが，令和2年度に増加している。療養型病院は令和元年度，令和2年度ともに減少している。

【自治体立】
一般病院は平成30年度と比較して，令和元年度，令和2年度ともにほぼ横ばい。ケアミックス病院は令和元年度，令和2年度ともにほぼ減少している。精神科病院は令和元年度に増加しているが，令和2年度に減少している。

【社会保険関係団体立】
一般病院は令和元年度は減少しているが，令和2年度は増加している。

【その他公的立】
一般病院とケアミックス病院は，平成30年度と比較して令和元年度，令和2年度ともにほぼ横ばいとなっている。

④職員１人当たり人件費
【医療法人立】
一般病院は平成30年度と比較して，令和元年度に増加し，令和2年度に減少している。療養型病院およびケアミックス病院は令和元年度，令和2年度ともに減少している。精神科病院は令和元年度に減少しているが，令和2年度にやや増加している。

【自治体立】
いずれの病院も平成30年度と比較して，令和元年度，令和2年度ともにほぼ横ばいとなっている。

【社会保険関係団体立】
一般病院は平成30年度と比較して，令和元年度，令和2年度ともに増加している。

【その他公的立】
一般病院は平成30年度と比較して令和元年度は減少し，令和2年度は増加している。ケアミックス病院は平成30年度と比較して令和元年度は増加し，令和2年度は減少している。

⑤材料費比率
【医療法人立】
いずれの病院も平成30年度と比較して，令和元年度ともに令和2年度はほぼ横ばいとなっている。

【自治体立】
いずれの病院も平成30年度と比較して，令和元年度ともに令和2年度はほぼ横ばいとなっている。

【社会保険関係団体立】
一般病院は平成30年度と比較して，令和元年度は増加し，令和2年度はほぼ横ばいとなっている。

【その他公的立】
一般病院は平成30年度と比較して，令和元年度，令和2年度ともにほぼ横ばいとなっている。

⑥医薬品費比率

【医療法人立】

いずれの病院も平成30年度と比較して，令和元年度ともに令和2年度はほぼ横ばいとなっている。

【自治体立】

いずれの病院も平成30年度と比較して，令和元年度は増加し，令和2年度はやや減少している。

【社会保険関係団体立】

一般病院は平成30年度と比較して，令和元年度は増加し，令和2年度はほぼ横ばいとなっている。

【その他公的立】

一般病院は平成30年度と比較して，令和元年度は増加し，令和2年度はほぼ横ばいとなっている。

Ⅲ-25　医療法人の黒字病院の推移（経常利益）

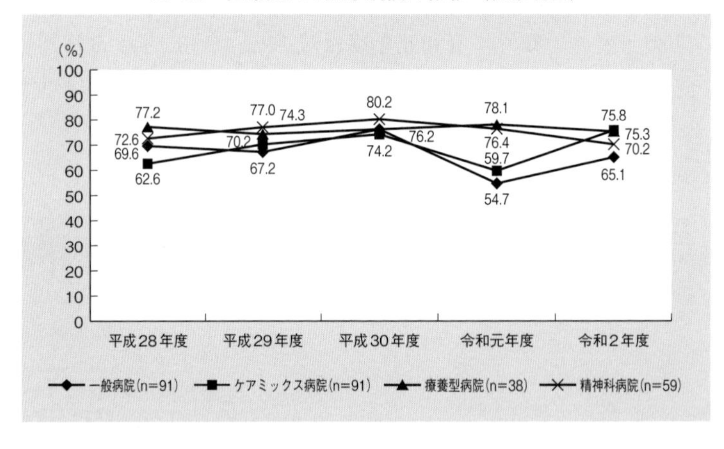

Ⅲ-26　自治体の黒字病院の推移（経常利益）

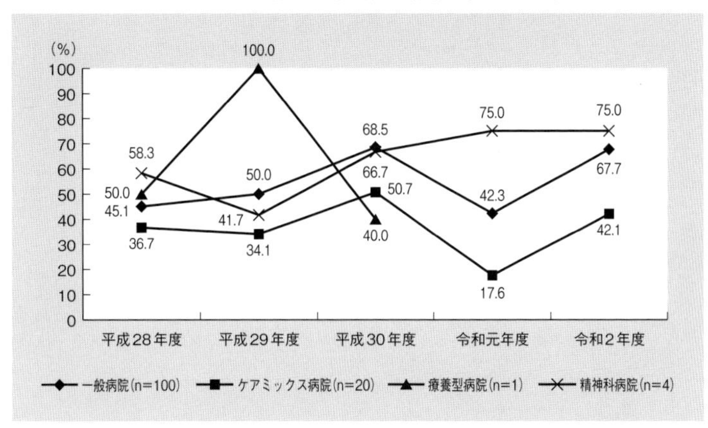

Ⅲ-27　社会保険関係団体の黒字病院比率の推移（経常利益）

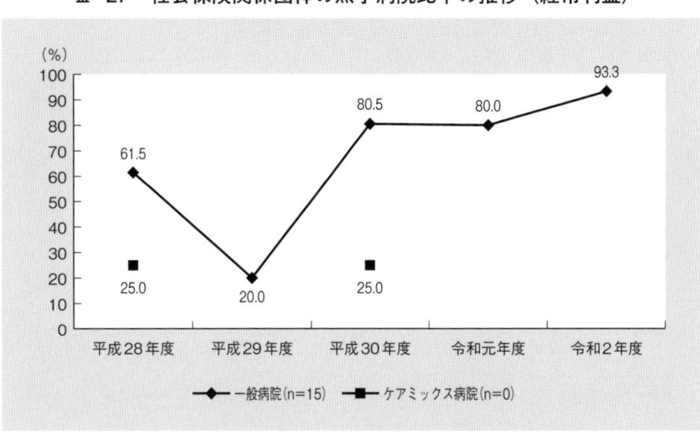

Ⅲ-28　その他公的の黒字病院比率の推移（経常利益）

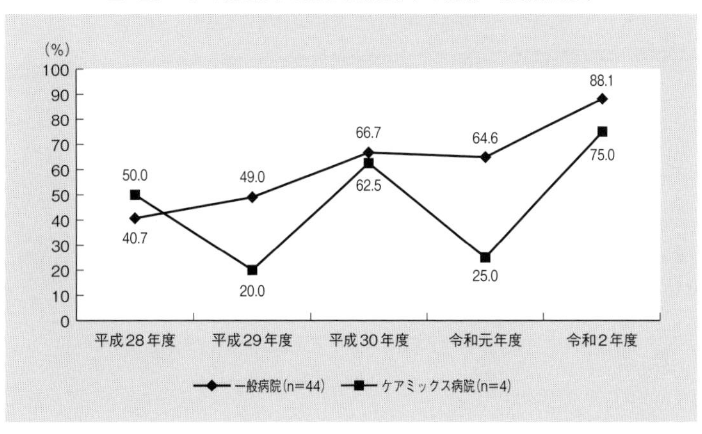

Ⅲ-29　医療法人の経常利益率の推移

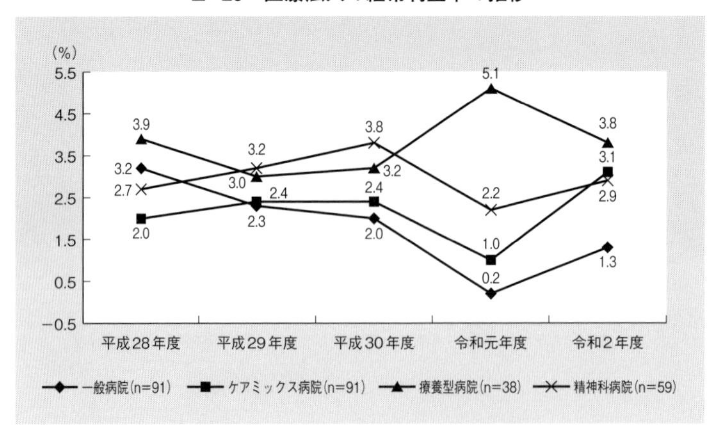

Ⅲ-30　自治体の経常利益率の推移

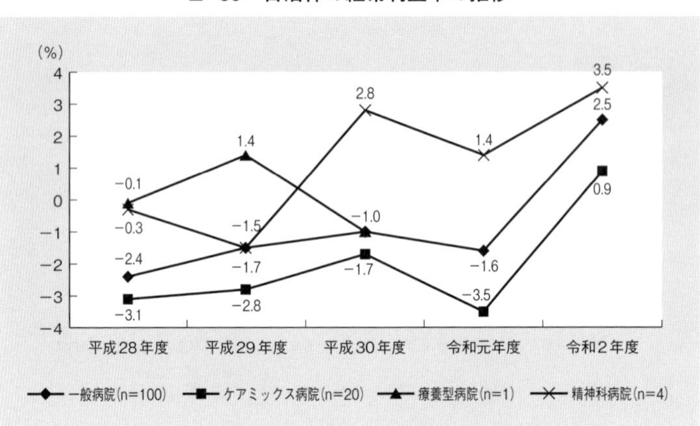

Ⅲ-31　社会保険関係団体の経常利益率の推移

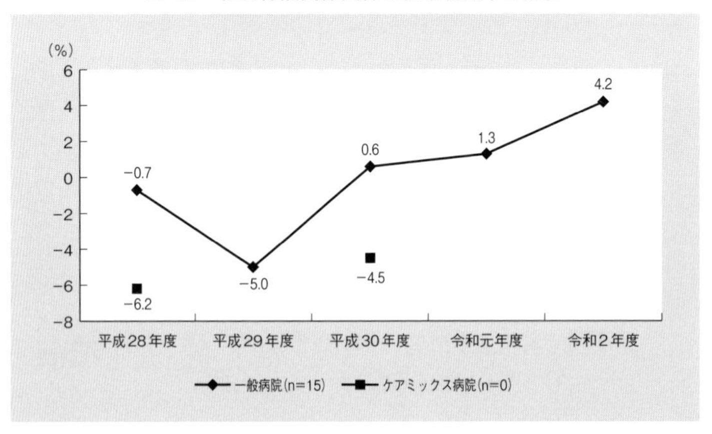

Ⅲ-32　その他公的の経常利益率の推移

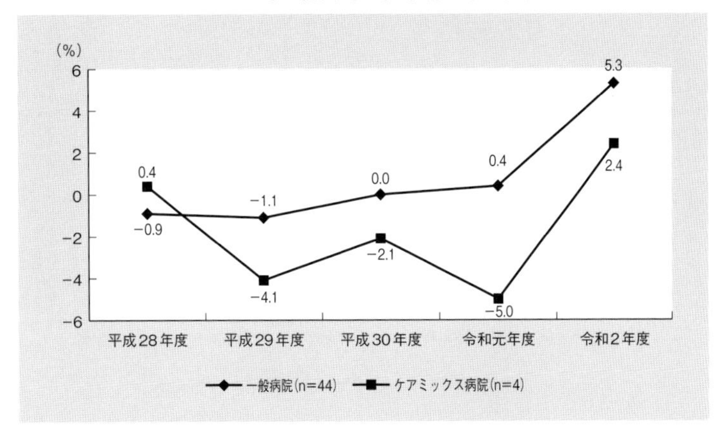

Ⅲ-33　医療法人の医業利益率の推移

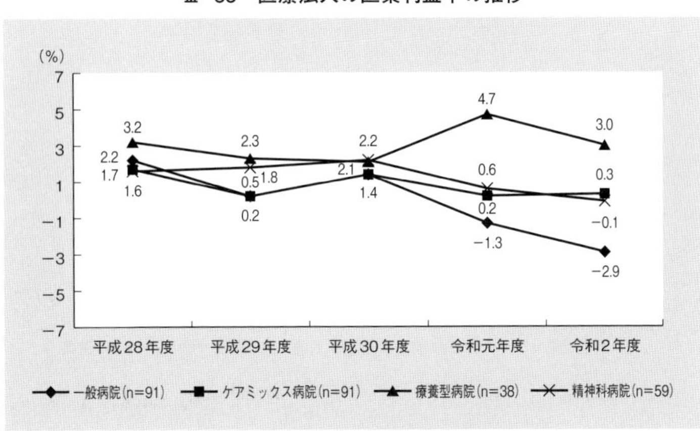

Ⅲ-34　自治体の医業利益率の推移

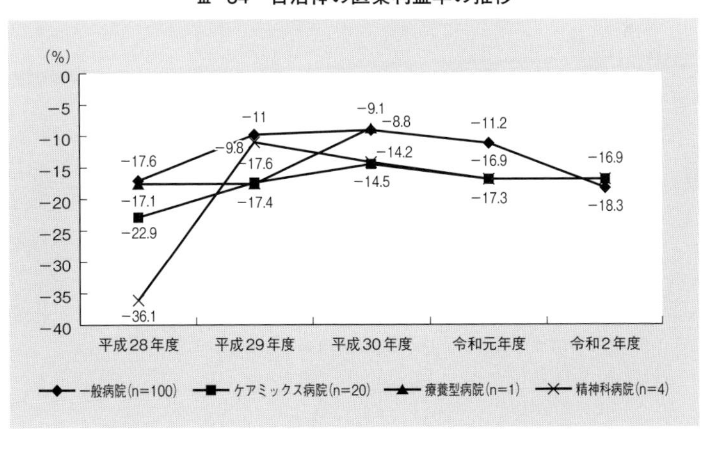

Ⅲ-35　社会保険関係団体の医業利益率の推移

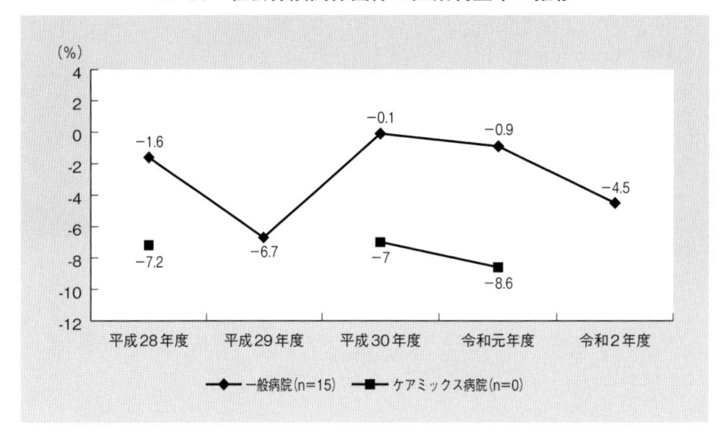

Ⅲ-36　その他公的の医業利益率

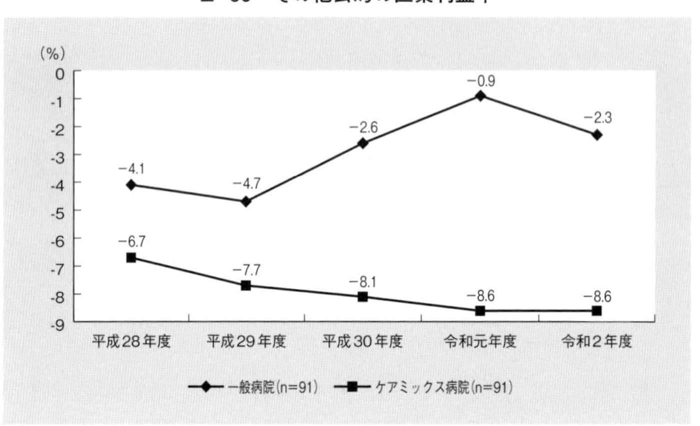

Ⅲ-37　医療法人の人件費比率の推移

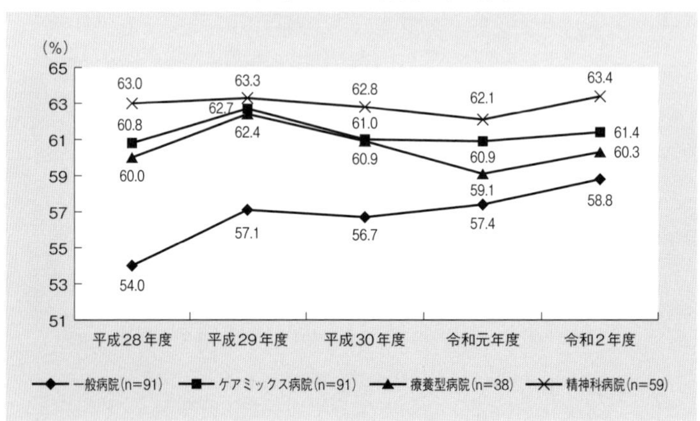

Ⅲ-38 自治体の人件費比率の推移

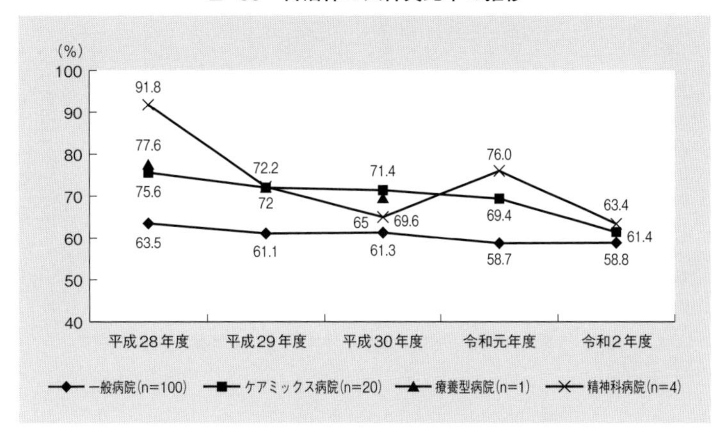

Ⅲ-39 社会保険関係団体の人件費比率の推移

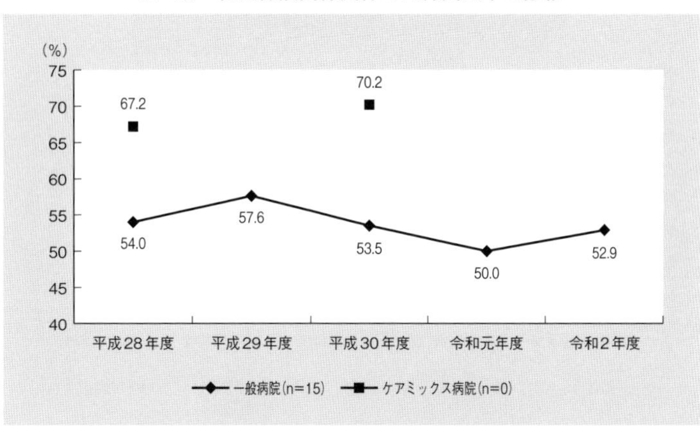

Ⅲ-40 その他公的の人件費率の推移

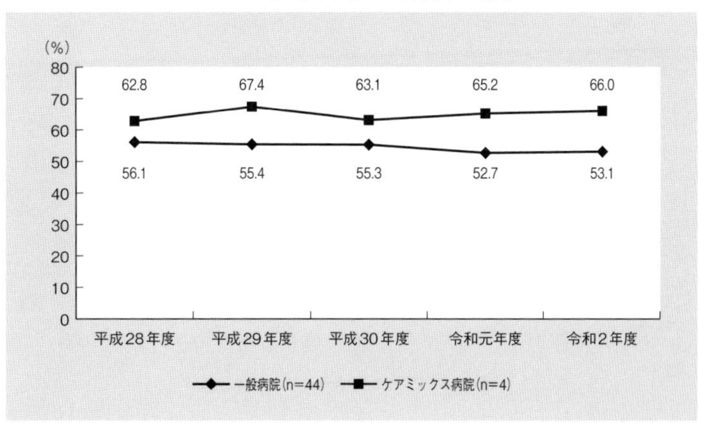

Ⅲ-41　医療法人の職員1人あたり人件費の推移

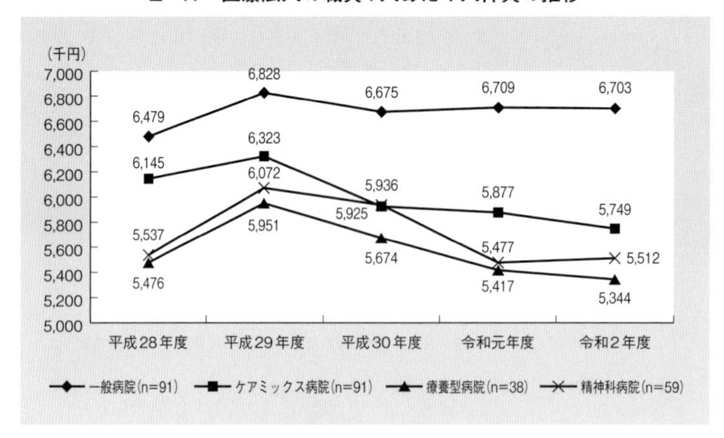

Ⅲ-42　自治体の職員1人あたり人件費の推移

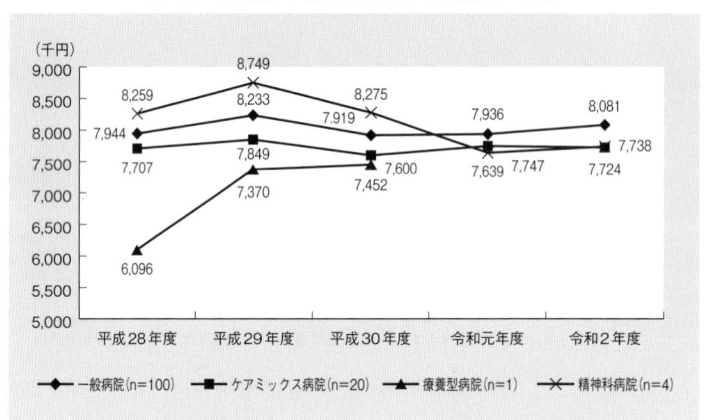

Ⅲ-43　社会保険関係団体の職員1人あたり人件費の推移

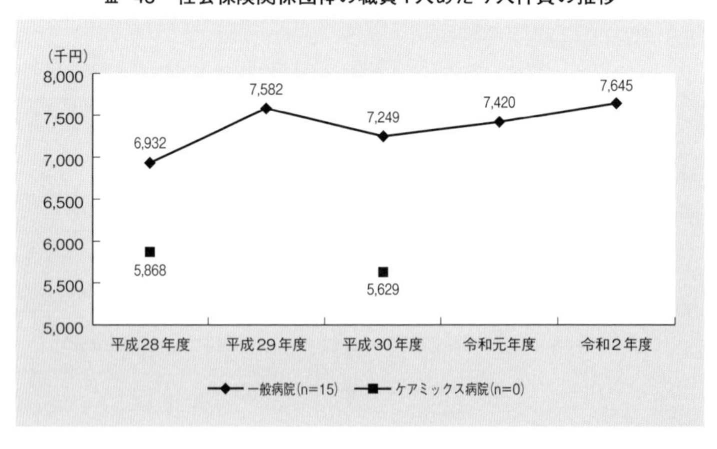

Ⅲ-44　その他公的の職員1人あたり人件費の推移

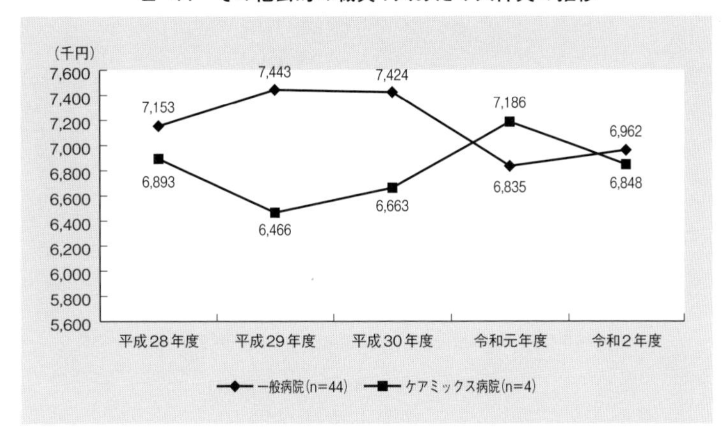

Ⅲ-45　医療法人の材料費比率の推移

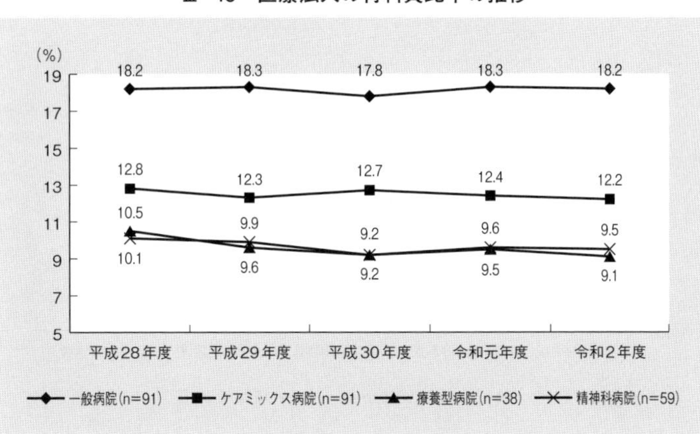

Ⅲ-46　自治体の材料費比率の推移

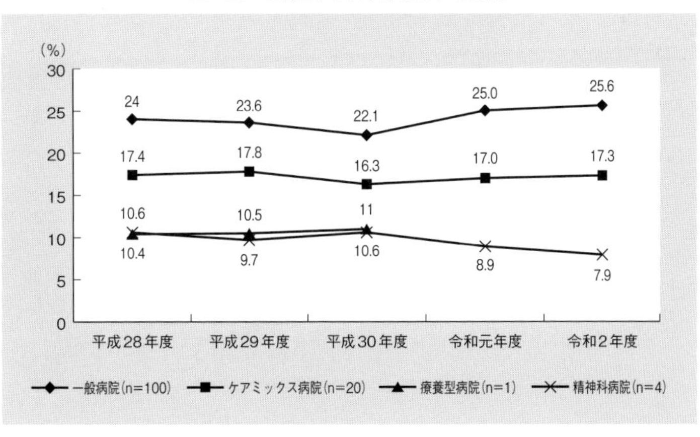

Ⅲ-47　社会保険関係団体の材料費比率の推移

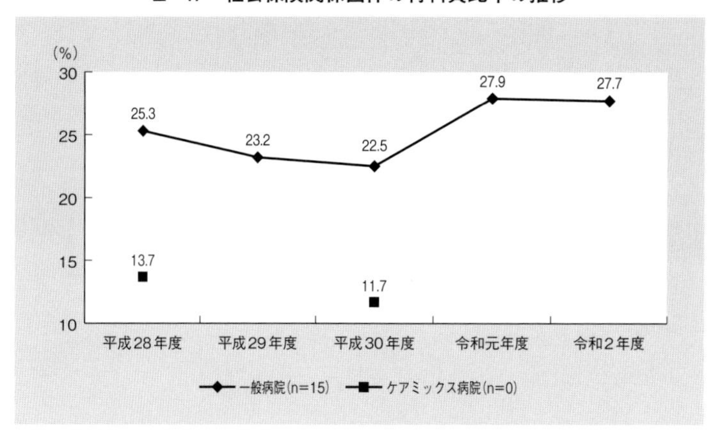

Ⅲ-48　その他公的の材料費比率の推移

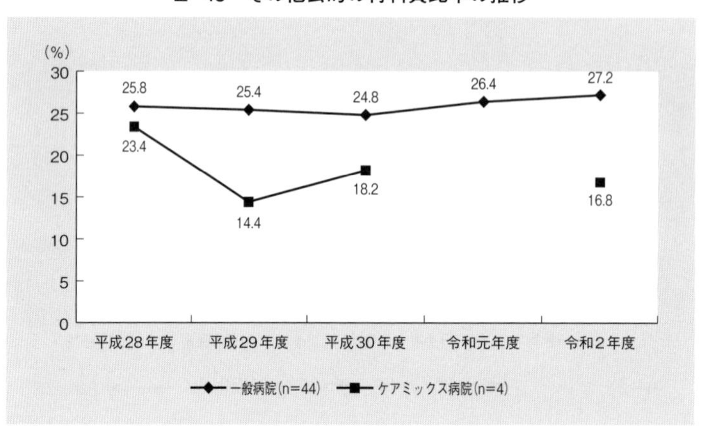

Ⅲ-49　医療法人の医薬品費比率の推移

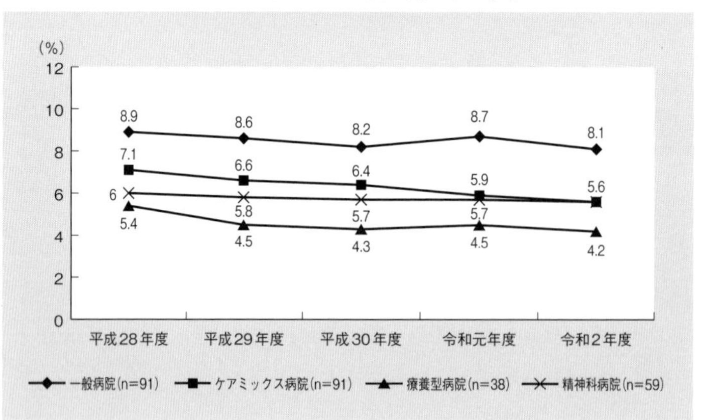

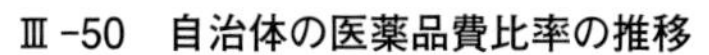

Ⅲ-50 自治体の医薬品費比率の推移

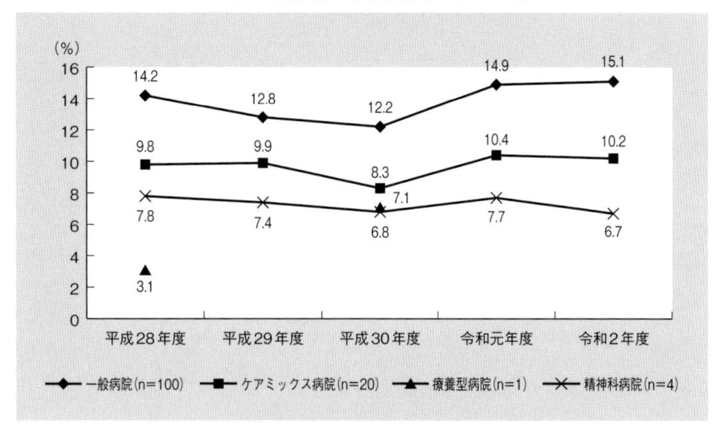

Ⅲ-51 社会保険関係団体の医薬品費比率の推移

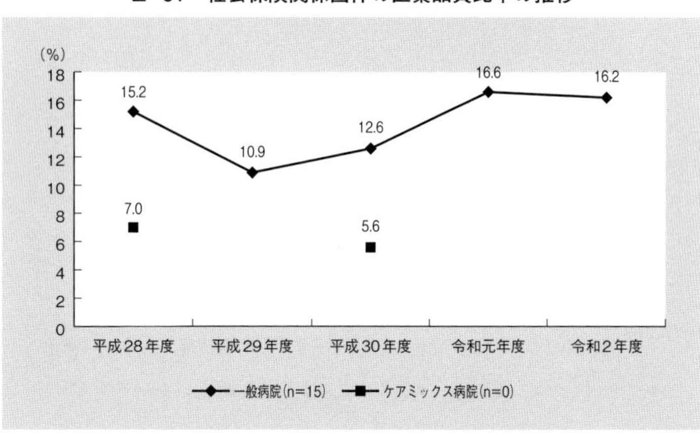

Ⅲ-52 その他公的の医薬品費比率の推移

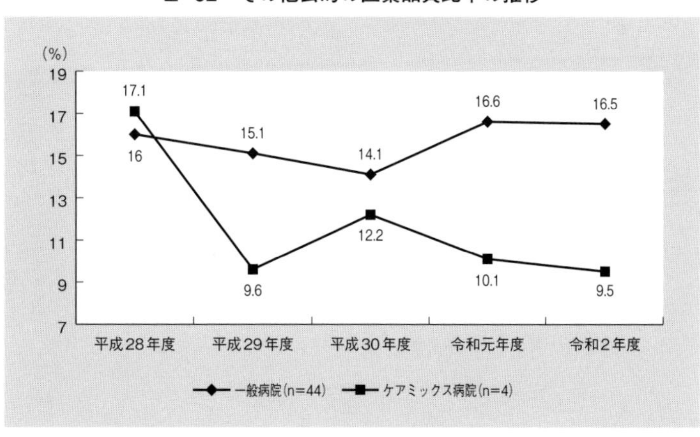

Ⅲ-53　医療法人の資本費比率の推移

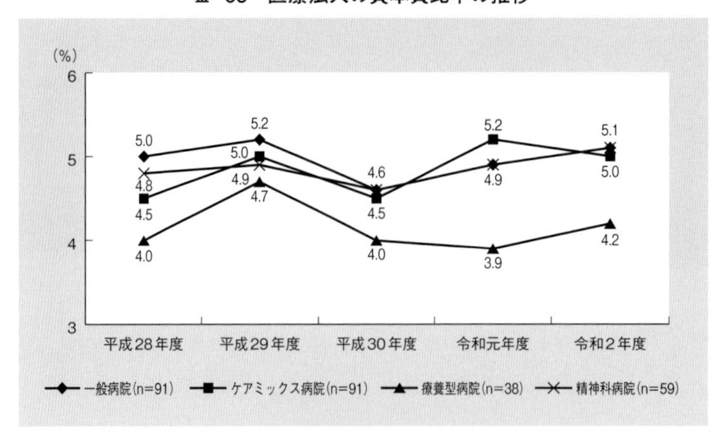

Ⅲ-54　自治体の資本費比率の推移

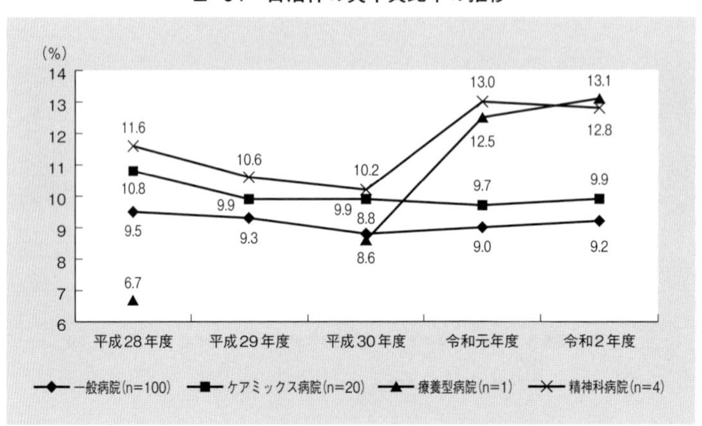

Ⅲ-55　社会保険関係団体の資本費比率の推移

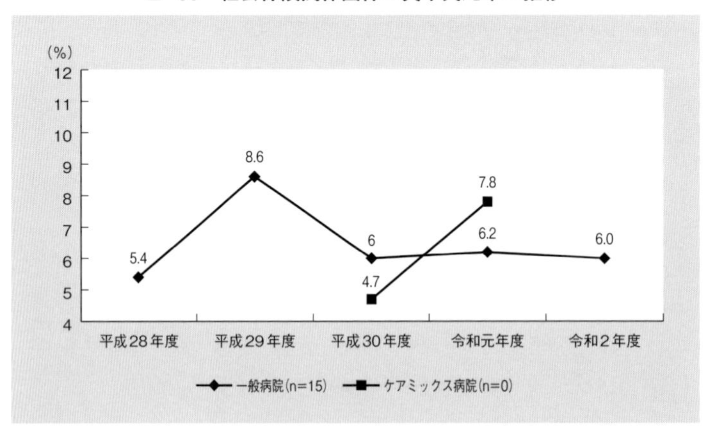

Ⅲ-56　その他公的の資本費比率の推移

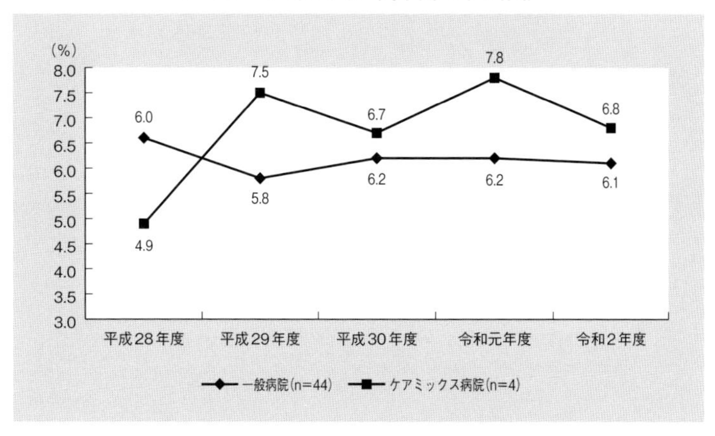

Ⅲ-57　医療法人の1床あたり固定資産額の推移

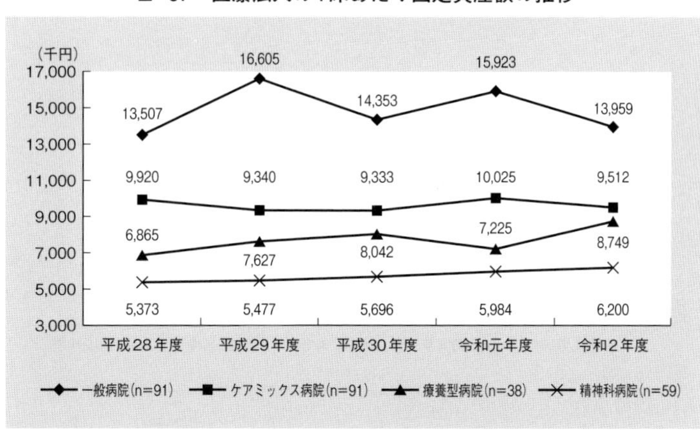

Ⅲ-58　自治体の1床あたり固定資産額の推移

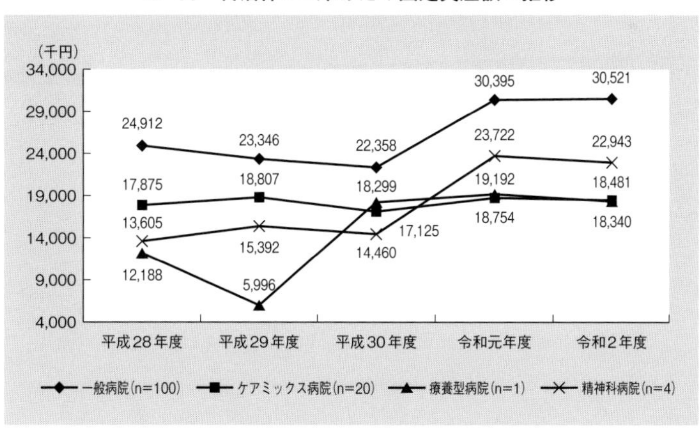

Ⅲ-59　社会保険関係団体の1床あたり固定資産額の推移

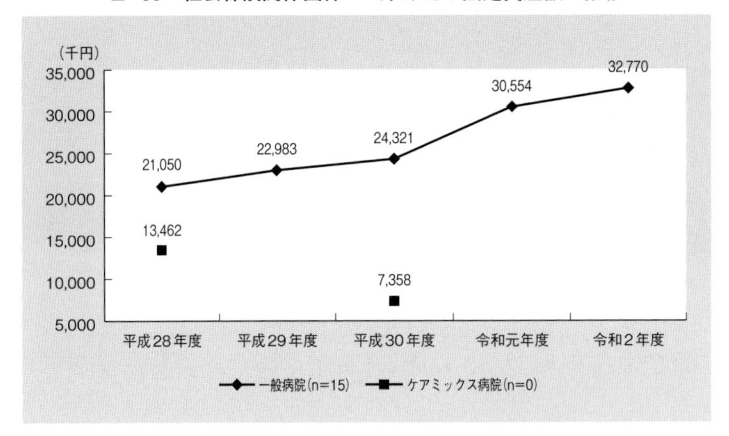

Ⅲ-60　その他公的の1床あたり固定資産額の推移

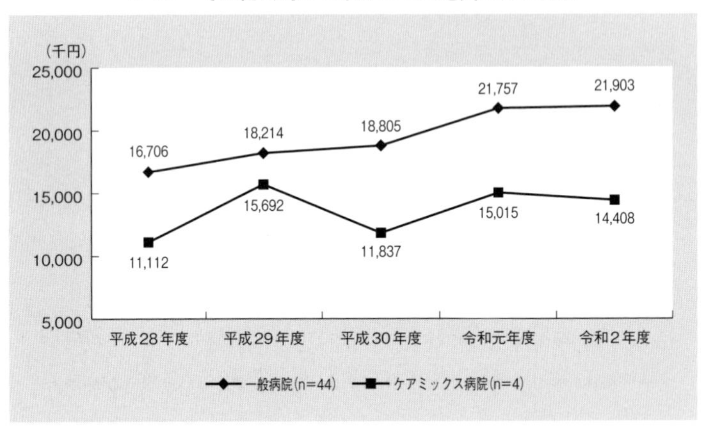

Ⅲ-61　医療法人の1床あたり医業収益の推移

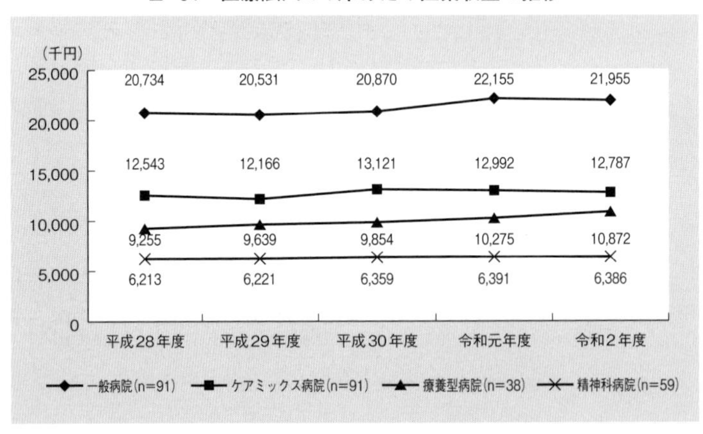

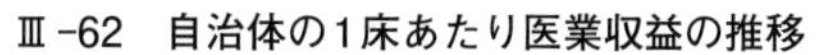

Ⅲ-62　自治体の1床あたり医業収益の推移

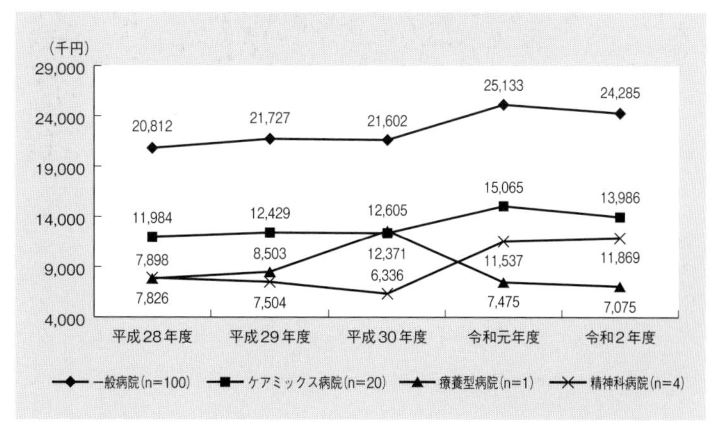

Ⅲ-63　社会保険関係団体の1床あたり医業収益の推移

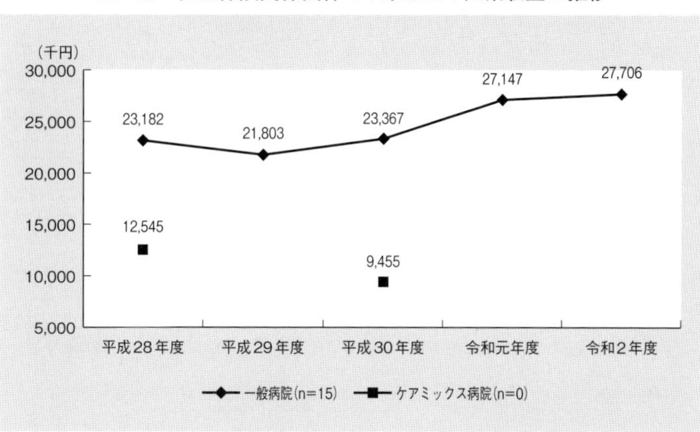

Ⅲ-64　その他公的の1床あたり医業収益の推移

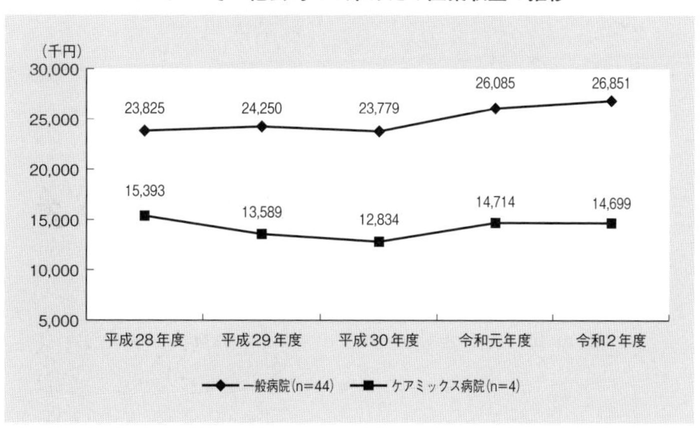

Ⅲ-65　医療法人の病床利用率の推移

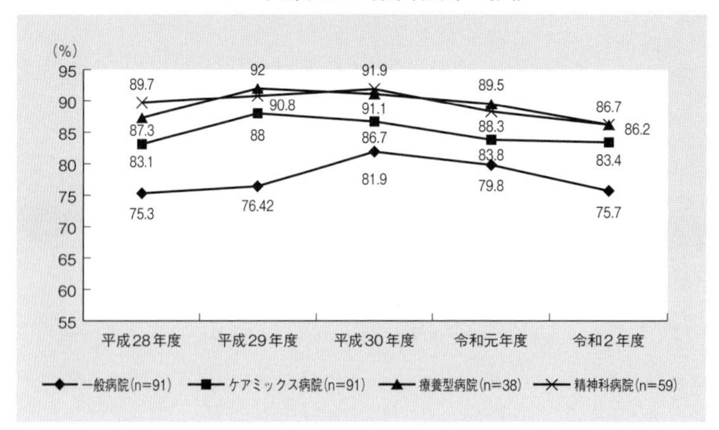

Ⅲ-66　自治体の病床利用率の推移

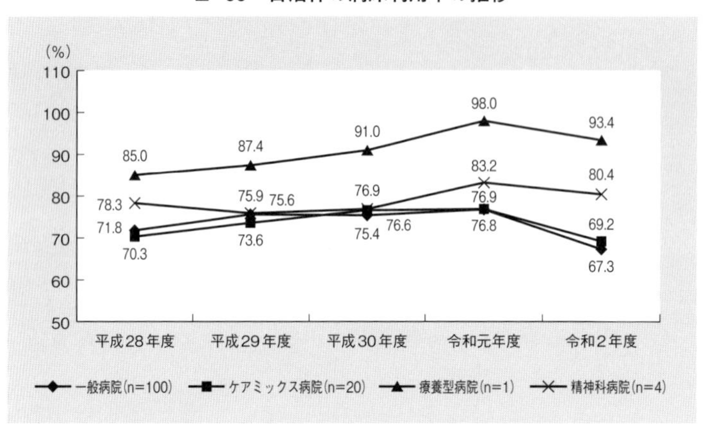

Ⅲ-67　社会保険関係団体の病床利用率の推移

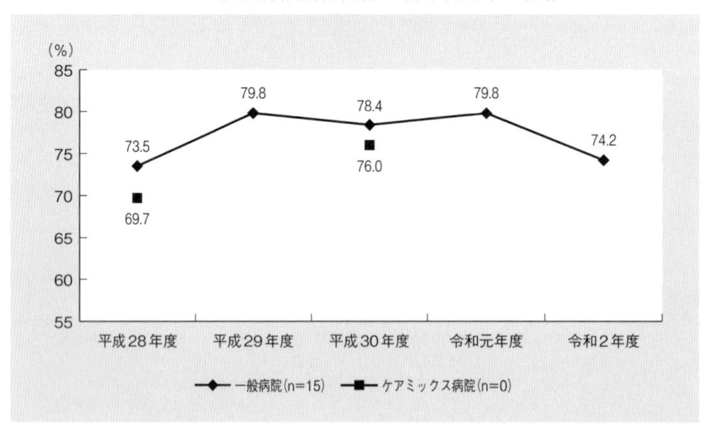

Ⅲ-68　その他公的の病床利用率の推移

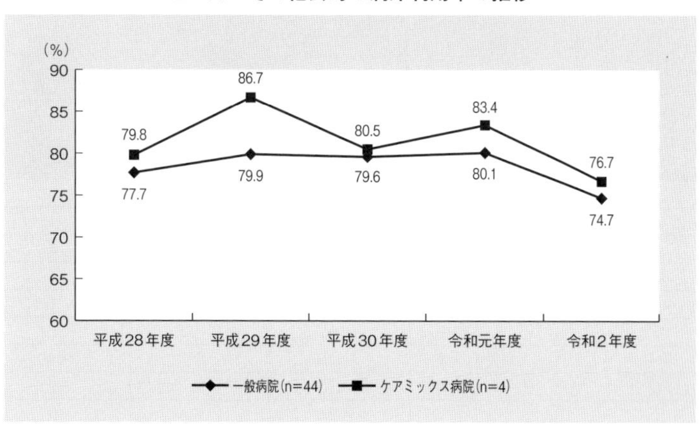

3．新型コロナウイルス感染症に伴う病院経営への影響等について

(1) 新型コロナウイルス感染症に関する重点医療機関等の指定状況

一般病院を下記①～④の機能別に分類し，令和元年度，令和2年度においてどのような経営状況であったか確認した。

①重点医療機関（新型コロナウイルス感染症患者専用の病院や病棟を設定する医療機関）として都道府県から指定されている
②協力医療機関（新型コロナウイルス感染症疑い患者専用の個室病床を設定する医療機関）として都道府県から指定されている
③新型コロナウイルス感染症患者・疑い患者の受入病床を割り当てられたその他の医療機関
④新型コロナウイルス感染症患者・疑い患者の受入病床を割り当てられていない医療機関

なお，①～④については，令和2年度末（令和3年3月31日）時点における指定状況に基づいて分類しており，複数該当する場合はより小さい番号にて分類している。

また，N（回答病院数）が1以下の場合，回答機関が特定される可能性があるため，記載を省略している。

医業利益率の推移をみると，令和元年度から令和2年度にかけて概ね悪化している。経常利益率の推移をみると，令和元年度から令和2年度にかけて概ね改善している。

図表Ⅲ-69　医療法人・一般病院（重点医療機関・協力医療機関等）

		重点医療機関（新型コロナウイルス感染症患者専用の病院や病棟を設定する医療機関）として都道府県から指定されている		協力医療機関（新型コロナウイルス感染症疑い患者専用の個室病床を設定する医療機関）として都道府県から指定されている	
		令和元年度	令和2年度	令和元年度	令和2年度
病院数		21	21	12	14
収益性					
医業利益率	（%）	-1.1	-5.7	-2.6	-5.4
医業利益率（コロナ関係補助金あり）	（%）	—	2.7	—	1.0
総資本医業利益率	（%）	-0.9	-4.9	-3.3	-6.8
経常利益率	（%）	-0.6	1.8	-1.4	1.2
償却前医業利益率	（%）	3.8	-0.5	1.8	-0.1
病床利用率	（%）	85.2	73.9	82.8	76.0
固定費比率	（%）	64.9	68.2	68.0	71.1
材料費比率	（%）	21.3	22.3	19.2	18.3
医薬品比率	（%）	9.6	9.8	9.1	8.1
人件費率	（%）	55.9	58.4	59.4	61.8
委託費比率	（%）	6.3	5.9	6.2	5.8
設備関係費比率	（%）	9.0	9.9	8.7	9.3
減価償却費比率	（%）	4.8	5.2	4.4	5.2
経費比率	（%）	6.8	6.5	6.9	7.1
金利負担率	（%）	0.6	0.6	0.3	0.4
資本費比率	（%）	5.4	5.8	4.6	5.7
総資本回転率	（%）	119.4	99.2	174.6	122.2
固定資産回転率	（%）	188.2	173.6	336.0	234.6
常勤医師人件費比率	（%）	11.4	14.4	12.0	16.0
非常勤医師人件費比率	（%）	3.4	3.2	3.5	4.0
常勤看護師人件費比率	（%）	16.7	16.2	19.9	17.7
非常勤看護師人件費比率	（%）	0.7	0.5	0.6	0.8
常勤その他人件費比率	（%）	15.1	15.2	15.2	14.8
非常勤その他人件費比率	（%）	1.0	1.0	0.3	0.4
常勤医師1人当たり人件費	（千円）	16,789	19,031	20,770	19,573
常勤看護師1人当たり人件費	（千円）	5,337	4,995	5,520	5,169
職員1人当たり人件費	（千円）	7,036	7,028	6,833	6,525
1床あたり医業収益	（千円）	26,478	26,656	19,838	19,093
安全性					
自己資本比率	（%）	28.0	22.3	31.4	24.3
固定長期適合率	（%）	77.2	55.2	81.3	173.4
借入金比率	（%）	45.9	50.0	22.1	31.7
償還期間	（年）	-8.0	-4.9	7.2	5.0
流動比率	（%）	191.3	225.8	166.4	185.6
1床あたり固定資産額	（千円）	21,636	22,027	10,125	11,757
償却金利前経常利益率	（%）	0.0	0.1	0.0	0.1
機能性					
平均在院日数	（日）	16.1	14.6	35.7	24.8
外来／入院比	（倍）	1.3	2.2	1.6	1.6
1床あたり1日平均外来患者数	（人）	1.1	0.9	1.2	1.1
患者1人1日当たり入院収益	（円）	59,129	80,332	46,122	47,499
患者1人1日当たり入院収益（室料差額除く）	（円）	57,857	79,020	45,498	46,667
外来患者1人1日当たり外来収益	（円）	18,399	19,645	12,273	12,510
医師1人当たり入院患者数	（人）	4.1	3.3	5.9	5.2
医師1人当たり外来患者数	（人）	5.3	4.2	8.5	7.3
看護師1人当たり入院患者数	（人）	1.0	0.8	1.0	1.0
看護師1人当たり外来患者数	（人）	1.3	1.1	1.6	1.5
職員1人当たり入院患者数	（人）	0.4	0.3	0.5	0.4
職員1人当たり外来患者数	（人）	0.5	0.4	0.7	0.6
紹介率	（%）	48.6	54.6	43.7	44.7
逆紹介率	（%）	70.1	73.0	69.5	80.3

図表Ⅲ-70　医療法人・一般病院（重点医療機関・協力医療機関等）

		新型コロナウイルス感染症患者・疑い患者の受入病床を割り当てられたその他の医療機関		新型コロナウイルス感染症患者・疑い患者の受入病床を割り当てられていない医療機関	
		令和元年度	令和２年度	令和元年度	令和２年度
病院数		2	1	53	45
収益性					
医業利益率	（%）	0.2		-1.4	-1.0
医業利益率（コロナ関係補助金あり）	（%）	—		—	0.2
総資本医業利益率	（%）	-0.1		-0.9	-1.6
経常利益率	（%）	0.6		0.8	1.2
償却前医業利益率	（%）	8.9		2.8	3.1
病床利用率	（%）	97.9		75.4	76.0
固定費比率	（%）	72.7		65.6	65.8
材料費比率	（%）	14.2		17.6	17.0
医薬品比率	（%）	6.8		8.7	8.0
人件費率	（%）	61.0		56.9	56.7
委託費比率	（%）	5.5		5.4	5.4
設備関係費比率	（%）	11.7		8.7	9.1
減価償却費比率	（%）	8.7		4.2	4.2
経費比率	（%）	5.9		8.7	8.9
金利負担率	（%）	0.4		0.5	0.4
資本費比率	（%）	9.1		4.7	4.5
総資本回転率	（%）	52.2		103.1	102.6
固定資産回転率	（%）	73.9		174.7	193.7
常勤医師人件費比率	（%）	10.5		9.6	9.4
非常勤医師人件費比率	（%）	2.4		3.5	3.9
常勤看護師人件費比率	（%）	17.6		15.5	16.1
非常勤看護師人件費比率	（%）	0.2		0.5	0.5
常勤その他人件費比率	（%）	22.1		16.4	17.8
非常勤その他人件費比率	（%）	0.0		0.5	0.6
常勤医師１人当たり人件費	（千円）	19,725		18,208	18,473
常勤看護師１人当たり人件費	（千円）	5,058		5,193	5,460
職員１人当たり人件費	（千円）	6,311		6,656	6,705
１床あたり医業収益	（千円）	22,206		21,580	21,153
安全性					
自己資本比率	（%）	24.3		32.6	40.4
固定長期適合率	（%）	85.0		82.8	71.0
借入金比率	（%）	61.6		40.5	42.1
償還期間	（年）	6.6		0.5	-11.9
流動比率	（%）	624.5		353.7	458.4
１床あたり固定資産額	（千円）	30,562		15,484	14,058
償却金利前経常利益率	（%）	0.1		0.0	0.1
機能性					
平均在院日数	（日）	27.8		25.1	25.8
外来／入院比	（倍）	2.0		2.6	2.5
１床あたり１日平均外来患者数	（人）	2.0		1.6	1.5
患者１人１日当たり入院収益	（円）	39,777		48,050	48,592
患者１人１日当たり入院収益（室料差額除く）	（円）	38,313		47,021	47,246
外来患者１人１日当たり外来収益	（円）	9,628		37,895	11,778
医師１人当たり入院患者数	（人）	6.7		6.0	5.3
医師１人当たり外来患者数	（人）	13.2		11.3	10.1
看護師１人当たり入院患者数	（人）	1.1		1.1	1.2
看護師１人当たり外来患者数	（人）	2.3		2.2	2.3
職員１人当たり入院患者数	（人）	0.5		0.5	0.5
職員１人当たり外来患者数	（人）	0.9		0.9	0.9
紹介率	（%）	15.7		26.9	23.5
逆紹介率	（%）	—		47.8	42.6

図表Ⅲ-71　自治体・一般病院（重点医療機関・協力医療機関等）

		重点医療機関（新型コロナウイルス感染症患者専用の病院や病棟を設定する医療機関）として都道府県から指定されている		協力医療機関（新型コロナウイルス感染症疑い患者専用の個室病床を設定する医療機関）として都道府県から指定されている	
		令和元年度	令和2年度	令和元年度	令和2年度
病院数		75	75	12	14
収益性					
医業利益率	（%）	-10.2	-17.0	-9.4	-16.8
医業利益率（コロナ関係補助金あり）	（%）	—	-3.9	—	-7.3
総資本医業利益率	（%）	-7.1	-11.0	-9.2	-18.5
経常利益率	（%）	-1.7	3.3	-0.6	1.0
償却前医業利益率	（%）	-2.2	-8.7	-2.5	-9.8
病床利用率	（%）	75.7	66.7	80.9	69.1
固定費比率	（%）	67.6	72.6	68.5	72.9
材料費比率	（%）	25.9	26.3	22.6	24.0
医薬品比率	（%）	15.2	15.3	14.3	15.0
人件費率	（%）	57.5	61.9	58.8	62.7
委託費比率	（%）	9.3	10.3	10.3	11.5
設備関係費比率	（%）	10.1	10.7	9.7	10.2
減価償却費比率	（%）	8.0	8.3	7.0	7.1
経費比率	（%）	4.5	4.6	5.1	6.2
金利負担率	（%）	0.9	0.9	0.8	0.8
資本費比率	（%）	8.9	9.2	7.8	7.9
総資本回転率	（%）	79.4	71.1	99.4	116.2
固定資産回転率	（%）	128.1	146.7	204.4	563.0
常勤医師人件費比率	（%）	10.6	13.1	10.8	11.7
非常勤医師人件費比率	（%）	2.2	2.3	1.3	1.8
常勤看護師人件費比率	（%）	18.4	18.8	19.9	21.3
非常勤看護師人件費比率	（%）	0.8	1.0	0.8	1.3
常勤その他人件費比率	（%）	9.5	9.7	10.8	11.6
非常勤その他人件費比率	（%）	2.4	2.3	1.6	1.7
常勤医師1人当たり人件費	（千円）	13,925	14,043	16,228	17,602
常勤看護師1人当たり人件費	（千円）	4,932	4,855	4,780	5,024
職員1人当たり人件費	（千円）	8,011	8,186	7,583	7,702
1床あたり医業収益	（千円）	26,318	25,212	21,925	21,630
安全性					
自己資本比率	（%）	18.5	19.2	23.8	19.6
固定長期適合率	（%）	94.4	90.7	87.9	85.4
借入金比率	（%）	64.3	66.4	53.9	47.4
償還期間	（年）	14.9	7.1	7.1	5.9
流動比率	（%）	180.5	189.2	252.3	197.7
1床あたり固定資産額	（千円）	29,656	28,997	22,970	20,457
償却金利前経常利益率	（%）	0.1	0.1	0.1	0.1
機能性					
平均在院日数	（日）	12.8	12.6	17.1	16.5
外来/入院比	（倍）	12.8	11.8	1.8	2.1
1床あたり1日平均外来患者数	（人）	1.2	1.1	1.3	1.3
患者1人1日当たり入院収益	（円）	72,572	77,402	47,193	49,835
患者1人1日当たり入院収益（室料差額除く）	（円）	71,495	76,341	46,327	49,033
外来患者1人1日当たり外来収益	（円）	19,304	20,936	16,397	17,288
医師1人当たり入院患者数	（人）	3.4	2.9	4.8	4.2
医師1人当たり外来患者数	（人）	5.7	5.0	8.7	8.8
看護師1人当たり入院患者数	（人）	0.8	0.7	0.8	0.8
看護師1人当たり外来患者数	（人）	1.3	1.2	1.5	1.6
職員1人当たり入院患者数	（人）	0.4	0.4	0.4	0.4
職員1人当たり外来患者数	（人）	0.7	0.6	0.8	0.8
紹介率	（%）	72.4	77.5	66.2	62.7
逆紹介率	（%）	85.9	81.7	83.5	82.0

図表Ⅲ-72　自治体・一般病院（重点医療機関・協力医療機関等）

		新型コロナウイルス感染症患者・疑い患者の受入病床を割り当てられたその他の医療機関		新型コロナウイルス感染症患者・疑い患者の受入病床を割り当てられていない医療機関	
		令和元年度	令和2年度	令和元年度	令和2年度
病院数		8	8	4	3
収益性					
医業利益率	(%)	-15.7	-24.5	-22.1	-29.5
医業利益率(コロナ関係補助金あり)	(%)	—	-18.4	—	-27.0
総資本医業利益率	(%)	-7.5	-12.2	-11.9	-13.5
経常利益率	(%)	-0.5	-1.2	-3.5	-1.6
償却前医業利益率	(%)	-6.4	-15.0	-13.7	-22.6
病床利用率	(%)	81.4	69.7	73.8	70.8
固定費比率	(%)	77.1	83.0	80.4	83.8
材料費比率	(%)	19.5	20.5	20.0	23.1
医薬品比率	(%)	12.1	12.3	13.6	15.6
人件費率	(%)	66.5	72.1	69.6	74.8
委託費比率	(%)	11.4	13.2	13.1	13.5
設備関係費比率	(%)	10.6	10.9	10.7	9.0
減価償却費比率	(%)	9.3	9.5	8.4	6.9
経費比率	(%)	6.9	6.8	6.9	6.3
金利負担率	(%)	0.9	0.9	1.6	0.7
資本費比率	(%)	10.2	10.4	10.0	7.6
総資本回転率	(%)	77.6	57.4	54.9	49.1
固定資産回転率	(%)	169.7	85.1	62.2	56.4
常勤医師人件費比率	(%)	10.8	11.2	10.4	10.0
非常勤医師人件費比率	(%)	4.2	4.9	2.1	0.4
常勤看護師人件費比率	(%)	19.9	21.7	18.8	17.7
非常勤看護師人件費比率	(%)	1.5	1.7	1.0	1.8
常勤その他人件費比率	(%)	15.8	16.5	11.8	12.8
非常勤その他人件費比率	(%)	1.8	2.8	0.7	1.3
常勤医師1人当たり人件費	(千円)	16,586	14,774	16,309	13,740
常勤看護師1人当たり人件費	(千円)	5,422	5,381	4,132	3,788
職員1人当たり人件費	(千円)	8,133	8,231	7,095	6,252
1床あたり医業収益	(千円)	21,346	20,945	20,017	20,939
安全性					
自己資本比率	(%)	24.5	22.6	25.2	16.4
固定長期適合率	(%)	85.0	93.1	119.2	119.8
借入金比率	(%)	87.8	92.3	76.7	122.3
償還期間	(年)	10.6	21.6	13.7	31.6
流動比率	(%)	208.6	154.8	53.2	56.3
1床あたり固定資産額	(千円)	39,012	40,991	41,578	64,891
償却金利前経常利益率	(%)	0.1	0.1	0.1	0.1
機能性					
平均在院日数	(日)	18.7	18.6	19.1	21.0
外来/入院比	(倍)	1.9	2.1	2.3	2.0
1床あたり1日平均外来患者数	(人)	1.5	1.4	1.5	1.3
患者1人1日当たり入院収益	(円)	46,631	50,562	39,282	43,870
患者1人1日当たり入院収益(室料差額除く)	(円)	45,683	49,618	38,639	42,990
外来患者1人1日当たり外来収益	(円)	12,496	12,888	16,937	22,110
医師1人当たり入院患者数	(人)	5.1	3.7	5.1	3.6
医師1人当たり外来患者数	(人)	8.8	7.7	11.2	7.6
看護師1人当たり入院患者数	(人)	1.0	0.8	0.8	0.7
看護師1人当たり外来患者数	(人)	1.9	1.8	1.9	1.4
職員1人当たり入院患者数	(人)	0.5	0.4	0.4	0.3
職員1人当たり外来患者数	(人)	0.9	0.8	0.9	0.7
紹介率	(%)	50.3	53.6	38.8	54.8
逆紹介率	(%)	71.9	67.9	46.8	43.8

図表Ⅲ-73　社会保険関係団体・一般病院（重点医療機関・協力医療機関等）

		重点医療機関（新型コロナウイルス感染症患者専用の病院や病棟を設定する医療機関）として都道府県から指定されている		協力医療機関（新型コロナウイルス感染症疑い患者専用の個室病床を設定する医療機関）として都道府県から指定されている	
		令和元年度	令和2年度	令和元年度	令和2年度
病院数		13	13	3	3
収益性					
医業利益率	(%)	-0.5	-4.9	1.3	1.2
医業利益率(コロナ関係補助金あり)	(%)	—	5.7	—	7.7
総資本医業利益率	(%)	-0.3	-2.7	1.4	1.4
経常利益率	(%)	1.5	4.5	1.9	4.1
償却前医業利益率	(%)	4.7	1.0	7.7	7.3
病床利用率	(%)	77.4	71.3	91.7	88.4
固定費比率	(%)	59.4	63.4	58.0	59.6
材料費比率	(%)	27.6	27.6	29.2	27.8
医薬品比率	(%)	16.7	16.4	16.9	15.9
人件費率	(%)	50.4	53.3	47.7	49.3
委託費比率	(%)	7.1	7.6	5.6	6.0
設備関係費比率	(%)	8.9	10.1	10.3	10.3
減価償却費比率	(%)	5.3	5.9	6.4	6.1
経費比率	(%)	5.4	5.2	4.9	4.7
金利負担率	(%)	0.1	0.1	0.0	0.0
資本費比率	(%)	5.3	5.9	6.4	6.1
総資本回転率	(%)	74.5	69.3	79.3	76.4
固定資産回転率	(%)	95.6	88.7	104.3	105.5
常勤医師人件費比率	(%)	10.6	11.6	8.5	8.7
非常勤医師人件費比率	(%)	1.2	1.2	0.9	1.0
常勤看護師人件費比率	(%)	13.7	14.2	11.7	12.2
非常勤看護師人件費比率	(%)	0.6	0.5	0.2	0.2
常勤その他人件費比率	(%)	12.8	13.8	15.6	15.7
非常勤その他人件費比率	(%)	1.1	1.0	3.8	4.0
常勤医師1人当たり人件費	(千円)	12,068	12,023	11,802	11,658
常勤看護師1人当たり人件費	(千円)	3,827	3,969	3,394	3,480
職員1人当たり人件費	(千円)	7,394	7,633	7,596	7,697
1床あたり医業収益	(千円)	27,122	27,614	28,037	29,183
安全性					
自己資本比率	(%)	70.1	71.2	72.3	71.3
固定長期適合率	(%)	89.0	89.2	88.3	85.6
借入金比率	(%)	20.0	20.0	14.4	14.1
償還期間	(年)	4.7	2.9	2.0	1.8
流動比率	(%)	237.4	190.7	258.4	243.6
1床あたり固定資産額	(千円)	30,713	33,177	28,344	29,474
償却金利前経常利益率	(%)	0.1	0.1	0.1	0.1
機能性					
平均在院日数	(日)	13.1	13.1	15.0	14.6
外来／入院比	(倍)	1.7	1.8	1.4	1.4
1床あたり1日平均外来患者数	(人)	1.3	1.2	1.3	1.2
患者1人1日当たり入院収益	(円)	59,172	64,009	54,470	57,052
患者1人1日当たり入院収益(室料差額除く)	(円)	57,854	62,760	53,104	55,662
外来患者1人1日当たり外来収益	(円)	17,701	18,491	17,685	18,436
医師1人当たり入院患者数	(人)	4.1	3.5	4.8	4.4
医師1人当たり外来患者数	(人)	6.9	6.2	6.3	5.7
看護師1人当たり入院患者数	(人)	0.8	0.7	1.0	0.9
看護師1人当たり外来患者数	(人)	1.3	1.3	1.3	1.2
職員1人当たり入院患者数	(人)	0.4	0.4	0.5	0.5
職員1人当たり外来患者数	(人)	0.7	0.6	0.7	0.6
紹介率	(%)	75.6	77.5	83.6	81.4
逆紹介率	(%)	77.8	86.9	—	—

図表Ⅲ-74　社会保険関係団体・一般病院（重点医療機関・協力医療機関等）

		新型コロナウイルス感染症患者・疑い患者の受入病床を割り当てられたその他の医療機関		新型コロナウイルス感染症患者・疑い患者の受入病床を割り当てられていない医療機関	
		令和元年度	令和２年度	令和元年度	令和２年度
病院数		0	0	0	0
収益性					
医業利益率	(%)				
医業利益率(コロナ関係補助金あり)	(%)				
総資本医業利益率	(%)				
経常利益率	(%)				
償却前医業利益率	(%)				
病床利用率	(%)				
固定費比率	(%)				
材料費比率	(%)				
医薬品比率	(%)				
人件費率	(%)				
委託費比率	(%)				
設備関係費比率	(%)				
減価償却費比率	(%)				
経費比率	(%)				
金利負担率	(%)				
資本費比率	(%)				
総資本回転率	(%)				
固定資産回転率	(%)				
常勤医師人件費比率	(%)				
非常勤医師人件費比率	(%)				
常勤看護師人件費比率	(%)				
非常勤看護師人件費比率	(%)				
常勤その他人件費比率	(%)				
非常勤その他人件費比率	(%)				
常勤医師1人当たり人件費	(千円)				
常勤看護師1人当たり人件費	(千円)				
職員1人当たり人件費	(千円)				
1床あたり医業収益	(千円)				
安全性					
自己資本比率	(%)				
固定長期適合率	(%)				
借入金比率	(%)				
償還期間	(年)				
流動比率	(%)				
1床あたり固定資産額	(千円)				
償却金利前経常利益率	(%)				
機能性					
平均在院日数	(日)				
外来/入院比	(倍)				
1床あたり1日平均外来患者数	(人)				
患者1人1日当たり入院収益	(円)				
患者1人1日当たり入院収益(室料差額除く)	(円)				
外来患者1人1日当たり外来収益	(円)				
医師1人当たり入院患者数	(人)				
医師1人当たり外来患者数	(人)				
看護師1人当たり入院患者数	(人)				
看護師1人当たり外来患者数	(人)				
職員1人当たり入院患者数	(人)				
職員1人当たり外来患者数	(人)				
紹介率	(%)				
逆紹介率	(%)				

図表Ⅲ-75　その他公的・一般病院（重点医療機関・協力医療機関等）

		重点医療機関（新型コロナウイルス感染症患者専用の病院や病棟を設定する医療機関）として都道府県から指定されている		協力医療機関（新型コロナウイルス感染症疑い患者専用の個室病床を設定する医療機関）として都道府県から指定されている	
		令和元年度	令和2年度	令和元年度	令和2年度
病院数		32	31	12	14
収益性					
医業利益率	(%)	-0.5	-2.2	-0.2	-2.8
医業利益率(コロナ関係補助金あり)	(%)	—	8.7	—	4.2
総資本医業利益率	(%)	-0.4	-1.4	0.2	-1.4
経常利益率	(%)	0.8	6.6	1.0	1.9
償却前医業利益率	(%)	5.5	3.8	5.6	3.4
病床利用率	(%)	80.4	74.7	79.3	73.1
固定費比率	(%)	60.1	61.1	60.7	61.8
材料費比率	(%)	28.9	29.2	24.9	25.8
医薬品比率	(%)	18.6	18.4	14.0	13.9
人件費率	(%)	50.9	51.8	52.0	52.4
委託費比率	(%)	6.1	6.5	6.9	8.1
設備関係費比率	(%)	9.2	9.3	8.7	9.5
減価償却費比率	(%)	6.0	6.0	5.7	6.2
経費比率	(%)	4.5	4.5	6.7	5.7
金利負担率	(%)	0.2	0.2	0.4	0.4
資本費比率	(%)	6.2	6.2	6.1	6.6
総資本回転率	(%)	89.0	82.1	94.7	85.9
固定資産回転率	(%)	134.2	135.7	143.2	134.2
常勤医師人件費比率	(%)	9.9	10.7	9.5	10.3
非常勤医師人件費比率	(%)	3.0	2.9	2.8	2.4
常勤看護師人件費比率	(%)	16.5	17.5	17.4	17.9
非常勤看護師人件費比率	(%)	0.6	0.7	1.1	1.1
常勤その他人件費比率	(%)	10.2	10.6	11.4	11.0
非常勤その他人件費比率	(%)	1.3	1.5	1.7	1.7
常勤医師1人当たり人件費	(千円)	12,919	13,040	14,214	13,784
常勤看護師1人当たり人件費	(千円)	4,615	4,816	4,873	4,847
職員1人当たり人件費	(千円)	7,045	7,033	6,430	7,029
1床あたり医業収益	(千円)	28,647	28,628	24,642	25,315
安全性					
自己資本比率	(%)	18.6	26.4	-4.1	-1.0
固定長期適合率	(%)	147.6	92.6	111.5	106.7
借入金比率	(%)	32.6	32.4	50.2	61.2
償還期間	(年)	5.3	2.8	8.9	2.5
流動比率	(%)	207.7	247.2	145.6	176.2
1床あたり固定資産額	(千円)	25,031	23,849	18,884	20,655
償却金利前経常利益率	(%)	0.1	0.1	0.1	0.1
機能性					
平均在院日数	(日)	12.7	12.4	14.0	15.0
外来/入院比	(倍)	1.7	1.7	1.7	1.7
1床あたり1日平均外来患者数	(人)	1.3	1.2	1.3	1.1
患者1人1日当たり入院収益	(円)	61,168	66,604	54,962	63,215
患者1人1日当たり入院収益(室料差額除く)	(円)	59,948	65,399	54,117	62,387
外来患者1人1日当たり外来収益	(円)	18,090	19,183	15,096	17,217
医師1人当たり入院患者数	(人)	3.3	2.9	4.4	3.5
医師1人当たり外来患者数	(人)	5.7	5.0	7.3	5.6
看護師1人当たり入院患者数	(人)	0.8	0.7	0.9	0.7
看護師1人当たり外来患者数	(人)	1.4	1.2	1.5	1.2
職員1人当たり入院患者数	(人)	0.4	0.4	0.4	0.4
職員1人当たり外来患者数	(人)	0.7	0.6	0.7	0.6
紹介率	(%)	78.7	84.0	63.0	75.8
逆紹介率	(%)	79.4	79.0	64.8	71.0

図表Ⅲ-76　その他公的・一般病院（重点医療機関・協力医療機関等）

		新型コロナウイルス感染症患者・疑い患者の受入病床を割り当てられたその他の医療機関		新型コロナウイルス感染症患者・疑い患者の受入病床を割り当てられていない医療機関	
		令和元年度	令和２年度	令和元年度	令和２年度
病院数		2	1	4	3
収益性					
医業利益率	(%)	-5.4		-3.8	-5.4
医業利益率(コロナ関係補助金あり)	(%)	—		—	-2.8
総資本医業利益率	(%)	-4.3		-4.6	-6.6
経常利益率	(%)	-3.5		-2.4	2.0
償却前医業利益率	(%)	-0.3		1.7	0.1
病床利用率	(%)	71.7		84.9	80.1
固定費比率	(%)	76.5		70.9	74.5
材料費比率	(%)	13.4		17.7	16.8
医薬品比率	(%)	8.2		12.6	10.8
人件費率	(%)	66.6		61.7	65.1
委託費比率	(%)	7.5		5.7	5.4
設備関係費比率	(%)	9.9		9.2	9.4
減価償却費比率	(%)	5.1		5.5	5.5
経費比率	(%)	6.1		5.5	5.3
金利負担率	(%)	0.3		0.6	0.7
資本費比率	(%)	5.4		6.1	6.2
総資本回転率	(%)	83.2		137.5	99.7
固定資産回転率	(%)	138.2		215.6	152.7
常勤医師人件費比率	(%)	8.5		7.5	8.4
非常勤医師人件費比率	(%)	4.1		5.1	5.0
常勤看護師人件費比率	(%)	17.9		20.2	20.7
非常勤看護師人件費比率	(%)	2.5		0.9	0.7
常勤その他人件費比率	(%)	19.8		16.7	18.5
非常勤その他人件費比率	(%)	2.9		1.4	1.4
常勤医師１人当たり人件費	(千円)	15,235		17,371	19,597
常勤看護師１人当たり人件費	(千円)	4,590		4,837	4,813
職員１人当たり人件費	(千円)	6,794		6,490	6,290
1床あたり医業収益	(千円)	16,379		16,025	16,790
安全性					
自己資本比率	(%)	-31.8		-73.8	-125.2
固定長期適合率	(%)	100.5		495.7	155.8
借入金比率	(%)	85.8		36.6	51.8
償還期間	(年)	89.2		5.4	18.1
流動比率	(%)	119.5		213.3	119.1
1床あたり固定資産額	(千円)	11,984		8,555	9,706
償却金利前経常利益率	(%)	0.0		0.0	0.1
機能性					
平均在院日数	(日)	28.5		32.7	29.7
外来/入院比	(倍)	1.3		1.5	1.5
1床あたり１日平均外来患者数	(人)	0.9		1.1	1.0
患者１人１日当たり入院収益	(円)	40,512		33,864	37,188
患者１人１日当たり入院収益(室料差額除く)	(円)	39,462		33,005	36,312
外来患者１人１日当たり外来収益	(円)	9,955		13,549	13,980
医師１人当たり入院患者数	(人)	5.8		7.3	7.0
医師１人当たり外来患者数	(人)	7.4		10.9	9.9
看護師１人当たり入院患者数	(人)	1.1		1.1	1.0
看護師１人当たり外来患者数	(人)	1.3		1.6	1.5
職員１人当たり入院患者数	(人)	0.5		0.5	0.5
職員１人当たり外来患者数	(人)	0.6		0.8	0.7
紹介率	(%)	37.2		25.9	35.2
逆紹介率	(%)	66.7		87.7	—

(2) 新型コロナウイルス感染症入院患者等の受入実績別の状況

一般病院を開設者別に，以下①～⑤のとおり分類。

①全体
②新型コロナウイルス感染症の入院患者（含む疑似症患者）の受け入れ実績あり
③新型コロナウイルス感染症から回復した患者を転院により受け入れた実績あり
④新型コロナウイルス感染症患者の対応をしている医療機関から，新型コロナウイルス感染症ではない患者を転院により受け入れた実績あり
⑤それ以外（②～④以外）

その上で「院内感染（クラスターの発生を含む）有り」，「院内感染（クラスターの発生を含む）無し」「全体」の3種類にさらに分類し，令和元年度，令和2年度においてどのような経営状況であったか確認した。なお，②～⑤については，令和2年度末（令和3年3月31日）時点の状況でグルーピングしている。

また，N（回答病院数）が1の場合，回答機関が特定される可能性があるため，N（回答病院数）が0の場合も含め記載を省略している。

①全体

開設者別に医業利益率，経常利益率の推移をみると，いずれの開設主体においても，令和元年度から令和2年度にかけて医業利益率は減益し，経常利益率は増益していた。

②新型コロナウイルス感染症の入院患者（含む疑似症患者）の受け入れ実績あり

新型コロナウイルス感染症の入院患者（含む疑似症患者）の受け入れ実績ありについては，開設者別に医業利益率，経常利益率の推移をみると，いずれの開設主体においても，令和元年度から令和2年度にかけて医業利益率は減益し，経常利益率は増益していた。

③新型コロナウイルス感染症から回復した患者を転院により受け入れた実績あり

新型コロナウイルス感染症から回復した患者を転院により受け入れた実績ありについては，サンプル数が限られるため医療法人立のみふれるが，医業利益率の推移をみると，令和元年度から令和2年度にかけて減益している。

④新型コロナウイルス感染症患者の対応をしている医療機関から，新型コロナウイルス感染症ではない患者を転院により受け入れた実績あり

新型コロナウイルス感染症患者の対応をしている医療機関から，新型コロナウイルス感染症ではない患者を転院により受け入れた実績ありについては，サンプル数が限られるため医療法人立のみふれるが，令和元年度，令和2年度ともに医業利益率は赤字，経常利益率は黒字となった。

⑤それ以外（②～④以外）

それ以外（②～④以外）については，サンプル数が限られるため参考。

図表Ⅲ-77　医療法人・一般病院（新型コロナウイルス感染症入院患者等の受入実績別）

		全体					
		院内感染（クラスターの発生を含む）有り		院内感染（クラスターの発生を含む）無し		全体	
		令和元年度	令和2年度	令和元年度	令和2年度	令和元年度	令和2年度
病院数		20	17	66	63	95	87
収益性							
医業利益率	（%）	-0.6	-5.6	-1.7	-2.0	-1.3	-2.9
医業利益率（コロナ関係補助金あり）	（%）	—	1.6	—	0.7	—	0.7
総資本医業利益率	（%）	-0.9	-5.5	-1.3	-2.5	-1.0	3.7
経常利益率	（%）	0.3	0.6	0.2	1.4	0.3	1.1
償却前医業利益率	（%）	3.4	-1.0	3.0	2.6	3.2	1.7
病床利用率	（%）	84.3	72.5	77.6	76.5	79.8	75.7
固定費比率	（%）	65.3	67.9	66.3	67.3	66.1	68.0
材料費比率	（%）	18.8	21.7	18.4	17.5	18.3	18.2
医薬品比率	（%）	9.0	10.1	8.7	7.9	8.7	8.1
人件費率	（%）	56.5	58.1	57.4	58.1	57.4	58.8
委託費比率	（%）	7.0	6.2	5.3	5.4	5.7	5.7
設備関係費比率	（%）	8.8	9.8	8.9	9.2	8.7	9.2
減価償却費比率	（%）	4.0	4.6	4.7	4.7	4.4	4.6
経費比率	（%）	7.2	6.2	8.2	8.4	7.9	7.7
金利負担率	（%）	0.5	0.5	0.5	0.4	0.5	0.4
資本費比率	（%）	4.5	5.2	5.1	5.1	4.9	5.1
総資本回転率	（%）	120.9	106.7	112.5	103.7	96.0	38.4
固定資産回転率	（%）	189.0	178.2	198.0	198.6	162.5	185.9
常勤医師人件費比率	（%）	9.8	17.4	10.5	10.4	10.3	11.8
非常勤医師人件費比率	（%）	2.9	3.2	3.6	3.8	3.6	3.8
常勤看護師人件費比率	（%）	15.0	14.7	16.8	16.8	16.3	16.5
非常勤看護師人件費比率	（%）	0.6	0.5	0.5	0.5	0.6	0.6
常勤その他人件費比率	（%）	17.1	13.8	15.9	17.6	16.0	16.5
非常勤その他人件費比率	（%）	0.6	0.6	0.6	0.6	0.6	0.6
常勤医師1人当たり人件費	（千円）	16,449	20,498	18,962	18,463	18,290	18,927
常勤看護師1人当たり人件費	（千円）	4,859	4,559	5,394	5,466	5,179	5,196
職員1人当たり人件費	（千円）	6,830	6,938	6,715	6,687	6,709	6,703
1床あたり医業収益	（千円）	22,397	24,409	22,424	21,585	22,155	21,955
安全性							
自己資本比率	（%）	14.0	26.4	36.0	34.3	49.9	129.0
固定長期適合率	（%）	144.6	98.8	61.1	80.2	80.3	81.7
借入金比率	（%）	44.1	41.3	39.6	43.5	38.9	40.5
償還期間	（年）	-9.1	-7.2	1.7	-6.9	-0.1	-7.2
流動比率	（%）	221.1	228.4	322.0	383.3	238.0	304.6
1床あたり固定資産額	（千円）	15,469	16,716	17,045	15,882	15,923	13,959
償却金利前経常利益率	（%）	0.0	0.1	0.0	0.1	0.0	0.1
機能性							
平均在院日数	（日）	31.6	15.9	22.6	24.7	24.1	22.3
外来／入院比	（倍）	1.2	2.4	2.4	2.3	2.1	2.2
1床あたり1日平均外来患者数	（人）	1.0	0.9	1.6	1.4	1.4	1.3
患者1人1日当たり入院収益	（円）	51,210	80,091	49,591	50,105	49,435	55,832
患者1人1日当たり入院収益（室料差額除く）	（円）	50,050	78,574	48,591	48,929	48,438	54,633
外来患者1人1日当たり外来収益	（円）	15,345	17,655	33,708	12,855	27,569	13,566
医師1人当たり入院患者数	（人）	5.9	3.9	5.5	5.0	5.6	4.9
医師1人当たり外来患者数	（人）	6.1	4.7	10.7	9.1	9.5	8.1
看護師1人当たり入院患者数	（人）	1.1	0.9	1.0	1.1	1.1	1.1
看護師1人当たり外来患者数	（人）	1.3	1.1	2.1	2.0	1.9	1.8
職員1人当たり入院患者数	（人）	0.5	0.4	0.4	0.4	0.5	0.4
職員1人当たり外来患者数	（人）	0.5	0.5	0.9	0.8	0.8	0.7
紹介率	（%）	49.6	56.8	27.8	28.3	32.7	33.5
逆紹介率	（%）	61.0	64.6	56.2	58.6	59.8	58.6

図表Ⅲ-78　自治体・一般病院（新型コロナウイルス感染症入院患者等の受入実績別）

		全体					
		院内感染（クラスターの発生を含む）有り		院内感染（クラスターの発生を含む）無し		全体	
		令和元年度	令和2年度	令和元年度	令和2年度	令和元年度	令和2年度
病院数		34	34	63	62	98	96
収益性							
医業利益率	(%)	-8.8	-15.6	-12.7	-19.8	-11.2	-18.3
医業利益率（コロナ関係補助金あり）	(%)	—	-2.5	—	-8.7	—	-6.5
総資本医業利益率	(%)	-6.3	-10.1	-8.2	-12.9	-7.5	-11.9
経常利益率	(%)	-2.0	2.5	-1.4	2.4	-1.5	2.5
償却前医業利益率	(%)	-0.7	-7.4	-4.6	-11.4	-3.2	-10.0
病床利用率	(%)	78.3	67.6	75.8	67.1	76.8	67.3
固定費比率	(%)	66.4	71.1	70.2	75.3	68.8	73.8
材料費比率	(%)	25.7	25.7	24.5	25.6	25.0	25.6
医薬品比率	(%)	15.3	15.1	14.7	15.2	14.9	15.1
人件費率	(%)	56.2	60.3	60.1	64.6	58.7	63.1
委託費比率	(%)	9.6	11.0	9.7	10.5	9.7	10.7
設備関係費比率	(%)	10.2	10.7	10.1	10.7	10.1	10.7
減価償却費比率	(%)	8.1	8.2	8.1	8.5	8.0	8.4
経費比率	(%)	4.4	4.9	5.4	5.4	5.0	5.2
金利負担率	(%)	0.7	0.6	1.0	1.0	0.9	0.9
資本費比率	(%)	8.8	8.8	9.1	9.5	9.0	9.2
総資本回転率	(%)	79.0	70.6	77.0	73.8	78.5	72.7
固定資産回転率	(%)	132.3	128.5	132.4	218.2	133.3	186.5
常勤医師人件費比率	(%)	10.2	12.4	10.7	12.7	10.8	12.6
非常勤医師人件費比率	(%)	2.6	2.5	2.1	2.3	2.2	2.4
常勤看護師人件費比率	(%)	18.6	19.2	18.6	19.2	18.4	19.2
非常勤看護師人件費比率	(%)	1.1	1.4	0.7	0.9	0.8	1.1
常勤その他人件費比率	(%)	9.4	9.5	10.7	11.1	10.2	10.5
非常勤その他人件費比率	(%)	2.2	2.3	2.2	2.4	2.2	2.3
常勤医師1人当たり人件費	(千円)	14,497	14,385	14,390	14,482	14,428	14,448
常勤看護師1人当たり人件費	(千円)	4,899	5,016	4,898	4,769	4,848	4,857
職員1人当たり人件費	(千円)	7,732	8,064	8,047	8,091	7,936	8,081
1床あたり医業収益	(千円)	26,544	25,529	24,335	23,603	25,133	24,285
安全性							
自己資本比率	(%)	25.6	28.9	18.9	16.1	19.9	20.7
固定長期適合率	(%)	90.0	83.5	96.0	95.5	95.4	91.2
借入金比率	(%)	52.9	55.0	72.3	75.0	65.5	67.9
償還期間	(年)	19.6	4.2	10.1	11.5	13.4	8.9
流動比率	(%)	214.4	218.7	174.1	166.8	186.7	185.2
1床あたり固定資産額	(千円)	28,635	28,066	31,629	31,868	30,395	30,521
償却金利前経常利益率	(%)	0.1	0.1	0.1	0.1	0.1	0.1
機能性							
平均在院日数	(日)	14.3	14.1	13.9	13.7	14.1	13.9
外来/入院比	(倍)	1.7	1.8	15.0	14.0	10.3	9.7
1床あたり1日平均外来患者数	(人)	1.3	1.2	1.3	1.2	1.3	1.2
患者1人1日当たり入院収益	(円)	58,758	63,010	70,360	75,502	66,381	71,078
患者1人1日当たり入院収益（室料差額除く）	(円)	57,975	62,254	69,255	74,395	65,396	70,095
外来患者1人1日当たり外来収益	(円)	17,818	18,681	18,755	20,713	18,490	19,993
医師1人当たり入院患者数	(人)	3.8	3.1	3.9	3.3	3.8	3.2
医師1人当たり外来患者数	(人)	6.3	5.6	6.7	5.9	6.6	5.8
看護師1人当たり入院患者数	(人)	0.8	0.7	0.8	0.7	0.8	0.7
看護師1人当たり外来患者数	(人)	1.3	1.3	1.4	1.3	1.4	1.3
職員1人当たり入院患者数	(人)	0.4	0.4	0.4	0.4	0.4	0.4
職員1人当たり外来患者数	(人)	0.7	0.6	0.7	0.7	0.7	0.7
紹介率	(%)	68.2	72.8	67.6	71.9	68.0	72.2
逆紹介率	(%)	81.1	77.8	85.3	80.6	83.7	79.6

図表Ⅲ-79　社会保険関係団体・一般病院（新型コロナウイルス感染症入院患者等の受入実績別）

		全体					
		院内感染（クラスターの発生を含む）有り		院内感染（クラスターの発生を含む）無し		全体	
		令和元年度	令和２年度	令和元年度	令和２年度	令和元年度	令和２年度
病院数		3	4	12	11	15	15
収益性							
医業利益率	（%）	-4.6	-8.0	0.5	-3.3	-0.6	-0.6
医業利益率（コロナ関係補助金あり）	（%）	—	3.6	—	6.1	—	—
総資本医業利益率	（%）	-3.4	-4.6	0.4	-1.8	-0.3	-0.3
経常利益率	（%）	-1.3	2.5	2.0	4.7	1.3	1.3
償却前医業利益率	（%）	1.9	-2.3	5.8	2.8	5.0	5.0
病床利用率	（%）	77.7	74.1	80.4	74.3	79.8	79.8
固定費比率	（%）	57.6	61.3	59.7	63.7	59.3	59.3
材料費比率	（%）	32.6	32.1	26.7	26.2	27.9	27.9
医薬品比率	（%）	20.0	19.0	15.7	15.2	16.6	16.6
人件費率	（%）	48.3	52.4	50.5	53.0	50.0	50.0
委託費比率	（%）	7.6	8.0	6.8	7.3	7.0	7.0
設備関係費比率	（%）	9.3	8.8	9.2	10.7	9.2	9.2
減価償却費比率	（%）	6.5	5.7	5.3	6.1	5.6	5.6
経費比率	（%）	4.5	4.5	5.6	5.5	5.4	5.4
金利負担率	（%）	0.2	0.1	0.0	0.0	0.1	0.1
資本費比率	（%）	6.7	5.8	5.3	6.1	5.6	5.6
総資本回転率	（%）	66.5	60.9	76.2	72.5	74.2	74.2
固定資産回転率	（%）	78.6	77.9	100.5	95.3	96.1	96.1
常勤医師人件費比率	（%）	12.0	12.1	9.6	10.5	10.1	10.1
非常勤医師人件費比率	（%）	0.7	1.4	1.2	1.0	1.1	1.1
常勤看護師人件費比率	（%）	16.2	17.8	12.1	12.0	12.9	12.9
非常勤看護師人件費比率	（%）	0.7	0.8	0.5	0.3	0.6	0.6
常勤その他人件費比率	（%）	10.4	11.3	14.4	15.8	13.6	13.6
非常勤その他人件費比率	（%）	0.9	1.0	1.9	1.8	1.7	1.7
常勤医師１人当たり人件費	（千円）	11,784	13,132	11,040	10,376	11,199	11,199
常勤看護師１人当たり人件費	（千円）	4,993	5,226	3,326	3,283	3,659	3,659
職員１人当たり人件費	（千円）	7,864	7,918	7,309	7,546	7,420	7,420
１床あたり医業収益	（千円）	29,186	29,883	26,638	26,914	27,147	27,147
安全性							
自己資本比率	（%）	45.5	58.9	75.3	74.3	69.3	69.3
固定長期適合率	（%）	98.8	90.8	86.0	87.5	88.6	88.6
借入金比率	（%）	40.7	33.4	15.0	15.2	20.2	20.2
償還期間	（年）	6.3	4.0	4.0	2.4	4.5	4.5
流動比率	（%）	112.0	166.3	280.9	214.9	247.1	247.1
１床あたり固定資産額	（千円）	38,161	39,031	28,653	30,493	30,554	30,554
償却金利前経常利益率	（%）	0.1	0.1	0.1	0.1	0.1	0.1
機能性							
平均在院日数	（日）	11.6	12.2	14.1	14.1	13.6	13.6
外来／入院比	（倍）	1.7	1.8	1.7	1.7	1.7	1.7
１床あたり１日平均外来患者数	（人）	1.2	1.3	1.3	1.2	1.3	1.3
患者１人１日当たり入院収益	（円）	65,050	69,975	56,755	60,354	58,414	58,414
患者１人１日当たり入院収益（室料差額除く）	（円）	63,558	68,593	55,439	59,092	57,063	57,063
外来患者１人１日当たり外来収益	（円）	20,376	20,293	16,822	17,566	17,533	17,533
医師１人当たり入院患者数	（人）	2.5	2.5	4.6	4.1	4.2	4.2
医師１人当たり外来患者数	（人）	4.2	4.4	7.4	6.7	6.7	6.7
看護師１人当たり入院患者数	（人）	0.8	0.7	0.8	0.7	0.8	0.8
看護師１人当たり外来患者数	（人）	1.4	1.3	1.3	1.2	1.3	1.3
職員１人当たり入院患者数	（人）	0.4	0.4	0.4	0.4	0.4	0.4
職員１人当たり外来患者数	（人）	0.7	0.7	0.7	0.6	0.7	0.7
紹介率	（%）	79.6	76.5	74.3	77.2	75.3	75.3
逆紹介率	（%）	95.2	—	73.4	86.9	77.8	77.8

図表Ⅲ-80　その他公的・一般病院（新型コロナウイルス感染症入院患者等の受入実績別）

		全体					
		院内感染（クラスターの発生を含む）有り		院内感染（クラスターの発生を含む）無し		全体	
		令和元年度	令和2年度	令和元年度	令和2年度	令和元年度	令和2年度
病院数		18	18	30	25	48	42
収益性							
医業利益率	(%)	−1.6	−3.7	−0.5	−1.2	−0.9	−2.3
医業利益率（コロナ関係補助金あり）	(%)	—	8.5	—	5.7	—	7.0
総資本医業利益率	(%)	−1.3	−2.9	−0.5	−0.7	−0.8	−1.7
経常利益率	(%)	−0.2	5.7	0.7	4.9	0.4	5.3
償却前医業利益率	(%)	4.2	2.2	5.5	4.6	5.0	3.6
病床利用率	(%)	79.4	73.4	80.5	75.3	80.1	74.7
固定費比率	(%)	61.2	62.2	62.3	62.4	61.9	62.4
材料費比率	(%)	28.5	29.1	25.1	25.8	26.4	27.2
医薬品比率	(%)	17.6	17.5	16.0	15.9	16.6	16.5
人件費率	(%)	52.1	52.9	53.2	53.2	52.7	53.1
委託費比率	(%)	6.0	6.3	6.4	7.2	6.3	6.8
設備関係費比率	(%)	9.1	9.2	9.1	9.2	9.1	9.2
減価償却費比率	(%)	5.8	5.9	6.0	5.8	5.9	5.9
経費比率	(%)	4.8	4.9	5.4	4.8	5.1	4.9
金利負担率	(%)	0.2	0.2	0.3	0.3	0.3	0.3
資本費比率	(%)	6.0	6.1	6.3	6.1	6.2	6.1
総資本回転率	(%)	94.5	84.5	93.3	85.1	93.8	84.9
固定資産回転率	(%)	144.8	142.7	141.9	133.3	143.0	137.5
常勤医師人件費比率	(%)	10.4	10.9	9.0	9.9	9.5	10.3
非常勤医師人件費比率	(%)	3.0	2.9	3.3	3.1	3.2	3.0
常勤看護師人件費比率	(%)	16.7	17.5	17.2	18.0	17.0	17.9
非常勤看護師人件費比率	(%)	0.9	0.7	0.8	0.9	0.8	0.8
常勤その他人件費比率	(%)	11.6	11.4	11.4	11.6	11.5	11.6
非常勤その他人件費比率	(%)	1.3	1.3	1.5	1.7	1.5	1.6
常勤医師1人当たり人件費	(千円)	12,919	12,715	14,161	14,568	13,695	13,774
常勤看護師1人当たり人件費	(千円)	4,744	4,803	4,627	4,815	4,671	4,810
職員1人当たり人件費	(千円)	7,029	7,049	6,719	6,897	6,835	6,962
1床あたり医業収益	(千円)	27,896	28,448	24,999	25,463	26,085	26,851
安全性							
自己資本比率	(%)	22.5	31.6	−6.0	−4.2	4.7	9.0
固定長期適合率	(%)	188.0	96.2	155.0	104.4	167.4	101.6
借入金比率	(%)	37.9	36.9	40.0	39.3	39.2	39.2
償還期間	(年)	15.2	−1.4	6.3	7.3	9.6	3.7
流動比率	(%)	232.3	284.9	168.9	172.6	192.7	219.3
1床あたり固定資産額	(千円)	23,246	23,906	20,864	20,248	21,757	21,903
償却金利前経常利益率	(%)	0.1	0.1	0.1	0.1	0.1	0.1
機能性							
平均在院日数	(日)	14.5	13.6	15.9	15.0	15.4	14.5
外来/入院比	(倍)	1.6	1.7	1.7	1.7	1.7	1.7
1床あたり1日平均外来患者数	(人)	1.2	1.2	1.3	1.2	1.3	1.2
患者1人1日当たり入院収益	(円)	61,999	68,095	52,767	58,200	56,229	62,595
患者1人1日当たり入院収益（室料差額除く）	(円)	60,683	66,799	51,772	57,189	55,113	61,462
外来患者1人1日当たり外来収益	(円)	17,806	19,371	16,005	17,368	16,680	18,204
医師1人当たり入院患者数	(人)	3.3	2.7	4.5	3.9	4.0	3.4
医師1人当たり外来患者数	(人)	5.0	4.4	7.6	6.4	6.6	5.6
看護師1人当たり入院患者数	(人)	0.8	0.7	0.9	0.8	0.9	0.7
看護師1人当たり外来患者数	(人)	1.3	1.2	1.5	1.3	1.4	1.2
職員1人当たり入院患者数	(人)	0.4	0.3	0.4	0.4	0.4	0.4
職員1人当たり外来患者数	(人)	0.6	0.6	0.7	0.6	0.7	0.6
紹介率	(%)	78.4	85.6	63.3	70.0	68.9	77.5
逆紹介率	(%)	78.1	81.6	77.4	73.8	77.6	77.7

図表Ⅲ-81　医療法人・一般病院（新型コロナウイルス感染症入院患者等の受入実績別）

		新型コロナウイルス感染症の入院患者（含む疑似症患者）の受け入れ実績あり					
		院内感染（クラスターの発生を含む）有り		院内感染（クラスターの発生を含む）無し		全体	
		令和元年度	令和2年度	令和元年度	令和2年度	令和元年度	令和2年度
病院数		13	15	22	22	35	36
収益性							
医業利益率	（%）	−0.8	−7.8	−2.0	−3.8	−1.5	−5.1
医業利益率（コロナ関係補助金あり）	（%）	—	2.7	—	1.7	—	1.5
総資本医業利益率	（%）	−0.9	−7.3	−2.1	−3.7	−1.6	−5.1
経常利益率	（%）	−0.2	1.1	−1.1	2.6	−0.8	1.6
償却前医業利益率	（%）	3.9	−2.6	3.1	1.4	3.4	0.1
病床利用率	（%）	84.7	71.1	84.2	78.3	84.4	75.3
固定費比率	（%）	63.7	69.9	69.1	70.1	67.1	69.6
材料費比率	（%）	22.6	22.4	17.7	17.6	19.5	19.8
医薬品比率	（%）	11.0	10.4	7.5	6.9	8.8	8.5
人件費率	（%）	54.6	59.6	60.1	60.5	58.0	59.7
委託費比率	（%）	6.3	6.0	5.9	6.0	6.1	5.9
設備関係費比率	（%）	9.1	10.2	9.0	9.6	9.0	9.9
減価償却費比率	（%）	4.7	5.3	5.1	5.2	4.9	5.2
経費比率	（%）	6.4	6.2	7.5	7.9	7.1	7.2
金利負担率	（%）	0.5	0.7	0.4	0.4	0.4	0.5
資本費比率	（%）	5.2	5.9	5.5	5.6	5.4	5.7
総資本回転率	（%）	128.3	105.2	133.6	103.6	131.6	105.5
固定資産回転率	（%）	203.7	176.2	239.2	206.8	226.0	197.0
常勤医師人件費比率	（%）	11.6	18.9	11.4	12.5	11.5	15.1
非常勤医師人件費比率	（%）	3.4	3.0	3.6	3.5	3.5	3.3
常勤看護師人件費比率	（%）	16.5	14.8	19.0	18.4	18.1	16.8
非常勤看護師人件費比率	（%）	0.8	0.5	0.6	0.6	0.7	0.6
常勤その他人件費比率	（%）	14.1	13.8	16.7	16.6	15.7	15.2
非常勤その他人件費比率	（%）	0.8	0.7	0.7	0.8	0.7	0.7
常勤医師1人当たり人件費	（千円）	16,727	20,966	20,178	19,217	18,896	19,741
常勤看護師1人当たり人件費	（千円）	5,341	4,373	5,497	5,467	5,439	5,053
職員1人当たり人件費	（千円）	7,082	6,940	6,896	6,847	6,965	6,914
1床あたり医業収益	（千円）	25,862	24,852	22,281	21,764	23,611	23,280
安全性							
自己資本比率	（%）	22.8	15.8	36.2	34.4	31.2	27.2
固定長期適合率	（%）	122.1	102.1	48.9	93.1	76.0	97.4
借入金比率	（%）	39.8	50.2	38.1	38.2	38.8	41.5
償還期間	（年）	−11.8	−8.7	−6.1	−28.3	−8.2	−21.1
流動比率	（%）	205.6	209.3	226.0	245.4	218.4	231.2
1床あたり固定資産額	（千円）	17,490	17,435	18,784	18,749	18,303	18,348
償却金利前経常利益率	（%）	0.1	0.1	0.0	0.1	0.0	0.1
機能性							
平均在院日数	（日）	16.7	15.2	28.1	25.3	23.8	20.8
外来／入院比	（倍）	1.3	2.5	1.5	1.4	1.4	1.8
1床あたり1日平均外来患者数	（人）	1.1	0.8	1.2	1.0	1.1	0.9
患者1人1日当たり入院収益	（円）	58,766	84,456	49,725	53,036	53,083	66,566
患者1人1日当たり入院収益（室料差額除く）	（円）	57,487	82,956	48,805	52,168	52,029	65,418
外来患者1人1日当たり外来収益	（円）	17,860	18,667	14,805	15,113	15,940	16,672
医師1人当たり入院患者数	（人）	4.2	3.5	5.7	5.0	5.1	4.3
医師1人当たり外来患者数	（人）	5.4	4.0	8.1	6.2	7.1	5.3
看護師1人当たり入院患者数	（人）	1.0	0.8	1.0	1.2	1.0	1.0
看護師1人当たり外来患者数	（人）	1.3	1.0	1.5	1.6	1.4	1.4
職員1人当たり入院患者数	（人）	0.4	0.3	0.4	0.4	0.4	0.4
職員1人当たり外来患者数	（人）	0.6	0.4	0.7	0.6	0.6	0.5
紹介率	（%）	56.0	60.8	31.6	39.7	40.2	47.8
逆紹介率	（%）	70.7	72.6	63.4	68.2	67.3	70.5

図表Ⅲ-82　自治体・一般病院（新型コロナウイルス感染症入院患者等の受入実績別）

		新型コロナウイルス感染症の入院患者（含む疑似症患者）の受け入れ実績あり					
		院内感染（クラスターの発生を含む）有り		院内感染（クラスターの発生を含む）無し		全体	
		令和元年度	令和2年度	令和元年度	令和2年度	令和元年度	令和2年度
病院数		33	33	58	57	91	90
収益性							
医業利益率	(%)	-8.4	-15.4	-12.0	-18.6	-10.7	-17.4
医業利益率（コロナ関係補助金あり）	(%)	—	-2.0	—	-7.3	—	-5.4
総資本医業利益率	(%)	-6.1	-10.0	-8.0	-12.2	-7.3	-11.4
経常利益率	(%)	-2.0	2.6	-1.2	2.8	-1.5	2.7
償却前医業利益率	(%)	-0.5	-7.3	-3.9	-10.1	-2.7	-9.1
病床利用率	(%)	78.2	67.3	76.1	67.4	76.8	67.4
固定費比率	(%)	65.9	70.9	69.6	74.1	68.3	72.9
材料費比率	(%)	26.1	26.0	24.9	25.9	25.3	26.0
医薬品比率	(%)	15.5	15.3	14.8	15.3	15.1	15.3
人件費率	(%)	55.9	60.2	59.4	63.4	58.1	62.2
委託費比率	(%)	9.4	10.7	9.6	10.6	9.5	10.6
設備関係費比率	(%)	10.1	10.7	10.2	10.7	10.1	10.7
減価償却費比率	(%)	7.9	8.1	8.1	8.5	8.0	8.4
経費比率	(%)	4.2	4.7	5.0	5.1	4.8	4.9
金利負担率	(%)	0.8	0.7	1.0	0.9	0.9	0.8
資本費比率	(%)	8.7	8.8	9.1	9.4	8.9	9.2
総資本回転率	(%)	79.7	71.0	78.9	75.0	79.2	73.5
固定資産回転率	(%)	134.5	130.4	138.4	231.0	137.0	194.1
常勤医師人件費比率	(%)	10.3	12.6	10.8	12.9	10.6	12.8
非常勤医師人件費比率	(%)	2.5	2.5	2.1	2.4	2.2	2.4
常勤看護師人件費比率	(%)	18.5	19.1	18.7	19.1	18.7	19.1
非常勤看護師人件費比率	(%)	1.0	1.3	0.7	0.9	0.8	1.0
常勤その他人件費比率	(%)	9.1	9.2	10.4	10.6	9.9	10.1
非常勤その他人件費比率	(%)	2.2	2.2	2.2	2.3	2.2	2.3
常勤医師1人当たり人件費	(千円)	14,383	14,369	14,524	14,558	14,473	14,489
常勤看護師1人当たり人件費	(千円)	4,906	5,029	4,968	4,811	4,946	4,891
職員1人当たり人件費	(千円)	7,784	8,136	8,071	8,111	7,967	8,120
1床あたり医業収益	(千円)	26,831	25,787	24,800	24,131	25,536	24,739
安全性							
自己資本比率	(%)	25.9	29.3	18.0	17.3	20.9	21.7
固定長期適合率	(%)	89.5	83.0	94.5	93.8	92.7	89.8
借入金比率	(%)	51.8	53.8	73.6	73.3	65.7	66.2
償還期間	(年)	20.0	4.0	10.0	10.7	13.6	8.3
流動比率	(%)	218.9	222.0	182.7	175.1	195.8	192.3
1床あたり固定資産額	(千円)	28,659	28,107	31,125	30,692	30,231	29,744
償却金利前経常利益率	(%)	0.1	0.1	0.1	0.1	0.1	0.1
機能性							
平均在院日数	(日)	13.8	13.6	13.5	13.4	13.7	13.4
外来/入院比	(倍)	1.7	1.8	16.1	15.0	10.9	10.2
1床あたり1日平均外来患者数	(人)	1.2	1.2	1.3	1.2	1.3	1.2
患者1人1日当たり入院収益	(円)	59,655	63,981	72,855	78,171	68,068	72,968
患者1人1日当たり入院収益（室料差額除く）	(円)	58,866	63,220	71,707	77,035	67,050	71,970
外来患者1人1日当たり外来収益	(円)	18,053	18,921	18,910	20,902	18,599	20,175
医師1人当たり入院患者数	(人)	3.7	3.0	3.7	3.2	3.7	3.1
医師1人当たり外来患者数	(人)	6.1	5.4	6.5	5.8	6.3	5.7
看護師1人当たり入院患者数	(人)	0.8	0.7	0.8	0.7	0.8	0.7
看護師1人当たり外来患者数	(人)	1.3	1.2	1.4	1.3	1.4	1.3
職員1人当たり入院患者数	(人)	0.4	0.4	0.4	0.4	0.4	0.4
職員1人当たり外来患者数	(人)	0.7	0.6	0.7	0.7	0.7	0.7
紹介率	(%)	69.7	74.5	69.4	73.3	69.5	73.7
逆紹介率	(%)	81.1	77.8	87.3	84.2	84.8	81.7

図表Ⅲ-83 社会保険関係団体・一般病院（新型コロナウイルス感染症入院患者等の受入実績別）

		新型コロナウイルス感染症の入院患者（含む疑似症患者）の受け入れ実績あり					
		院内感染（クラスターの発生を含む）有り		院内感染（クラスターの発生を含む）無し		全体	
		令和元年度	令和2年度	令和元年度	令和2年度	令和元年度	令和2年度
病院数		3	4	12	11	15	15
収益性							
医業利益率	(%)	-4.6	-8.0	0.5	-3.3	-0.6	-4.5
医業利益率(コロナ関係補助金あり)	(%)	—	3.6	—	6.1	—	5.4
総資本医業利益率	(%)	-3.4	-4.6	0.4	-1.8	-0.3	-2.5
経常利益率	(%)	-1.3	2.5	2.0	4.7	1.3	4.2
償却前医業利益率	(%)	1.9	-2.3	5.8	2.8	5.0	1.4
病床利用率	(%)	77.7	74.1	80.4	74.3	79.8	74.2
固定費比率	(%)	57.6	61.3	59.7	63.7	59.3	63.0
材料費比率	(%)	32.6	32.1	26.7	26.2	27.9	27.7
医薬品比率	(%)	20.0	19.0	15.7	15.2	16.6	16.2
人件費率	(%)	48.3	52.4	50.5	53.0	50.0	52.9
委託費比率	(%)	7.6	8.0	6.8	7.3	7.0	7.5
設備関係費比率	(%)	9.3	8.8	9.2	10.7	9.2	10.2
減価償却費比率	(%)	6.5	5.7	5.3	6.1	5.6	6.0
経費比率	(%)	4.5	4.5	5.6	5.5	5.4	5.3
金利負担率	(%)	0.2	0.1	0.0	0.0	0.1	0.1
資本費比率	(%)	6.7	5.8	5.3	6.1	5.6	6.0
総資本回転率	(%)	66.5	60.9	76.2	72.5	74.2	69.4
固定資産回転率	(%)	78.6	77.9	100.5	95.3	96.1	90.7
常勤医師人件費比率	(%)	12.0	12.1	9.6	10.5	10.1	11.0
非常勤医師人件費比率	(%)	0.7	1.4	1.2	1.0	1.1	1.1
常勤看護師人件費比率	(%)	16.2	17.8	12.1	12.0	12.9	13.5
非常勤看護師人件費比率	(%)	0.7	0.8	0.5	0.3	0.6	0.4
常勤その他人件費比率	(%)	10.4	11.3	14.4	15.8	13.6	14.6
非常勤その他人件費比率	(%)	0.9	1.0	1.9	1.8	1.7	1.6
常勤医師1人当たり人件費	(千円)	11,784	13,132	11,040	10,376	11,199	11,164
常勤看護師1人当たり人件費	(千円)	4,993	5,226	3,326	3,283	3,659	3,801
職員1人当たり人件費	(千円)	7,864	7,918	7,309	7,546	7,420	7,645
1床あたり医業収益	(千円)	29,186	29,883	26,638	26,914	27,147	27,706
安全性							
自己資本比率	(%)	45.5	58.9	75.3	74.3	69.3	70.2
固定長期適合率	(%)	98.8	90.8	86.0	87.5	88.6	88.4
借入金比率	(%)	40.7	33.4	15.0	15.2	20.2	20.0
償還期間	(年)	6.3	4.0	4.0	2.4	4.5	2.8
流動比率	(%)	112.0	166.3	280.9	214.9	247.1	202.0
1床あたり固定資産額	(千円)	38,161	39,031	28,653	30,493	30,554	32,770
償却金利前経常利益率	(%)	0.1	0.1	0.1	0.1	0.1	0.1
機能性							
平均在院日数	(日)	11.6	12.2	14.1	14.1	13.6	13.6
外来/入院比	(倍)	1.7	1.8	1.7	1.7	1.7	1.8
1床あたり1日平均外来患者数	(人)	1.2	1.3	1.3	1.2	1.3	1.2
患者1人1日当たり入院収益	(円)	65,050	69,975	56,755	60,354	58,414	62,919
患者1人1日当たり入院収益(室料差額除く)	(円)	63,558	68,593	55,439	59,092	57,063	61,626
外来患者1人1日当たり外来収益	(円)	20,376	20,293	16,822	17,566	17,533	18,293
医師1人当たり入院患者数	(人)	2.5	2.5	4.6	4.1	4.2	3.7
医師1人当たり外来患者数	(人)	4.2	4.4	7.4	6.7	6.7	6.1
看護師1人当たり入院患者数	(人)	0.8	0.7	0.8	0.7	0.8	0.7
看護師1人当たり外来患者数	(人)	1.4	1.3	1.3	1.2	1.3	1.3
職員1人当たり入院患者数	(人)	0.4	0.4	0.4	0.4	0.4	0.4
職員1人当たり外来患者数	(人)	0.7	0.7	0.7	0.6	0.7	0.7
紹介率	(%)	79.6	76.5	74.3	77.2	75.3	77.0
逆紹介率	(%)	95.2	—	73.4	86.9	77.8	86.9

図表Ⅲ-84　その他公的・一般病院（新型コロナウイルス感染症入院患者等の受入実績別）

		新型コロナウイルス感染症の入院患者(含む疑似症患者)の受け入れ実績あり					
		院内感染(クラスターの発生を含む)有り		院内感染(クラスターの発生を含む)無し		全体	
		令和元年度	令和2年度	令和元年度	令和2年度	令和元年度	令和2年度
病院数		18	18	25	21	43	39
収益性							
医業利益率	(%)	-1.6	-3.7	-0.1	-0.6	-0.7	-2.0
医業利益率(コロナ関係補助金あり)	(%)	—	8.5	—	6.9	—	7.6
総資本医業利益率	(%)	-1.3	-2.9	0.1	0.2	-0.5	-1.2
経常利益率	(%)	-0.2	5.7	1.1	5.7	0.6	5.7
償却前医業利益率	(%)	4.2	2.2	6.0	5.2	5.2	3.8
病床利用率	(%)	79.4	73.4	79.4	74.3	79.4	73.9
固定費比率	(%)	61.2	62.2	61.2	60.8	61.2	61.4
材料費比率	(%)	28.5	29.1	26.2	26.9	27.1	27.9
医薬品比率	(%)	17.6	17.5	16.7	16.8	17.0	17.2
人件費率	(%)	52.1	52.9	52.0	51.7	52.0	52.2
委託費比率	(%)	6.0	6.3	6.4	7.3	6.3	6.9
設備関係費比率	(%)	9.1	9.2	9.2	9.2	9.2	9.2
減価償却費比率	(%)	5.8	5.9	6.1	5.8	6.0	5.8
経費比率	(%)	4.8	4.9	5.4	4.8	5.1	4.8
金利負担率	(%)	0.2	0.2	0.3	0.2	0.2	0.2
資本費比率	(%)	6.0	6.1	6.4	6.0	6.2	6.1
総資本回転率	(%)	94.5	84.5	87.0	83.4	90.1	83.9
固定資産回転率	(%)	144.8	142.7	129.0	129.7	135.6	135.7
常勤医師人件費比率	(%)	10.4	10.9	9.3	10.2	9.7	10.5
非常勤医師人件費比率	(%)	3.0	2.9	3.1	2.9	3.1	2.9
常勤看護師人件費比率	(%)	16.7	17.5	16.6	17.5	16.7	17.5
非常勤看護師人件費比率	(%)	0.9	0.7	0.8	0.9	0.8	0.8
常勤その他人件費比率	(%)	11.6	11.4	10.6	10.7	11.0	11.1
非常勤その他人件費比率	(%)	1.3	1.3	1.6	1.8	1.5	1.6
常勤医師1人当たり人件費	(千円)	12,919	12,715	13,643	13,807	13,340	13,290
常勤看護師1人当たり人件費	(千円)	4,744	4,803	4,575	4,798	4,646	4,800
職員1人当たり人件費	(千円)	7,029	7,049	6,699	6,913	6,837	6,977
1床あたり医業収益	(千円)	27,896	28,448	26,107	26,426	26,856	27,359
安全性							
自己資本比率	(%)	22.5	31.6	2.6	10.3	10.9	20.1
固定長期適合率	(%)	188.0	96.2	104.5	99.2	139.4	97.8
借入金比率	(%)	37.9	36.9	41.7	39.1	40.1	38.1
償還期間	(年)	15.2	-1.4	6.6	6.0	10.2	2.6
流動比率	(%)	232.3	284.9	156.1	171.8	188.0	224.0
1床あたり固定資産額	(千円)	23,246	23,906	22,881	21,728	23,034	22,733
償却金利前経常利益率	(%)	0.1	0.1	0.1	0.1	0.1	0.1
機能性							
平均在院日数	(日)	14.5	13.6	13.4	13.1	13.8	13.3
外来/入院比	(倍)	1.6	1.7	1.7	1.7	1.7	1.7
1床あたり1日平均外来患者数	(人)	1.2	1.2	1.3	1.2	1.3	1.2
患者1人1日当たり入院収益	(円)	61,999	68,095	55,268	60,754	58,086	64,142
患者1人1日当たり入院収益(室料差額除く)	(円)	60,683	66,799	54,248	59,724	56,941	62,990
外来患者1人1日当たり外来収益	(円)	17,806	19,371	16,400	17,871	16,988	18,563
医師1人当たり入院患者数	(人)	3.3	2.7	4.0	3.5	3.7	3.1
医師1人当たり外来患者数	(人)	5.0	4.4	7.1	5.9	6.2	5.2
看護師1人当たり入院患者数	(人)	0.8	0.7	0.8	0.8	0.8	0.7
看護師1人当たり外来患者数	(人)	1.3	1.2	1.5	1.3	1.4	1.2
職員1人当たり入院患者数	(人)	0.4	0.3	0.4	0.4	0.4	0.4
職員1人当たり外来患者数	(人)	0.6	0.6	0.7	0.6	0.7	0.6
紹介率	(%)	78.4	85.6	69.4	75.6	73.1	80.3
逆紹介率	(%)	78.1	81.6	75.9	73.8	76.7	77.7

図表Ⅲ-85　医療法人・一般病院（新型コロナウイルス感染症入院患者等の受入実績別）

		新型コロナウイルス感染症から回復した患者を転院により受け入れた実績あり					
		院内感染（クラスターの発生を含む）有り		院内感染（クラスターの発生を含む）無し		全体	
		令和元年度	令和２年度	令和元年度	令和２年度	令和元年度	令和２年度
病院数		4	2	11	10	14	12
収益性							
医業利益率	（%）	2.7	1.1	-4.9	-4.6	-0.7	-3.7
医業利益率（コロナ関係補助金あり）	（%）	—	1.7	—	-2.6	—	-1.9
総資本医業利益率	（%）	3.1	1.1	-3.2	-6.8	-0.6	-5.5
経常利益率	（%）	3.7	2.2	-1.3	-1.4	0.1	-0.8
償却前医業利益率	（%）	7.0	3.9	-0.2	0.1	3.6	0.7
病床利用率	（%）	90.5	92.9	76.2	79.7	80.3	81.9
固定費比率	（%）	63.8	60.2	72.7	74.5	69.3	72.1
材料費比率	（%）	14.5	20.6	15.8	13.1	14.4	14.3
医薬品比率	（%）	5.1	7.9	5.6	4.5	4.9	5.1
人件費率	（%）	55.8	53.8	62.5	65.7	60.3	63.7
委託費比率	（%）	6.7	7.8	5.4	6.0	5.7	6.3
設備関係費比率	（%）	8.0	6.4	10.1	8.8	8.9	8.4
減価償却費比率	（%）	4.4	2.8	4.8	4.7	4.3	4.4
経費比率	（%）	10.0	8.2	7.3	7.4	7.9	7.5
金利負担率	（%）	0.5	0.2	0.5	0.5	0.5	0.4
資本費比率	（%）	4.8	3.0	5.2	5.2	4.8	4.8
総資本回転率	（%）	103.0	114.1	113.8	116.3	115.7	115.9
固定資産回転率	（%）	149.9	153.9	186.0	175.6	184.5	172.0
常勤医師人件費比率	（%）	7.7	10.0	11.1	11.1	10.0	10.9
非常勤医師人件費比率	（%）	2.3	4.4	5.3	6.5	4.6	6.1
常勤看護師人件費比率	（%）	11.7	15.3	18.5	18.8	16.9	18.2
非常勤看護師人件費比率	（%）	0.0	0.1	0.9	1.0	0.7	0.8
常勤その他人件費比率	（%）	12.6	16.5	18.3	19.4	16.0	18.9
非常勤その他人件費比率	（%）	0.1	0.3	0.8	1.2	0.6	1.0
常勤医師１人当たり人件費	（千円）	17,456	20,477	19,866	18,879	19,246	19,170
常勤看護師１人当たり人件費	（千円）	3,949	5,073	5,672	5,622	5,250	5,530
職員１人当たり人件費	（千円）	6,251	6,325	6,714	6,318	6,604	6,320
１床あたり医業収益	（千円）	20,744	24,104	20,055	17,493	19,954	18,595
安全性							
自己資本比率	（%）	39.6	41.0	29.6	33.3	35.5	34.6
固定長期適合率	（%）	165.6	189.9	21.9	86.4	126.5	103.7
借入金比率	（%）	35.9	14.0	29.0	31.6	33.0	28.7
償還期間	（年）	5.0	5.0	6.5	7.2	6.5	6.9
流動比率	（%）	207.6	145.3	147.4	234.4	173.2	219.5
１床あたり固定資産額	（千円）	15,004	15,574	15,933	13,376	14,072	13,742
償却金利前経常利益率	（%）	0.1	0.1	0.0	0.0	0.0	0.0
機能性							
平均在院日数	（日）	32.4	29.4	38.5	28.9	38.3	29.0
外来／入院比	（倍）	1.0	1.1	2.6	2.2	2.2	2.0
１床あたり１日平均外来患者数	（人）	0.9	1.0	1.8	1.3	1.6	1.3
患者１人１日当たり入院収益	（円）	44,803	55,497	47,071	43,788	46,143	45,740
患者１人１日当たり入院収益（室料差額除く）	（円）	43,524	54,496	45,858	42,925	44,924	44,853
外来患者１人１日当たり外来収益	（円）	11,765	12,757	9,897	9,713	9,791	10,220
医師１人当たり入院患者数	（人）	7.1	6.5	5.3	5.2	6.0	5.4
医師１人当たり外来患者数	（人）	6.9	6.3	11.2	8.8	10.4	8.4
看護師１人当たり入院患者数	（人）	1.3	1.3	1.0	1.2	1.1	1.2
看護師１人当たり外来患者数	（人）	1.3	1.3	2.5	2.0	2.2	1.9
職員１人当たり入院患者数	（人）	0.5	0.5	0.4	0.5	0.5	0.5
職員１人当たり外来患者数	（人）	0.5	0.5	1.0	0.8	0.9	0.8
紹介率	（%）	83.5	78.7	27.0	25.8	39.6	34.6
逆紹介率	（%）	65.9	62.1	25.5	35.5	40.7	44.4

図表Ⅲ-86　自治体・一般病院（新型コロナウイルス感染症入院患者等の受入実績別）

		新型コロナウイルス感染症から回復した患者を転院により受け入れた実績あり					
		院内感染（クラスターの発生を含む）有り		院内感染（クラスターの発生を含む）無し		全体	
		令和元年度	令和2年度	令和元年度	令和2年度	令和元年度	令和2年度
病院数		0	0	2	3	2	3
収益性							
医業利益率	(%)			-6.6	-23.0	-6.6	-23.0
医業利益率（コロナ関係補助金あり）	(%)			—	-11.1	—	-11.1
総資本医業利益率	(%)			-4.7	-22.1	-4.7	-22.1
経常利益率	(%)			1.3	1.3	1.3	1.3
償却前医業利益率	(%)			-0.3	-14.8	-0.3	-14.8
病床利用率	(%)			79.7	64.0	79.7	64.0
固定費比率	(%)			66.8	81.6	66.8	81.6
材料費比率	(%)			22.5	22.3	22.5	22.3
医薬品比率	(%)			12.9	11.5	12.9	11.5
人件費率	(%)			58.6	70.9	58.6	70.9
委託費比率	(%)			10.0	11.8	10.0	11.8
設備関係費比率	(%)			8.3	10.7	8.3	10.7
減価償却費比率	(%)			6.3	8.2	6.3	8.2
経費比率	(%)			4.6	5.1	4.6	5.1
金利負担率	(%)			1.6	1.8	1.6	1.8
資本費比率	(%)			7.9	10.1	7.9	10.1
総資本回転率	(%)			70.9	80.8	70.9	80.8
固定資産回転率	(%)			120.3	126.3	120.3	126.3
常勤医師人件費比率	(%)			7.7	10.3	7.7	10.3
非常勤医師人件費比率	(%)			2.4	2.8	2.4	2.8
常勤看護師人件費比率	(%)			15.1	20.9	15.1	20.9
非常勤看護師人件費比率	(%)			1.6	1.9	1.6	1.9
常勤その他人件費比率	(%)			19.6	18.5	19.6	18.5
非常勤その他人件費比率	(%)			1.4	2.6	1.4	2.6
常勤医師1人当たり人件費	(千円)			9,720	13,313	9,720	13,313
常勤看護師1人当たり人件費	(千円)			4,378	4,986	4,378	4,986
職員1人当たり人件費	(千円)			7,671	8,270	7,671	8,270
1床あたり医業収益	(千円)			27,790	22,121	27,790	22,121
安全性							
自己資本比率	(%)			34.6	-2.4	34.6	-2.4
固定長期適合率	(%)			75.1	88.8	75.1	88.8
借入金比率	(%)			29.3	59.7	29.3	59.7
償還期間	(年)			3.8	6.0	3.8	6.0
流動比率	(%)			327.0	253.8	327.0	253.8
1床あたり固定資産額	(千円)			23,180	18,420	23,180	18,420
償却金利前経常利益率	(%)			0.1	0.1	0.1	0.1
機能性							
平均在院日数	(日)			18.7	17.0	18.7	17.0
外来/入院比	(倍)			1.4	1.9	1.4	1.9
1床あたり1日平均外来患者数	(人)			1.1	1.2	1.1	1.2
患者1人1日当たり入院収益	(円)			59,717	57,450	59,717	57,450
患者1人1日当たり入院収益（室料差額除く）	(円)			59,023	56,693	59,023	56,693
外来患者1人1日当たり外来収益	(円)			19,894	16,492	19,894	16,492
医師1人当たり入院患者数	(人)			3.9	3.4	3.9	3.4
医師1人当たり外来患者数	(人)			5.4	6.6	5.4	6.6
看護師1人当たり入院患者数	(人)			0.9	0.8	0.9	0.8
看護師1人当たり外来患者数	(人)			1.3	1.5	1.3	1.5
職員1人当たり入院患者数	(人)			0.4	0.4	0.4	0.4
職員1人当たり外来患者数	(人)			0.6	0.7	0.6	0.7
紹介率	(%)			63.7	56.5	63.7	56.5
逆紹介率	(%)			—	55.2	—	55.2

図表Ⅲ-87　社会保険関係団体・一般病院（新型コロナウイルス感染症入院患者等の受入実績別）

		新型コロナウイルス感染症から回復した患者を転院により受け入れた実績あり					
		院内感染(クラスターの発生を含む)有り		院内感染(クラスターの発生を含む)無し		全体	
		令和元年度	令和2年度	令和元年度	令和2年度	令和元年度	令和2年度
病院数		0	0	0	0	0	0
収益性							
医業利益率	(%)						
医業利益率(コロナ関係補助金あり)	(%)						
総資本医業利益率	(%)						
経常利益率	(%)						
償却前医業利益率	(%)						
病床利用率	(%)						
固定費比率	(%)						
材料費比率	(%)						
医薬品比率	(%)						
人件費率	(%)						
委託費比率	(%)						
設備関係費比率	(%)						
減価償却費比率	(%)						
経費比率	(%)						
金利負担率	(%)						
資本費比率	(%)						
総資本回転率	(%)						
固定資産回転率	(%)						
常勤医師人件費比率	(%)						
非常勤医師人件費比率	(%)						
常勤看護師人件費比率	(%)						
非常勤看護師人件費比率	(%)						
常勤その他人件費比率	(%)						
非常勤その他人件費比率	(%)						
常勤医師1人当たり人件費	(千円)						
常勤看護師1人当たり人件費	(千円)						
職員1人当たり人件費	(千円)						
1床あたり医業収益	(千円)						
安全性							
自己資本比率	(%)						
固定長期適合率	(%)						
借入金比率	(%)						
償還期間	(年)						
流動比率	(%)						
1床あたり固定資産額	(千円)						
償却金利前経常利益率	(%)						
機能性							
平均在院日数	(日)						
外来/入院比	(倍)						
1床あたり1日平均外来患者数	(人)						
患者1人1日当たり入院収益	(円)						
患者1人1日当たり入院収益(室料差額除く)	(円)						
外来患者1人1日当たり外来収益	(円)						
医師1人当たり入院患者数	(人)						
医師1人当たり外来患者数	(人)						
看護師1人当たり入院患者数	(人)						
看護師1人当たり外来患者数	(人)						
職員1人当たり入院患者数	(人)						
職員1人当たり外来患者数	(人)						
紹介率	(%)						
逆紹介率	(%)						

図表Ⅲ-88　その他公的・一般病院（新型コロナウイルス感染症入院患者等の受入実績別）

		新型コロナウイルス感染症から回復した患者を転院により受け入れた実績あり					
		院内感染（クラスターの発生を含む）有り		院内感染（クラスターの発生を含む）無し		全体	
		令和元年度	令和2年度	令和元年度	令和2年度	令和元年度	令和2年度
病院数		0	0	4	4	4	4
収益性							
医業利益率	(%)			0.8	-0.5	0.8	-0.5
医業利益率（コロナ関係補助金あり）	(%)			—	2.2	—	2.2
総資本医業利益率	(%)			0.3	-1.3	0.3	-1.3
経常利益率	(%)			1.3	3.7	1.3	3.7
償却前医業利益率	(%)			6.4	5.1	6.4	5.1
病床利用率	(%)			83.6	78.6	83.6	78.6
固定費比率	(%)			63.7	65.4	63.7	65.4
材料費比率	(%)			22.1	22.4	22.1	22.4
医薬品比率	(%)			13.9	14.1	13.9	14.1
人件費率	(%)			55.1	56.3	55.1	56.3
委託費比率	(%)			5.4	6.0	5.4	6.0
設備関係費比率	(%)			8.6	9.1	8.6	9.1
減価償却費比率	(%)			5.6	5.5	5.6	5.5
経費比率	(%)			5.1	4.5	5.1	4.5
金利負担率	(%)			0.5	0.5	0.5	0.5
資本費比率	(%)			6.2	6.0	6.2	6.0
総資本回転率	(%)			94.5	88.9	94.5	88.9
固定資産回転率	(%)			135.6	136.4	135.6	136.4
常勤医師人件費比率	(%)			8.9	8.8	8.9	8.8
非常勤医師人件費比率	(%)			3.9	4.1	3.9	4.1
常勤看護師人件費比率	(%)			18.6	19.4	18.6	19.4
非常勤看護師人件費比率	(%)			0.8	0.8	0.8	0.8
常勤その他人件費比率	(%)			12.8	13.1	12.8	13.1
非常勤その他人件費比率	(%)			1.7	1.8	1.7	1.8
常勤医師1人当たり人件費	(千円)			12,074	13,975	12,074	13,975
常勤看護師1人当たり人件費	(千円)			4,019	4,079	4,019	4,079
職員1人当たり人件費	(千円)			5,746	5,721	5,746	5,721
1床あたり医業収益	(千円)			22,908	21,827	22,908	21,827
安全性							
自己資本比率	(%)			-78.2	-75.8	-78.2	-75.8
固定長期適合率	(%)			55.1	50.7	55.1	50.7
借入金比率	(%)			45.2	46.3	45.2	46.3
償還期間	(年)			9.2	14.1	9.2	14.1
流動比率	(%)			162.0	168.8	162.0	168.8
1床あたり固定資産額	(千円)			16,294	15,981	16,294	15,981
償却金利前経常利益率	(%)			0.1	0.1	0.1	0.1
機能性							
平均在院日数	(日)			20.9	20.6	20.9	20.6
外来/入院比	(倍)			1.6	1.6	1.6	1.6
1床あたり1日平均外来患者数	(人)			1.2	1.1	1.2	1.1
患者1人1日当たり入院収益	(円)			52,449	55,117	52,449	55,117
患者1人1日当たり入院収益（室料差額除く）	(円)			51,592	54,253	51,592	54,253
外来患者1人1日当たり外来収益	(円)			12,906	13,727	12,906	13,727
医師1人当たり入院患者数	(人)			5.0	5.0	5.0	5.0
医師1人当たり外来患者数	(人)			7.2	7.4	7.2	7.4
看護師1人当たり入院患者数	(人)			0.9	0.8	0.9	0.8
看護師1人当たり外来患者数	(人)			1.3	1.3	1.3	1.3
職員1人当たり入院患者数	(人)			0.4	0.4	0.4	0.4
職員1人当たり外来患者数	(人)			0.7	0.6	0.7	0.6
紹介率	(%)			48.3	52.9	48.3	52.9
逆紹介率	(%)			67.7	62.0	67.7	62.0

図表Ⅲ-89　医療法人・一般病院（新型コロナウイルス感染症入院患者等の受入実績別）

		新型コロナウイルス感染症患者の対応をしている医療機関から，新型コロナウイルス感染症ではない患者を転院により受け入れた実績あり					
		院内感染（クラスターの発生を含む）有り		院内感染（クラスターの発生を含む）無し		全体	
		令和元年度	令和2年度	令和元年度	令和2年度	令和元年度	令和2年度
病院数		4	2	13	15	17	17
収益性							
医業利益率	（%）	-0.8	-0.1	-0.1	-0.8	-0.3	-0.7
医業利益率（コロナ関係補助金あり）	（%）	—	1.1	—	1.1	—	—
総資本医業利益率	（%）	-0.1	0.1	0.3	-0.7	0.2	-0.6
経常利益率	（%）	1.1	2.7	1.0	1.7	1.0	1.8
償却前医業利益率	（%）	3.3	3.7	3.9	3.8	3.7	3.8
病床利用率	（%）	80.6	77.3	83.5	82.4	82.8	81.7
固定費比率	（%）	64.6	63.2	63.7	65.4	63.9	65.2
材料費比率	（%）	17.0	22.5	21.0	19.9	20.0	20.2
医薬品比率	（%）	6.3	7.8	11.5	10.7	10.3	10.4
人件費率	（%）	55.6	54.8	55.2	56.2	55.3	56.0
委託費比率	（%）	7.2	7.3	4.3	5.1	5.0	5.4
設備関係費比率	（%）	9.0	8.4	8.4	9.2	8.6	9.1
減価償却費比率	（%）	4.1	3.8	4.0	4.6	4.0	4.5
経費比率	（%）	8.9	4.7	8.5	7.2	8.6	6.9
金利負担率	（%）	0.6	0.2	0.4	0.3	0.4	0.3
資本費比率	（%）	4.7	4.0	4.4	4.9	4.5	4.8
総資本回転率	（%）	82.6	105.2	127.5	107.3	116.9	107.0
固定資産回転率	（%）	111.0	149.7	238.3	194.4	208.4	189.1
常勤医師人件費比率	（%）	7.5	10.0	9.9	10.6	9.4	10.5
非常勤医師人件費比率	（%）	1.6	3.4	2.5	3.5	2.3	3.5
常勤看護師人件費比率	（%）	12.7	17.0	14.9	15.4	14.4	15.6
非常勤看護師人件費比率	（%）	0.1	0.3	0.5	0.8	0.4	0.8
常勤その他人件費比率	（%）	26.4	14.5	15.0	17.8	17.7	17.4
非常勤その他人件費比率	（%）	0.1	0.1	0.3	0.5	0.2	0.5
常勤医師1人当たり人件費	（千円）	15,830	14,931	18,548	19,308	17,909	18,761
常勤看護師1人当たり人件費	（千円）	4,229	5,338	5,055	4,925	4,861	4,977
職員1人当たり人件費	（千円）	6,595	6,618	6,851	7,030	6,787	6,982
1床あたり医業収益	（千円）	16,768	21,176	23,691	23,344	22,062	23,089
安全性							
自己資本比率	（%）	25.3	43.5	42.9	39.4	38.8	39.8
固定長期適合率	（%）	208.8	184.5	69.7	73.3	102.5	86.3
借入金比率	（%）	38.5	11.6	36.8	41.2	37.2	37.7
償還期間	（年）	-2.7	2.2	3.9	-6.2	2.3	-5.2
流動比率	（%）	151.6	200.4	421.3	339.5	357.8	323.1
1床あたり固定資産額	（千円）	15,106	13,427	12,254	13,558	12,925	13,543
償却金利前経常利益率	（%）	0.1	0.1	0.1	0.1	0.1	0.1
機能性							
平均在院日数	（日）	66.9	22.3	35.6	26.4	42.9	25.9
外来/入院比	（倍）	0.8	1.1	1.9	1.9	1.6	1.8
1床あたり1日平均外来患者数	（人）	0.6	0.8	1.5	1.5	1.3	1.4
患者1人1日当たり入院収益	（円）	43,084	55,769	48,958	53,123	47,576	53,434
患者1人1日当たり入院収益（室料差額除く）	（円）	41,829	54,683	48,033	52,127	46,573	52,427
外来患者1人1日当たり外来収益	（円）	11,820	12,205	120,445	12,545	94,886	12,505
医師1人当たり入院患者数	（人）	8.8	5.2	5.9	5.2	6.6	5.2
医師1人当たり外来患者数	（人）	5.1	5.1	10.1	9.0	8.9	8.5
看護師1人当たり入院患者数	（人）	1.5	1.1	1.2	1.4	1.2	1.3
看護師1人当たり外来患者数	（人）	1.0	1.1	2.1	2.4	1.8	2.3
職員1人当たり入院患者数	（人）	0.6	0.5	0.5	0.5	0.5	0.5
職員1人当たり外来患者数	（人）	0.4	0.5	0.9	0.8	0.8	0.8
紹介率	（%）	44.7	59.0	25.4	32.1	29.6	35.5
逆紹介率	（%）	54.0	41.5	49.7	49.8	52.2	47.7

図表Ⅲ-90　自治体・一般病院（新型コロナウイルス感染症入院患者等の受入実績別）

		新型コロナウイルス感染症患者の対応をしている医療機関から，新型コロナウイルス感染症ではない患者を転院により受け入れた実績あり					
		院内感染（クラスターの発生を含む）有り		院内感染（クラスターの発生を含む）無し		全体	
		令和元年度	令和2年度	令和元年度	令和2年度	令和元年度	令和2年度
病院数		0	0	3	1	3	1
収益性							
医業利益率	(%)			-7.0		-7.0	
医業利益率（コロナ関係補助金あり）	(%)			—		—	
総資本医業利益率	(%)			-3.9		-3.9	
経常利益率	(%)			0.5		0.5	
償却前医業利益率	(%)			-0.1		-0.1	
病床利用率	(%)			84.1		84.1	
固定費比率	(%)			68.9		68.9	
材料費比率	(%)			19.0		19.0	
医薬品比率	(%)			11.2		11.2	
人件費率	(%)			59.5		59.5	
委託費比率	(%)			10.7		10.7	
設備関係費比率	(%)			9.4		9.4	
減価償却費比率	(%)			6.9		6.9	
経費比率	(%)			5.2		5.2	
金利負担率	(%)			1.8		1.8	
資本費比率	(%)			8.7		8.7	
総資本回転率	(%)			59.9		59.9	
固定資産回転率	(%)			101.3		101.3	
常勤医師人件費比率	(%)			10.1		10.1	
非常勤医師人件費比率	(%)			0.9		0.9	
常勤看護師人件費比率	(%)			20.4		20.4	
非常勤看護師人件費比率	(%)			0.2		0.2	
常勤その他人件費比率	(%)			11.7		11.7	
非常勤その他人件費比率	(%)			0.6		0.6	
常勤医師1人当たり人件費	(千円)			15,845		15,845	
常勤看護師1人当たり人件費	(千円)			4,559		4,559	
職員1人当たり人件費	(千円)			7,166		7,166	
1床あたり医業収益	(千円)			20,060		20,060	
安全性							
自己資本比率	(%)			32.1		32.1	
固定長期適合率	(%)			79.6		79.6	
借入金比率	(%)			68.6		68.6	
償還期間	(年)			7.1		7.1	
流動比率	(%)			347.7		347.7	
1床あたり固定資産額	(千円)			19,388		19,388	
償却金利前経常利益率	(%)			0.1		0.1	
機能性							
平均在院日数	(日)			19.0		19.0	
外来／入院比	(倍)			1.6		1.6	
1床あたり1日平均外来患者数	(人)			1.0		1.0	
患者1人1日当たり入院収益	(円)			48,486		48,486	
患者1人1日当たり入院収益（室料差額除く）	(円)			47,856		47,856	
外来患者1人1日当たり外来収益	(円)			13,977		13,977	
医師1人当たり入院患者数	(人)			5.2		5.2	
医師1人当たり外来患者数	(人)			9.1		9.1	
看護師1人当たり入院患者数	(人)			0.8		0.8	
看護師1人当たり外来患者数	(人)			1.4		1.4	
職員1人当たり入院患者数	(人)			0.5		0.5	
職員1人当たり外来患者数	(人)			0.8		0.8	
紹介率	(%)			52.3		52.3	
逆紹介率	(%)			—		—	

図表Ⅲ-91　社会保険関係団体・一般病院（新型コロナウイルス感染症入院患者等の受入実績別）

		新型コロナウイルス感染症患者の対応をしている医療機関から，新型コロナウイルス感染症ではない患者を転院により受け入れた実績あり					
		院内感染（クラスターの発生を含む）有り		院内感染（クラスターの発生を含む）無し		全体	
		令和元年度	令和2年度	令和元年度	令和2年度	令和元年度	令和2年度
病院数		0	0	0	0	0	0
収益性							
医業利益率	（%）						
医業利益率（コロナ関係補助金あり）	（%）						
総資本医業利益率	（%）						
経常利益率	（%）						
償却前医業利益率	（%）						
病床利用率	（%）						
固定費比率	（%）						
材料費比率	（%）						
医薬品比率	（%）						
人件費率	（%）						
委託費比率	（%）						
設備関係費比率	（%）						
減価償却費比率	（%）						
経費比率	（%）						
金利負担率	（%）						
資本費比率	（%）						
総資本回転率	（%）						
固定資産回転率	（%）						
常勤医師人件費比率	（%）						
非常勤医師人件費比率	（%）						
常勤看護師人件費比率	（%）						
非常勤看護師人件費比率	（%）						
常勤その他人件費比率	（%）						
非常勤その他人件費比率	（%）						
常勤医師1人当たり人件費	（千円）						
常勤看護師1人当たり人件費	（千円）						
職員1人当たり人件費	（千円）						
1床あたり医業収益	（千円）						
安全性							
自己資本比率	（%）						
固定長期適合率	（%）						
借入金比率	（%）						
償還期間	（年）						
流動比率	（%）						
1床あたり固定資産額	（千円）						
償却金利前経常利益率	（%）						
機能性							
平均在院日数	（日）						
外来／入院比	（倍）						
1床あたり1日平均外来患者数	（人）						
患者1人1日当たり入院収益	（円）						
患者1人1日当たり入院収益（室料差額除く）	（円）						
外来患者1人1日当たり外来収益	（円）						
医師1人当たり入院患者数	（人）						
医師1人当たり外来患者数	（人）						
看護師1人当たり入院患者数	（人）						
看護師1人当たり外来患者数	（人）						
職員1人当たり入院患者数	（人）						
職員1人当たり外来患者数	（人）						
紹介率	（%）						
逆紹介率	（%）						

図表Ⅲ-92　その他公的・一般病院（新型コロナウイルス感染症入院患者等の受入実績別）

		新型コロナウイルス感染症患者の対応をしている医療機関から，新型コロナウイルス感染症ではない患者を転院により受け入れた実績あり					
		院内感染（クラスターの発生を含む）有り		院内感染（クラスターの発生を含む）無し		全体	
		令和元年度	令和２年度	令和元年度	令和２年度	令和元年度	令和２年度
病院数		0	0	3	3	3	3
収益性							
医業利益率	（%）			-5.3	-7.1	-5.3	-7.1
医業利益率（コロナ関係補助金あり）	（%）			—	0.9	—	0.9
総資本医業利益率	（%）			-6.5	-8.0	-6.5	-8.0
経常利益率	（%）			-4.1	2.8	-4.1	2.8
償却前医業利益率	（%）			-0.3	-2.0	-0.3	-2.0
病床利用率	（%）			82.6	78.6	82.6	78.6
固定費比率	（%）			66.9	69.2	66.9	69.2
材料費比率	（%）			25.3	24.7	25.3	24.7
医薬品比率	（%）			17.3	16.3	17.3	16.3
人件費率	（%）			58.1	60.1	58.1	60.1
委託費比率	（%）			5.4	6.0	5.4	6.0
設備関係費比率	（%）			8.8	9.1	8.8	9.1
減価償却費比率	（%）			5.0	5.1	5.0	5.1
経費比率	（%）			5.0	4.6	5.0	4.6
金利負担率	（%）			0.5	0.5	0.5	0.5
資本費比率	（%）			5.5	5.6	5.5	5.6
総資本回転率	（%）			115.0	108.0	115.0	108.0
固定資産回転率	（%）			154.5	160.2	154.5	160.2
常勤医師人件費比率	（%）			8.8	8.9	8.8	8.9
非常勤医師人件費比率	（%）			4.8	4.8	4.8	4.8
常勤看護師人件費比率	（%）			19.9	20.8	19.9	20.8
非常勤看護師人件費比率	（%）			0.3	0.3	0.3	0.3
常勤その他人件費比率	（%）			13.3	13.9	13.3	13.9
非常勤その他人件費比率	（%）			1.9	2.1	1.9	2.1
常勤医師1人当たり人件費	（千円）			20,990	23,521	20,990	23,521
常勤看護師1人当たり人件費	（千円）			6,426	6,720	6,426	6,720
職員1人当たり人件費	（千円）			8,646	8,764	8,646	8,764
1床あたり医業収益	（千円）			27,617	27,103	27,617	27,103
安全性							
自己資本比率	（%）			-146.8	-142.9	-146.8	-142.9
固定長期適合率	（%）			651.5	163.2	651.5	163.2
借入金比率	（%）			29.6	37.1	29.6	37.1
償還期間	（年）			6.3	16.5	6.3	16.5
流動比率	（%）			42.3	59.7	42.3	59.7
1床あたり固定資産額	（千円）			17,858	16,768	17,858	16,768
償却金利前経常利益率	（%）			0.0	0.1	0.0	0.1
機能性							
平均在院日数	（日）			19.3	18.0	19.3	18.0
外来／入院比	（倍）			1.8	1.8	1.8	1.8
1床あたり1日平均外来患者数	（人）			1.3	1.2	1.3	1.2
患者1人1日当たり入院収益	（円）			61,701	65,671	61,701	65,671
患者1人1日当たり入院収益（室料差額除く）	（円）			60,650	64,684	60,650	64,684
外来患者1人1日当たり外来収益	（円）			19,198	20,614	19,198	20,614
医師1人当たり入院患者数	（人）			5.2	5.1	5.2	5.1
医師1人当たり外来患者数	（人）			9.4	9.2	9.4	9.2
看護師1人当たり入院患者数	（人）			0.9	0.8	0.9	0.8
看護師1人当たり外来患者数	（人）			1.6	1.5	1.6	1.5
職員1人当たり入院患者数	（人）			0.4	0.4	0.4	0.4
職員1人当たり外来患者数	（人）			0.7	0.7	0.7	0.7
紹介率	（%）			26.0	28.0	26.0	28.0
逆紹介率	（%）			55.9	62.0	55.9	62.0

図表Ⅲ-93　医療法人・一般病院（新型コロナウイルス感染症入院患者等の受入実績別）

		それ以外					
		院内感染（クラスターの発生を含む）有り		院内感染（クラスターの発生を含む）無し		全体	
		令和元年度	令和２年度	令和元年度	令和２年度	令和元年度	令和２年度
病院数		2	1	24	20	26	21
収益性							
医業利益率	（%）	-4.4		-0.9	-1.0	-1.2	-0.7
医業利益率（コロナ関係補助金あり）	（%）	—		—	0.2	—	0.5
総資本医業利益率	（%）	-9.2		-0.7	-1.6	-1.4	-1.2
経常利益率	（%）	-4.2		1.2	0.9	0.8	1.1
償却前医業利益率	（%）	-3.2		3.4	3.3	2.9	3.5
病床利用率	（%）	83.7		71.2	68.3	72.1	69.1
固定費比率	（%）	71.9		63.8	63.3	64.4	63.1
材料費比率	（%）	13.4		17.8	17.5	17.4	17.6
医薬品比率	（%）	7.4		8.7	7.6	8.6	7.8
人件費率	（%）	62.1		55.3	53.5	55.9	53.3
委託費比率	（%）	9.7		5.0	5.0	5.4	5.1
設備関係費比率	（%）	9.7		8.4	9.8	8.5	9.7
減価償却費比率	（%）	1.2		4.3	4.4	4.1	4.2
経費比率	（%）	5.1		9.2	10.7	8.9	10.4
金利負担率	（%）	0.4		0.6	0.5	0.6	0.5
資本費比率	（%）	1.6		4.9	4.9	4.6	4.7
総資本回転率	（%）	168.5		91.6	89.8	97.5	91.6
固定資産回転率	（%）	264.3		165.0	183.3	172.6	187.3
常勤医師人件費比率	（%）	8.0		9.9	8.0	9.7	8.0
非常勤医師人件費比率	（%）	2.9		3.3	3.6	3.2	3.7
常勤看護師人件費比率	（%）	17.6		15.4	15.2	15.5	15.1
非常勤看護師人件費比率	（%）	1.0		0.2	0.2	0.2	0.3
常勤その他人件費比率	（%）	24.0		13.9	17.1	14.6	17.1
非常勤その他人件費比率	（%）	0.2		0.5	0.4	0.5	0.4
常勤医師１人当たり人件費	（千円）	21,102		17,395	16,874	17,704	17,084
常勤看護師１人当たり人件費	（千円）	5,398		5,336	5,707	5,340	5,677
職員１人当たり人件費	（千円）	6,621		6,597	6,548	6,599	6,587
1床あたり医業収益	（千円）	19,009		22,040	21,227	21,807	21,479
安全性							
自己資本比率	（%）	-124.5		36.7	30.8	24.3	33.2
固定長期適合率	（%）	367.6		85.0	67.5	106.7	67.0
借入金比率	（%）	85.2		46.0	54.5	49.0	52.0
償還期間	（年）	-12.3		2.4	11.1	1.3	10.6
流動比率	（%）	229.8		436.8	616.7	420.9	603.8
1床あたり固定資産額	（千円）	7,444		17,070	15,416	16,330	15,156
償却金利前経常利益率	（%）	-0.0		0.0	0.1	0.0	0.1
機能性							
平均在院日数	（日）	32.8		19.9	20.2	20.9	19.5
外来／入院比	（倍）	1.7		3.2	3.4	3.1	3.3
1床あたり１日平均外来患者数	（人）	1.4		1.8	1.7	1.8	1.7
患者１人１日当たり入院収益	（円）	38,038		48,543	47,827	47,735	47,939
患者１人１日当たり入院収益（室料差額除く）	（円）	36,795		47,808	46,311	46,961	46,371
外来患者１人１日当たり外来収益	（円）	8,885		69,280	11,675	64,634	11,770
医師１人当たり入院患者数	（人）	7.4		5.6	4.7	5.7	4.8
医師１人当たり外来患者数	（人）	11.3		12.7	11.7	12.6	11.8
看護師１人当たり入院患者数	（人）	1.2		1.0	0.9	1.0	0.9
看護師１人当たり外来患者数	（人）	2.0		2.3	2.4	2.3	2.4
職員１人当たり入院患者数	（人）	0.5		0.4	0.4	0.5	0.4
職員１人当たり外来患者数	（人）	0.8		1.0	1.0	1.0	1.0
紹介率	（%）	29.5		24.9	17.3	25.4	17.5
逆紹介率	（%）	—		56.7	59.1	56.7	59.1

図表Ⅲ-94　自治体・一般病院（新型コロナウイルス感染症入院患者等の受入実績別）

		それ以外					
		院内感染（クラスターの発生を含む）有り		院内感染（クラスターの発生を含む）無し		全体	
		令和元年度	令和2年度	令和元年度	令和2年度	令和元年度	令和2年度
病院数		1	1	2	2	3	3
収益性							
医業利益率	(%)			-27.0	-32.8	-24.8	-29.5
医業利益率（コロナ関係補助金あり）	(%)			—	-30.5	—	-27.0
総資本医業利益率	(%)			-14.7	-13.8	-13.6	-13.5
経常利益率	(%)			-3.5	-2.4	-2.1	-1.6
償却前医業利益率	(%)			-20.7	-27.3	-16.7	-22.6
病床利用率	(%)			60.6	68.1	68.0	70.8
固定費比率	(%)			80.3	86.5	81.0	83.8
材料費比率	(%)			27.7	27.0	22.9	23.1
医薬品比率	(%)			20.0	18.8	15.9	15.6
人件費率	(%)			71.8	79.1	70.5	74.8
委託費比率	(%)			9.5	10.3	11.4	13.5
設備関係費比率	(%)			8.6	7.3	10.5	9.0
減価償却費比率	(%)			6.3	5.5	8.1	6.9
経費比率	(%)			6.2	5.0	7.2	6.3
金利負担率	(%)			1.0	1.1	0.7	0.7
資本費比率	(%)			7.3	6.5	8.9	7.6
総資本回転率	(%)			57.8	45.3	57.2	49.1
固定資産回転率	(%)			66.2	52.8	64.6	56.4
常勤医師人件費比率	(%)			13.1	12.4	10.9	10.0
非常勤医師人件費比率	(%)			0.0	0.0	1.9	0.4
常勤看護師人件費比率	(%)			13.2	15.2	16.4	17.7
非常勤看護師人件費比率	(%)			0.0	0.0	1.1	1.8
常勤その他人件費比率	(%)			8.9	10.5	11.7	12.8
非常勤その他人件費比率	(%)			0.0	0.0	0.7	1.3
常勤医師1人当たり人件費	(千円)			12,849	13,160	14,652	13,740
常勤看護師1人当たり人件費	(千円)			3,432	3,390	3,840	3,788
職員1人当たり人件費	(千円)			7,014	6,829	6,518	6,252
1床あたり医業収益	(千円)			25,084	22,908	22,417	20,939
安全性							
自己資本比率	(%)			25.2	15.5	22.5	16.4
固定長期適合率	(%)			127.5	130.1	120.0	119.8
借入金比率	(%)			66.8	137.2	74.4	122.3
償還期間	(年)			19.5	42.6	15.4	31.6
流動比率	(%)			47.6	30.7	54.0	56.3
1床あたり固定資産額	(千円)			57,606	83,979	47,685	64,891
償却金利前経常利益率	(%)			0.0	0.0	0.1	0.1
機能性							
平均在院日数	(日)			12.6	15.1	18.6	21.0
外来/入院比	(倍)			2.5	1.9	2.4	2.0
1床あたり1日平均外来患者数	(人)			1.5	1.2	1.6	1.3
患者1人1日当たり入院収益	(円)			48,661	50,317	42,162	43,870
患者1人1日当たり入院収益（室料差額除く）	(円)			47,845	49,291	41,414	42,990
外来患者1人1日当たり外来収益	(円)			25,819	27,778	20,565	22,110
医師1人当たり入院患者数	(人)			2.5	2.6	3.7	3.6
医師1人当たり外来患者数	(人)			6.7	5.3	8.8	7.6
看護師1人当たり入院患者数	(人)			0.7	0.6	0.8	0.7
看護師1人当たり外来患者数	(人)			1.8	1.2	1.8	1.4
職員1人当たり入院患者数	(人)			0.3	0.3	0.4	0.3
職員1人当たり外来患者数	(人)			0.8	0.6	0.8	0.7
紹介率	(%)			67.3	71.7	51.8	54.8
逆紹介率	(%)			46.8	43.8	46.8	43.8

図表Ⅲ-95　社会保険関係団体・一般病院（新型コロナウイルス感染症入院患者等の受入実績別）

		それ以外					
		院内感染（クラスターの発生を含む）有り		院内感染（クラスターの発生を含む）無し		全体	
		令和元年度	令和2年度	令和元年度	令和2年度	令和元年度	令和2年度
病院数		0	0	0	0	0	0
収益性							
医業利益率	(%)						
医業利益率（コロナ関係補助金あり）	(%)						
総資本医業利益率	(%)						
経常利益率	(%)						
償却前医業利益率	(%)						
病床利用率	(%)						
固定費比率	(%)						
材料費比率	(%)						
医薬品比率	(%)						
人件費率	(%)						
委託費比率	(%)						
設備関係費比率	(%)						
減価償却費比率	(%)						
経費比率	(%)						
金利負担率	(%)						
資本費比率	(%)						
総資本回転率	(%)						
固定資産回転率	(%)						
常勤医師人件費比率	(%)						
非常勤医師人件費比率	(%)						
常勤看護師人件費比率	(%)						
非常勤看護師人件費比率	(%)						
常勤その他人件費比率	(%)						
非常勤その他人件費比率	(%)						
常勤医師1人当たり人件費	(千円)						
常勤看護師1人当たり人件費	(千円)						
職員1人当たり人件費	(千円)						
1床あたり医業収益	(千円)						
安全性							
自己資本比率	(%)						
固定長期適合率	(%)						
借入金比率	(%)						
償還期間	(年)						
流動比率	(%)						
1床あたり固定資産額	(千円)						
償却金利前経常利益率	(%)						
機能性							
平均在院日数	(日)						
外来/入院比	(倍)						
1床あたり1日平均外来患者数	(人)						
患者1人1日当たり入院収益	(円)						
患者1人1日当たり入院収益（室料差額除く）	(円)						
外来患者1人1日当たり外来収益	(円)						
医師1人当たり入院患者数	(人)						
医師1人当たり外来患者数	(人)						
看護師1人当たり入院患者数	(人)						
看護師1人当たり外来患者数	(人)						
職員1人当たり入院患者数	(人)						
職員1人当たり外来患者数	(人)						
紹介率	(%)						
逆紹介率	(%)						

図表Ⅲ-96　その他公的・一般病院（新型コロナウイルス感染症入院患者等の受入実績別）

		それ以外					
		院内感染（クラスターの発生を含む）有り		院内感染（クラスターの発生を含む）無し		全体	
		令和元年度	令和2年度	令和元年度	令和2年度	令和元年度	令和2年度
病院数		0	0	2	1	2	1
収益性							
医業利益率	（%）			1.7		1.7	
医業利益率（コロナ関係補助金あり）	（%）			—		—	
総資本医業利益率	（%）			1.7		1.7	
経常利益率	（%）			2.0		2.0	
償却前医業利益率	（%）			5.9		5.9	
病床利用率	（%）			90.3		90.3	
固定費比率	（%）			60.0		60.0	
材料費比率	（%）			23.7		23.7	
医薬品比率	（%）			14.6		14.6	
人件費率	（%）			52.2		52.2	
委託費比率	（%）			8.5		8.5	
設備関係費比率	（%）			7.8		7.8	
減価償却費比率	（%）			4.2		4.2	
経費比率	（%）			4.2		4.2	
金利負担率	（%）			0.2		0.2	
資本費比率	（%）			4.4		4.4	
総資本回転率	（%）			157.7		157.7	
固定資産回転率	（%）			299.7		299.7	
常勤医師人件費比率	（%）			6.7		6.7	
非常勤医師人件費比率	（%）			3.0		3.0	
常勤看護師人件費比率	（%）			20.2		20.2	
非常勤看護師人件費比率	（%）			0.8		0.8	
常勤その他人件費比率	（%）			11.3		11.3	
非常勤その他人件費比率	（%）			1.1		1.1	
常勤医師1人当たり人件費	（千円）			16,564		16,564	
常勤看護師1人当たり人件費	（千円）			5,386		5,386	
職員1人当たり人件費	（千円）			7,901		7,901	
1床あたり医業収益	（千円）			23,489		23,489	
安全性							
自己資本比率	（%）			69.1		69.1	
固定長期適合率	（%）			57.7		57.7	
借入金比率	（%）			4.2		4.2	
償還期間	（年）			0.6		0.6	
流動比率	（%）			407.7		407.7	
1床あたり固定資産額	（千円）			11,438		11,438	
償却金利前経常利益率	（%）			0.1		0.1	
機能性							
平均在院日数	（日）			24.0		24.0	
外来／入院比	（倍）			1.6		1.6	
1床あたり1日平均外来患者数	（人）			1.3		1.3	
患者1人1日当たり入院収益	（円）			47,810		47,810	
患者1人1日当たり入院収益（室料差額除く）	（円）			47,048		47,048	
外来患者1人1日当たり外来収益	（円）			15,480		15,480	
医師1人当たり入院患者数	（人）			6.2		6.2	
医師1人当たり外来患者数	（人）			10.0		10.0	
看護師1人当たり入院患者数	（人）			1.0		1.0	
看護師1人当たり外来患者数	（人）			1.6		1.6	
職員1人当たり入院患者数	（人）			0.6		0.6	
職員1人当たり外来患者数	（人）			0.9		0.9	
紹介率	（%）			38.5		38.5	
逆紹介率	（%）			95.8		95.8	

4.「病院経営管理指標」の閲覧・利用の有無について

「病院経営管理指標」の閲覧・利用の有無については,「閲覧・利用したことがある」が30.0%,「閲覧・利用したことがない」が45.0%であった。

図表Ⅲ-97 「病院経営管理指標」の閲覧・利用の有無

	件数	%
1. 閲覧・利用したことがある	310	30.0%
2. 閲覧・利用したことがない	466	45.0%
3. 無回答	259	25.0%
計	1,035	100.0%

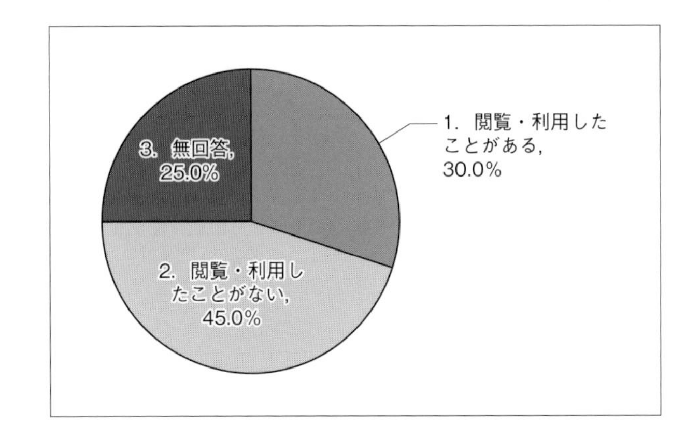

参考資料

【参考1】指標一覧

【収益性】

指標	算式
医業利益率	$\frac{\text{医業利益}}{\text{医業収益}}$
総資本医業利益率	$\frac{\text{医業利益}}{\text{総資本}}$
経常利益率	$\frac{\text{経常利益}}{\text{医業収益}}$
償却前医業利益率	$\frac{\text{医業利益＋減価償却費}}{\text{医業収益}}$
病床利用率	$\frac{\text{1日平均入院患者数}}{\text{稼動病床数}}$
固定費比率	$\frac{\text{給与費＋設備関係費＋支払利息}}{\text{医業収益}}$
材料費比率	$\frac{\text{材料費}}{\text{医業収益}}$
医薬品費比率	$\frac{\text{医薬品費}}{\text{医業収益}}$
人件費比率	$\frac{\text{人件費}}{\text{医業収益}}$
委託費比率	$\frac{\text{委託費}}{\text{医業収益}}$
設備関係費比率	$\frac{\text{設備関係費}}{\text{医業収益}}$
減価償却費比率	$\frac{\text{減価償却費}}{\text{医業収益}}$
経費比率	$\frac{\text{経費}}{\text{医業収益}}$
金利負担率	$\frac{\text{支払利息}}{\text{医業収益}}$
資本費比率	減価償却費比率＋金利負担率
総資本回転率	$\frac{\text{医業収益}}{\text{総資本}}$
固定資産回転率	$\frac{\text{医業収益}}{\text{固定資産}}$
常勤(非常勤)医師人件費比率	$\frac{\text{常勤(非常勤)医師給与・賞与}}{\text{医業収益}}$
常勤(非常勤)看護師人件費比率	$\frac{\text{常勤(非常勤)看護師給与・賞与}}{\text{医業収益}}$
常勤(非常勤)その他職員人件費比率	$\frac{\text{常勤(非常勤)その他職員給与・賞与}}{\text{医業収益}}$
常勤医師1人あたり人件費	$\frac{\text{常勤医師給与・賞与}}{\text{常勤医師数}}$
常勤看護師1人あたり人件費	$\frac{\text{常勤看護師給与・賞与}}{\text{常勤看護師数}}$
職員1人あたり人件費	$\frac{\text{総給与}}{\text{常勤職員数＋非常勤(常勤換算)職員数}}$
1床あたり医業収益	$\frac{\text{医業収益}}{\text{許可病床数}}$

【安全性】

指標	算式
自己資本比率	$\frac{\text{純資産}}{\text{総資本}}$
固定長期適合率	$\frac{\text{固定資産}}{\text{純資産}+\text{固定負債}}$
借入金比率	$\frac{\text{長期借入金}}{\text{医業収益}}$
償還期間	$\frac{\text{長期借入金}}{(\text{税引前当期純利益}\times 70\%)+\text{減価償却費}}$
流動比率	$\frac{\text{流動資産}}{\text{流動負債}}$
1床あたり固定資産額	$\frac{\text{固定資産}}{\text{許可病床数}}$
償却金利前経常利益率	$\frac{\text{経常利益}+\text{減価償却費}+\text{支払利息}}{\text{医業収益}}$

【機能性】

指標	算式
平均在院日数	$\frac{\text{在院患者延数}}{(\text{新入院患者数}+\text{退院患者数})\times 1/2}$
外来／入院比	$\frac{\text{1日平均外来患者数}}{\text{1日平均入院患者数}}$
1床あたり1日平均外来患者数	$\frac{\text{外来患者延数}}{\text{365日}\times\text{許可病床数}}$
患者1人1日あたり入院収益	$\frac{\text{入院診療収益}+\text{室料差額等収益}}{\text{在院患者延数}+\text{退院患者数}}$
患者1人1日あたり入院収益（室料差額除く）	$\frac{\text{入院診療収益}}{\text{在院患者延数}+\text{退院患者数}}$
外来患者1人1日あたり外来収益	$\frac{\text{外来診療収益}}{\text{外来患者延数}}$
医師1人あたり入院患者数	$\frac{\text{1日平均入院患者数}}{\text{常勤医師数}+\text{非常勤(常勤換算)医師数}}$
医師1人あたり外来患者数	$\frac{\text{1日平均外来患者数}}{\text{常勤医師数}+\text{非常勤(常勤換算)医師数}}$
看護師1人あたり入院患者数	$\frac{\text{1日平均入院患者数}}{\text{常勤看護師数}+\text{非常勤(常勤換算)看護師数}}$
看護師1人あたり外来患者数	$\frac{\text{1日平均外来患者数}}{\text{常勤看護師数}+\text{非常勤(常勤換算)看護師数}}$
職員1人あたり入院患者数	$\frac{\text{1日平均入院患者数}}{\text{常勤職員数}+\text{非常勤(常勤換算)職員数}}$
職員1人あたり外来患者数	$\frac{\text{1日平均外来患者数}}{\text{常勤職員数}+\text{非常勤(常勤換算)職員数}}$
紹介率	$\frac{\text{紹介患者数}+\text{救急患者数}}{\text{初診患者数}}$
逆紹介率	$\frac{\text{逆紹介患者数}}{\text{初診患者数}}$

【参考2】グルーピングとその定義

1）病院種別比較

・一般病院：一般病床が全体の80％以上を占める病院
・療養型病院：療養病床が全体の80％以上を占める病院
・精神科病院：精神病床が全体の80％以上を占める病院
・ケアミックス病院：上記以外の病院

2）開設者別比較

・医療法人
・自治体（都道府県・市町村・地方独立行政法人）
・社会保険関係団体
「国家公務員共済組合連合会」「公立学校共済組合」を除く共済組合および連合会，健康保険組合およびその連合会，国民健康保険組合，JCHO（独立行政法人地域医療機能推進機構）
・その他公的
日本赤十字社，社会福祉法人恩賜財団済生会，社会福祉法人北海道社会事業協会，厚生（医療）農業協同組合連合会

3）病床規模別比較

・20床以上49床以下
・50床以上99床以下
・100床以上199床以下
・200床以上299床以下
・300床以上399床以下
・400床以上

4）平均在院日数別

・10日未満
・10以上～15日未満
・15日以上～20日未満
・20日以上～25日未満
・25日以上

5）一般病棟入院基本料別

・急性期一般入院料1
・急性期一般入院料2
・急性期一般入院料3
・急性期一般入院料4
・急性期一般入院料5
・急性期一般入院料6
・急性期一般入院料7
・地域一般入院料1
・地域一般入院料2
・地域一般入院料3

参考文献

1）神戸大学大学院経営学研究室編，奥林康司，宗像正幸，坂下昭宣：経営学大辞典 第2版，中央経済社，1999
2）神戸大学会計学研究室編：会計学辞典第六版，同文舘出版，2007
3）日本医療・病院管理学会学術情報委員会編：医療・病院管理用語事典 新版，市ケ谷出版社，2011
4）日本病院管理学会監，濃沼信夫（日本病院管理学会・学術情報委員会） 企画・編集：医療安全用語事典，エルゼビア・ジャパン，2004
5）石井孝宜，五十嵐邦彦：新訂　医療法人の会計と税務，同文舘出版，2017

著者プロフィール

石井（いしい） 孝宜（たかよし）

昭和52年３月　明治大学政経学部卒業
昭和56年３月　公認会計士登録第6930号

昭和52年３月　扶桑監査法人入所
昭和57年４月　公認会計士森久雄事務所入所
昭和59年１月　森公認会計士共同事務所主宰，代表公認会計士
平成８年７月　石井公認会計士事務所開設，現在に至る

〈主な役職〉（現職）
国立研究開発法人国立国際医療研究センター・監事，茅ヶ崎市立病院経営審議会・委員，一般社団法人日本病院会・監事，一般社団法人日本医療法人協会・監事，公益社団法人全日本病院協会・参与，一般社団法人日本社会医療法人協議会・監事，公益社団法人日本医師会・医業税制検討委員会・委員，一般社団法人MEJ（メディカルエクセレンスジャパン）・監事，一般社団法人日本医療・病院管理学会・監事　他

〈事務所所在地〉
石井公認会計士事務所
〒105-0001東京都港区虎ノ門5-1-5メトロシティ神谷町3階
TEL03-5425-7320　FAX03-5425-7321

西田（にしだ） 大介（だいすけ）

平成６年３月　法政大学経営学部卒業
平成14年４月　公認会計士登録第17039号

平成９年10月　青山監査法人入所
平成13年８月　有限会社 会計工房入社
平成17年10月　西田公認会計士事務所開設，現在に至る

〈主な役職〉（現職）
国立研究開発法人国立成育医療研究センター・監事，一般社団法人日本小児総合医療施設協議会・監事，監査法人MMPGエーマック・代表社員

〈事務所所在地〉
西田公認会計士事務所
〒102-0073東京都千代田区九段北1-1-7-905

読者アンケートのご案内

本書に関するご意見・ご感想をお聞かせください。

下記QRコードもしくは下記URLから
アンケートページにアクセスしてご回答ください
https://form.jiho.jp/questionnaire/book.html

※本アンケートの回答はパソコン・スマートフォン等からとなります。
稀に機種によってはご利用いただけない場合がございます。
※インターネット接続料、および通信料はお客様のご負担となります。

病院のための経営分析入門　第3版

定価　本体3,800円（税別）

2008年4月11日　発　行
2016年2月20日　第2版発行
2023年6月20日　第3版発行

著　者　石井（いしい） 孝宜（たかよし）　西田（にしだ） 大介（だいすけ）

発行人　武田 信

発行所　株式会社　じ ほ う

101-8421　東京都千代田区神田猿楽町1-5-15（猿楽町SSビル）
振替　00190-0-900481
<大阪支局>
541-0044　大阪市中央区伏見町2-1-1（三井住友銀行高麗橋ビル）
お問い合わせ　https://www.jiho.co.jp/contact/

ISBN 978-4-8407-5519-1